Les Enfants-puce

CHRISTINE KERDELLANT
GABRIEL GRÉSILLON

Les Enfants-puce

Comment Internet et les jeux vidéo fabriquent les adultes de demain

Ouvrage publié sous la direction
de Renaud de Rochebrune

www.denoel.fr

9, rue du Cherche-Midi, 75006 Paris
ISBN : 2-207-25347.3
B 25347.9

À Jean-Max et Pierre-Alexandre

À Véronique

Sommaire

INTRODUCTION

Les enfants-puce seront-ils différents des adultes d'aujourd'hui ?

Ils passent des journées entières sur la PlayStation, découvrent l'amour en « chattant » en ligne, et donnent des leçons d'informatique à leurs profs. Leurs parents nés avec la télé, et leurs grands-parents de la génération TSF, comprennent mal ces gamins qui manipulent le Mac ou le PC comme le grille-pain ou la chaîne stéréo. Qu'aura-t-elle dans la tête, cette génération d'enfants-puce qui, dès le berceau, n'auront connu que les jeux vidéo, l'ordinateur, Internet et les SMS ? Sera-t-elle violente, égocentrique, irrespectueuse et antisociale, comme certains l'affirment déjà ? Sera-t-elle vraiment la « génération du zapping », incapable de soutenir son attention plus de quelques minutes, ayant oublié la signification des mots obstination ou effort ? Quels seront les réflexes de ceux qui n'auront joué au gendarme et au voleur que sur des écrans bleutés, avec un tamagotchi pour animal de compagnie ?

Le phénomène multimédia est universel. Aucun pays développé n'y échappe. Chaque année, 24 milliards de dollars sont dépensés, dans le monde, pour les seuls jeux vidéo, et le secteur croît avec une santé insolente : 15 % par an. En France, 10 millions de personnes jouent sur écran, enfants et jeunes adultes confondus. Deux décennies ont suffi pour que cette nouvelle occupation « colonise » massivement les familles, *via* l'ordinateur ou la console. Au quatrième trimestre 2002, 9,5 millions de foyers possédaient un micro-ordinateur, selon l'institut de sondages Médiamétrie. Le chiffre avait progressé en dix-huit mois de presque 2 millions ! Les deux tiers des foyers avec enfants sont équipés, car les usages domestiques de l'ordinateur sont essentiellement ludiques. Quant à la console, elle équipe depuis dix ans un foyer sur deux. Comme son homologue américain ou japonais, le petit Français de douze ans qui ne connaît pas Rayman ou Tomb Raider passe pour un attardé dans la cour de récré.

Mais le « multimédia », ce n'est pas seulement l'utilisation de la console ou du micro pour jouer à Quake, Harry Potter ou aux Sims, même si le jeu à outrance constitue une des premières sources d'inquiétude des parents. Il recouvre aussi les autres usages de l'ordinateur, des CD-Rom éducatifs à Internet. La nouvelle économie a beau être passée de mode, la France s'est « internétisée » à pas de géant : en janvier 2003, 20 millions de Français se sont connectés au réseau, du bureau ou de chez eux. Se vanter d'être scotché sur Internet est certes devenu moins tendance qu'à la fin du xxe siècle, mais les connexions continuent de progresser à toute vitesse : 4 millions de foyers étaient reliés début 2001, et ils sont plus de 6 millions deux ans après, toujours selon Médiamétrie. Les jeunes sont évidemment les plus concernés : les moins de vingt-cinq ans représentent à eux seuls 32 % des surfeurs, à en croire NetValue, l'autre institut de référence en France. Et certaines statistiques comptabilisent même les enfants à partir de deux ans ! Quand ils n'ont pas accès à Internet chez eux, les gamins l'essaient à l'école ou chez des copains.

Autre outil technologique qui façonne les mentalités et les comportements, le téléphone portable est lui aussi plébiscité par les adolescents. En cinq ans, il est entré dans les mœurs... et dans plus de la moitié des foyers. Le téléphone avait beau exister depuis un siècle, le mobile en a renouvelé l'usage.

En revanche, nous ne nous intéresserons guère au DVD, qui a simplement remplacé les cassettes VHS en y intégrant, pour partie, l'interactivité des jeux vidéo. Il n'a pas, en effet, d'influence spécifique sur les mentalités des jeunes utilisateurs. Et nous nous intéresserons peu à un autre outil qui devait, à en croire les inconditionnels de la high tech, tuer le livre traditionnel : l'e-book. Car ce minuscule ordinateur aux allures de gros agenda électronique, sur lequel on peut télécharger une trentaine d'ouvrages, n'a pas connu le succès escompté. Et, en tout cas, pas celui espéré par Jacques Attali ou Erik Orsenna, deux écrivains qui y avaient suffisamment cru pour s'investir personnellement dans le développement de cette nouveauté« révolutionnaire ». Cytale, le promoteur français de l'e-book, a dû déposer le bilan à la rentrée 2002. Les adultes de demain continueront donc probablement, pour longtemps encore, à tourner les pages des romans, et à humer avec bonheur l'odeur du livre neuf. Pourquoi, d'ailleurs, aurait-il fallu remplacer le bouquin de poche, ce miracle d'ergonomie et de plaisir condensé, par un « livre qui tombe en panne » ?

Si les enfants de la maternelle ou du primaire sont au cœur de la révolution multimédia, ils ne sont pas les seuls concernés. Les frontières de cette « génération Nintendo » sont floues, car les nouveaux outils ne sont pas apparus en une nuit ; néanmoins on considérera, avec une part d'arbitraire, qu'elle regroupe les enfants nés après 1980, c'est-à-dire les enfants, les ados et une partie des *adulescents* (le terme qui désigne désormais les jeunes adultes). Leur point commun : même si certains se souviennent d'un monde sans portable et sans Internet, puisque les deux outils ont commencé à se répandre au milieu des années 90, tous ont grandi avec les jeux électroniques et n'ont jamais connu la machine à écrire. Lorsque nous évoquerons, au passage, des cas de personnes adultes, il s'agira de « pionniers », et nous ne nous intéresserons qu'à la valeur d'exemplarité – au bon ou au mauvais sens du terme – de leur comportement.

« Nous façonnons des outils et ces outils à leur tour façonnent nos esprits », écrivait dès 1964 Mac Luhan à propos de la télévision. À onze ans, aux États-Unis, un enfant a déjà assisté à 8 000 meurtres par petit écran interposé. Et le débat dure depuis trente ans : la télé rend-elle violent ? La plus vaste étude jamais menée sur le sujet, publiée à la mi-2002, a cru pouvoir répondre affirmativement. Des chercheurs de l'université de Columbia ont suivi un échantillon de sept cents familles pendant dix-sept ans. Leurs résultats : 45,2 % des hommes regardant la TV plus de trois heures par jour ont commis au moins une agression. Le taux n'est que de 8,9 % des hommes qui l'allument moins d'une heure par jour. Et chez les femmes, traditionnellement moins agressives, l'écart est tout aussi spectaculaire, comme on le verra au chapitre 4. Même si l'on peut se méfier des conclusions à tirer des études fondées sur de simples corrélations, les chiffres sont pour le moins parlants !

Les jeux vidéo – et, plus largement, les outils multimédia qui proposent des images proches de celles de la télévision – n'ont pas fait l'objet de telles études et les avis sont très partagés quant à la violence qu'ils généreraient. Pour les uns, les jeux multimédia ont des vertus cathartiques : à tuer par joystick interposé, on se libère de son stress. Pour les autres, ces scénarios forts en hémoglobine sont la pire des incitations à la violence, car ils la dédramatisent. Un ancien psychologue de l'armée américaine, David Grossman, soutient cette thèse qui alimente le débat outre-

Atlantique, mais que de nombreux psychologues français, il est vrai, réfutent. Le lieutenant-colonel à la retraite est formel : « Nous conditionnons nos enfants à tuer de la même manière que l'armée conditionne les soldats. Avec les mêmes armes. » Et de dénoncer l'emploi, par l'armée américaine, de certains jeux vidéo grand public à seule fin d'insensibiliser les jeunes recrues. Sans cet entraînement, assure le psychologue, seulement 15 % des fusiliers tireraient vraiment sur un ennemi s'ils l'avaient en ligne de mire. Bref, à l'en croire, on ne naît pas tueur, on le devient. Et grâce au jeu video !

Si l'outil façonne l'esprit de celui qui l'utilise, il peut, à haute dose, l'aliéner. Juste derrière la violence, l'autre grande peur des parents est de voir chez leurs rejetons l'ordinateur tourner à l'obsession. Les virtuoses de la souris ne vont-ils pas finir « accros » ? Hanter les salles de jeu en réseau comme d'autres hantaient les fumeries d'opium, allumer leur micro comme on se fait une « piquouse » ? Aux États-Unis, des établissements médicaux spécialisés accueillent déjà les drogués du Net. À passer leurs nuits ou leurs journées à surfer ou à jouer, ces adultes ont perdu peu à peu le contact avec leur job et leur famille. Les cures de désintoxication de ces nouveaux junkies ressemblent à celles des alcooliques ou des héroïnomanes : on leur apprend à combler le manque. Les garçons de dix ou douze ans qui passent – c'est assez banal – cinq heures par jour devant leur écran sont-ils déjà les victimes consentantes de cette nouvelle « toxicomanie sans drogue » ? Sur ce sujet, les experts et les médecins ont déjà une dizaine d'années de recul, et apportent, on le verra, de vraies réponses nées de l'expérience.

Même lorsqu'on n'est pas « accro », n'y a-t-il pas un risque à baigner dans cette culture de la simulation ? Ne risque-t-on pas de confondre, à terme, monde virtuel et monde réel ? « Les plus branchés ne s'interrogent plus sur la véracité du cybermonde, avoue Sherry Turkle, la papesse américaine du multimédia, psychanalyste et professeur au fameux MIT (Massachusetts Institute of Technology). Ils prennent tout ce qui s'y passe pour acquis. Ils n'ouvrent jamais le capot pour voir ce qu'il y a dessous. La culture classique avait l'avantage de vous donner des instruments analytiques pour vous aider à comprendre le pourquoi et le comment. » Mais le monde virtuel est tellement plus confortable ! On peut y changer impunément d'âge ou de sexe (des hommes se font passer pour des femmes pour mieux les approcher, des fillettes de dix ans doublent la mise...), ou s'identifier à son héros favori le temps d'un jeu. On y est si bien, finalement, que certains ont déjà pu se demander si les adultes du XXIe siècle auront encore besoin de contacts physiques.

L'amour, en tout cas, est omniprésent sur le réseau des réseaux. Et sous toutes ses formes. On peut y trouver l'âme sœur, pratiquer la SAO (la sexualité assistée par ordinateur) mais aussi découvrir la théorie du rapport amoureux. Si toutes les générations ont eu leur Larousse médical ou leur encyclopédie familiale – qui n'y a pas appris les secrets de sa naissance avant que ses parents ne se décident à aborder le sujet ? –, ceux qui auront biberonné à l'Internet auront été plus gâtés. Le web regorge de sites pseudo-médicaux qui répondent à toutes les questions obsédantes – de la taille normale ou pathologique des seins à la technique du baiser à pleine bouche en passant par tout ce qu'il faut savoir sur la grossesse non désirée.

Mais en tapant les mots sensibles, les curieux peuvent aussi atterrir sur des sites nettement moins contrôlés. La magie et l'horreur du web, ce n'est pas qu'il vous emmène dans le monde, mais qu'il amène le monde dans votre maison. Plus rien ne compte : ni le couvre-feu familial, ni le quartier où vous habitez, ni votre porte fermée à double tour. D'un clic de souris, votre petit garçon peut se retrouver dans un sex-shop, chez les pédophiles ou les néo-nazis *. Internet est un vaste cloaque dans lequel on trouve tout, y compris ce qu'on ne cherche pas. Mais la force publique peut difficilement interdire ces sites qui « mettent le poison à la portée de tous », comme le disait le procureur Ernest Pinard dans son réquisitoire contre... *Madame Bovary* en 1857. Quels risques courent vraiment les internautes en herbe ? Peut-on les limiter ? Il existe, comme nous le verrons, des parades et des logiciels qui peuvent constituer une première barrière.

Une barrière... sauf si les petits génies de l'informatique contournent les interdits parentaux avec des

* Voir chapitre 3.

outils de « pro ». Car la technologie est aussi un formidable défi à toutes les formes d'autorité. Les gamins de dix ans la maîtrisent mieux que leurs parents, et ce phénomène est en soi un événement. Pour la première fois peut-être dans l'histoire de l'humanité, ce sont les enfants qui apprennent des choses révolutionnaires à leurs parents. Les rapports d'autorité ne vont-ils pas en être bouleversés ? Les fondements de l'éducation remis en cause ? Et d'abord, Internet est-il pédagogiquement correct ? Il est entré à petits pas dans les écoles, grâce à quelques enseignants précurseurs, mais certains évoquent déjà des classes où chaque élève travaillerait à son rythme, sur l'ordinateur, avec, en guise de répétiteur, un logiciel adapté à son niveau : peut-on craindre que le micro prenne un jour la place du professeur ? Là encore, les expériences actuelles permettent, sinon de répondre, du moins de lever un coin du voile.

Internet constitue une vaste encyclopédie. Une bibliothèque gigantesque. Mais le réseau ne rassemble pas pour autant le savoir universel. Car toute parole s'y vaut. On y trouve le pire et le meilleur, non hiérarchisé, ou trié par des inconnus. Et personne, sinon parfois les enseignants, pour en discuter ou apprendre à s'en servir. L'école est le dernier rempart contre la « fracture Internet » ; elle doit jouer son rôle pour éviter que seuls les enfants des foyers aisés apprivoisent la technologie tandis que les autres subiraient un handicap supplémentaire. Le joue-t-elle vraiment aujourd'hui ? Les profs, mais aussi les ministres, anciens ministres ou responsables de l'Éducation nationale, nous ont donné leur réponse.

S'ils sont moins respectueux des hiérarchies, quel genre d'employés et de cadres seront les bébés de la PlayStation ? Quand n'importe qui peut envoyer un mail à son patron, quand l'information est partagée grâce aux Intranet, ces réseaux internes à l'entreprise *, l'entreprise pyramidale, avec son PD-G inaccessible et ses petits chefs dont l'autorité repose sur la détention des informations, tangue sur ses bases. On imaginait, à l'époque pas si lointaine où Jacques Chirac apprenait en urgence à utiliser Internet et s'acoquinait avec les start-up parisiennes, que le fonctionnement des jeunes pousses contaminerait leurs vieilles consœurs. C'était en 1999. Mais les cravates sont revenues, et la Bourse a brûlé ce qu'elle avait adoré. Plus personne n'ose dire aujourd'hui que les enfants du multimédia vont aplatir les hiérarchies, repenser le management ou développer le travail en réseau. À tort, peut-être.

La passivité face aux médias, quoi qu'il en soit, n'est plus de mise. C'est une idée reçue aux États-Unis, où les moins de quinze ans auraient quelque peu délaissé la télévision au profit de l'ordinateur et d'Internet : leur consommation de télé aurait baissé de deux heures par semaine en cinq ans. Une comparaison cruelle, longtemps en vogue outre-Atlantique,

* Pour tous les mots de l'univers multimédia qui ne sont pas totalement courants pour le néophyte, on se reportera au glossaire (annexe 4, à la fin de l'ouvrage).

illustre ce changement. D'un côté, la génération « couch potatoes » : un quinquagénaire obèse affalé dans un fauteuil, hypnotisé par la télé, ses mains grasses plongées dans un énorme paquet de chips. À l'opposé, la génération Internet : un jeune homme assis devant un bureau, le corps tendu vers son écran, l'air passionné, un café dans une main et la souris dans l'autre. Une vision idyllique ?

Idyllique, aussi, cette affirmation d'un groupe de psychologues américains et anglais qui prétendent, à quelques mois d'intervalle, avoir démontré que les médias numériques enrichissaient les jeunes cerveaux ? Pour eux, les compétences motrices et cognitives se développeraient plus vite dans le monde interactif. Ce n'est donc pas seulement en taille que la nouvelle génération dépasserait la précédente : le QI moyen des cyber-enfants aurait progressé de quinze points en dix ans. Autrement dit, le jeu ne serait pas du temps perdu mais du temps productif ! Sauf que le jeu n'est sûrement pas le seul responsable de cette élévation de l'intelligence moyenne. Mais être sûr qu'il ne l'a pas abaissée serait déjà franchir un grand pas, quand certains pédopsychiatres affirment qu'en empêchant les enfants de flâner et de laisser vagabonder leur imagination, les jeux électroniques réduisent leur créativité.

Le téléphone portable lui-même, dont on commence seulement à soupçonner les risques pour notre santé – nous verrons au chapitre 12 que les moins alarmistes des experts recommandent quand même de prendre garde aux effets des ondes sur les enfants –, change notre psychologie. Après les attentats du 11 septembre, un écolier américain dont le frère aîné avait péri dans une des tours du World Trade Center n'avait de cesse de composer le numéro de ce dernier pour écouter sa voix sur le répondeur. Il lui a laissé des dizaines de messages. Aujourd'hui, vous ne mourez plus lorsque votre cœur cesse de battre, mais lorsque votre abonnement est résilié. La présence du portable nous rassure comme un doudou, même quand le lien est illusoire, quand nous n'appelons pas. Les enfants du mobile, que l'on peut contacter partout et tout le temps, qui emportent leur maison avec eux, auront-ils la même notion des distances, de l'absence ou de l'espace privé que leurs aînés qui ont grandi avec le fixe, ou sans téléphone du tout ?

S'il y a consensus sur certains thèmes, au moins chez les spécialistes, d'autres débats sont loin d'être tranchés : celui, par exemple, qui concerne l'avenir du français. La langue de Molière sera-t-elle bientôt réduite au langage SMS, l'idiome officiel des mobiles ? « Tfou * » et « Pourkoi tan2N ** » se substituant au « Mon cher, vous n'y êtes pas » ? Si les académiciens s'en offusquent, les esprits pratiques se réjouissent de voir les nouvelles générations retrouver le goût de l'écrit (même tronqué, torturé, entrecoupé de petites têtes grimaçantes) et du courrier (même

* T'es fou !

** Pourquoi tant de haine ?

électronique ou sous forme de SMS). Qu'importe qu'ils brisent la glace avec leur voisine de classe grâce à un texto, s'ils brisent la glace !

Parce qu'il existe, on l'a dit, peu d'études sur ces sujets, peu d'ouvrages ou de statistiques fiables, et que certaines questions sont loin d'avoir trouvé leur réponse définitive, nous nous sommes surtout appuyés, pour notre enquête, sur des interviews d'experts, de psychothérapeutes, de sociologues, et sur des témoignages d'utilisateurs ou d'encadrants (enseignants, parents...). Des ministres Xavier Darcos ou Jack Lang au professeur Coppens, le spécialiste des sociétés préhistoriques, tous sont passionnés par ce sujet qui constitue un véritable enjeu de société. Nous avons aussi regardé de l'autre côté de l'Atlantique, car la société américaine, avec ses quelques années d'avance technologique, constitue, en dépit de ses particularismes, un laboratoire incontournable.

Dès qu'une nouvelle technologie apparaît, les intellectuels s'écharpent. D'un côté, les professionnels du soupçon, qui voient dans l'outil un nouveau coup fatal porté aux libertés individuelles et à la culture collective. De l'autre, les prophètes technophiles et autres idéologues éclairés, pour qui le progrès roule toujours en sens unique – le bon. Les parents, les enseignants, tous les adeptes du pragmatisme obligé savent que la vérité se prête rarement aux jugements manichéens. Ce livre a néanmoins pour ambition non seulement d'informer le lecteur le plus objectivement possible mais aussi d'apporter des réponses concrètes. De faire, pour chacun des dangers ou des bienfaits supposés des jeux vidéo, d'Internet ou du portable, la part de la réalité et du fantasme, du démontré et de l'hypothétique. Autrement dit, d'évaluer l'impact de la technologie sur les cerveaux en gestation des enfants d'aujourd'hui afin de brosser le portrait des adultes de demain. Et de la société, forcément différente, qu'ils nous préparent.

1.

La machine à fabriquer des zombies

Les champions de la console et du micro seront-ils moins sociables ?

La scène – bien réelle – se passe dans le XIIe arrondissement de Paris. Dans les locaux d'une petite entreprise de communication, chacun est assis à son poste, les yeux rivés sur son écran d'ordinateur. Concentration maximale. Quelques détails, pourtant, sortent de l'ordinaire. La moyenne d'âge d'abord : quinze ans. Et surtout, depuis quand travaille-t-on le samedi ?

Rien de tel que d'avoir un père à la tête d'une société pour jouer en réseau. Quand les salariés ne sont pas là, les *gamers* dansent. *Gamers* ? C'est le nom des fans de jeux vidéo. Là, ils sont quatre. Des copains de classe de seconde qui, tous les samedis, envahissent les lieux. Tous le même profil ? Loin de là. Il y a David, le responsable des troupes. Son père est le patron de l'entreprise où se déroule la cérémonie du samedi : à lui de veiller à ce que tout se passe bien. Longiligne, un brin pince-sans-rire, passionné de tir à l'arc et d'escalade, il passe son temps à blaguer avec Nicolas, une tête de moins mais vif comme l'éclair. L'ambiance est plutôt aux premiers de la classe, surtout qu'Ali est assis dans la pièce juste à côté. Lui affiche volontiers son côté intellectuel, amateur de lecture et incollable sur la mythologie ou le passage des Alpes par Hannibal. Ce qui ne l'empêche pas d'être un inconditionnel du dessin animé culte *Les Chevaliers du Zodiac*. Le quatrième, Li, est plus discret, un peu en retrait. Ses parents le croient en train de travailler chez un copain...

Erreur. Comme tous les samedis, il se consacre aux jeux vidéo. Une fois par semaine, seulement. À cela près que, comme David et Nicolas, il se rend aussi dans des salles de jeu presque tous les jours, et qu'il est le principal utilisateur de l'ordinateur familial. Au total, entre le surf sur Internet et les jeux, deux des quatre adolescents, Nicolas et David, avouent dépasser les trente heures hebdomadaires devant un écran. À peu près autant, donc, que le temps qu'ils passent sur les bancs de l'école. Nous sommes allés les voir à l'œuvre.

Ici, les volets ne seront pas ouverts de la journée

À quoi jouent-ils exactement ? Il faut distinguer deux types de pratiques. D'un côté, comme leurs grands frères dix ans plus tôt avec la Game Boy, la console de jeux leur permet de se mesurer à une machine. Mais, de plus en plus, c'est le jeu en réseau, c'est-à-dire avec d'autres êtres humains, qui les intéresse. Évidemment, cela requiert une infrastructure plus élaborée : une connexion à Internet, si possible à haut débit. Ou, comme ici, le réseau interne de la boîte de papa.

Dans ces locaux pris d'assaut par les *gamers*, les volets ne seront pas ouverts de la journée. Non qu'ils veuillent se cacher ; simplement, ils n'y pensent pas. Savent-ils même quel temps il fait dehors ? Sourire en coin, Nicolas affecte un air dramatique. « Notre situation, c'est *Germinal 2* ! On rentre dans notre trou le matin, et on ressort à dix-neuf heures. »

Les coups de grisou, pourtant, se font rares. La première cause de mortalité, ici, ce sont les rafales de Kalachnikov et autres bazookas dont usent et abusent ces gamins en cliquant sur leur souris. Le jeu auquel ils jouent est un « Quake like », ou encore un « Doom like ». C'est-à-dire un jeu qui copie le principe des deux premiers de cette catégorie, Doom et Quake. Quelques neurones suffisent pour en comprendre le scénario qui se résume à peu de chose près à la formule « tirer sur tout ce qui bouge ». Seules complexités supplémentaires : ne pas tuer les soldats de la même équipe que soi (identifiables par leur couleur) et aller ramasser toutes les armes qui se présentent sur le chemin. En déambulant dans des couloirs obscurs ou des décors parfois proches de la science-fiction, on aperçoit des corps en sang gisant sur le sol. L'expérience peut être courte, car les balles fusent. Si l'écran devient subitement rouge, c'est que vous êtes mort. Et que votre dernière vision fut celle de votre propre sang. Les petites têtes blondes ne sont plus ce qu'elles étaient.

Fermer les volets et passer le plus clair (ou le plus obscur) de sa journée à shooter sur tout ce qui bouge : comme c'est exaltant ! Les jeux vidéo sont-ils en train de fabriquer des régiments de zombies ? C'est-à-dire, selon le Petit Larousse, des « personnes qui paraissent vidées de leur substance et dépourvues de toute volonté » ? Et le dictionnaire de citer en exemple l'expression : « errer comme un zombie »...

Les études sur cette question sont toutes aussi contradictoires les unes que les autres. Et il est difficile de croire à leur neutralité : que dire d'une enquête financée – c'est le cas le plus souvent – par l'industrie du jeu vidéo ? Aujourd'hui, l'équation *jeux vidéo = repli sur soi* reste toujours à établir. Mais la question est devenue encore plus pressante depuis le développement du web, car les usages qu'il engendre (jeu en ligne, mais aussi *chats*, forums de discussions...) sont des comportements essentiellement solitaires même s'ils relient des milliers d'êtres humains entre eux. D'où une interrogation légitime : les mutations technologiques de ces dernières années risquent-elles d'isoler de plus en plus les enfants ? Comment apprendront-ils, désormais, à rencontrer les autres, à se frotter à la réalité des relations humaines ? Est-ce encore une société que nous construisons, ou faut-il se résoudre à parler d'une somme d'individus insérés (ou perdus) dans des relations sociales factices ?

« On bombarde d'abord, ensuite on réfléchit »

Nos quatre lycéens, on s'en doute, n'ont cure de ce genre de question. Pourtant, certaines scènes ne sont pas très encourageantes. Par exemple, le repas. À quatorze heures, on se réunit certes autour de la table de réunion de l'entreprise, mais d'une manière qui n'a pas grand-chose à voir avec un moment de convivialité. Deux d'entre eux mangent debout. La table ? Quatre fourchettes, une bouilloire électrique, et des boîtes de nouilles chinoises lyophilisées. Les stores, bien entendu, sont toujours fermés. Bonjour la chaleur humaine... Chacun avale sa « dose » le plus vite possible, pour mieux retourner devant sa machine. Quant aux petites phrases qu'ils s'envoient par écran interposé pendant qu'ils jouent, elles ne respirent pas l'échange personnel et authentique. « À mort Ben Laden », lance le premier (les Twin Towers sont tombées deux mois plus tôt, et la guerre fait rage en Afghanistan). « À mort Bill » (Gates) répond le deuxième. Le degré zéro de l'esprit critique ? La palme de l'échange... interchangeable ! Pas si sûr.

À y regarder de plus près, ces ados ne sont pas abrutis comme on pourrait le croire. Première raison de ne pas s'affoler : ils ont du recul sur leur propre situation. Un recul probablement salutaire pour ne pas se replier sur soi en se consacrant exclusivement à sa machine. On est encore loin du gamin scotché devant son PC, se prosternant devant la puissance de son processeur ou la chaleur de son écran 17 pouces. Ils savent pertinemment ce qu'ils font. David, le visage encore lisse mais le corps déjà long comme un fil (au point que son pseudo pour jouer est « Squelettor » !), est catégorique : « Pour ce genre de jeu, c'est simple, il faut poser son cerveau à côté... »

C'est peut-être pour rebrancher son cerveau qu'il joue aussi à Age of Empire. Ce jeu de stratégie – l'autre grande catégorie de jeux en réseau, à côté des batailles de commandos ultraviolentes évoquées ci-dessus – est beaucoup plus fin. Le principe consiste à fonder une civilisation, en la dotant d'infrastructures, en facilitant le développement du commerce, mais aussi en formant ses habitants. On passe de l'âge de pierre à celui de bronze, puis à l'âge de fer, et on voit l'écriture apparaître. Ce qui n'empêche pas Nicolas et David, qui jouent ensemble (chacun dirige une civilisation différente, mais dans le même monde), de laisser libre cours à leurs pulsions guerrières, en tirant sur tout ce qui ressemble à l'ombre d'un ennemi. « On n'est pas très forts à ce jeu, explique Nicolas, alors on fait comme les Américains, on bombarde et ensuite on réfléchit ! » Le ton est bien à la plaisanterie et à l'autodérision. Autre manifestation de recul rassurante : entre l'homme et l'outil, il n'y a pas la moindre ambiguïté pour savoir qui est maître de la situation. Nicolas, hilare, raconte comment il a un jour sacrifié une de ses paysannes. Celle-ci, à cause d'un bug, refusait d'exécuter ses ordres : « Je lui ai envoyé cinq archers d'un coup ! La pauvre femme est morte pour sa patrie. »

C'est d'ailleurs en dominant la machine que ces lycéens dialoguent le plus. Car, pour pouvoir jouer dans les meilleures conditions, il faut bidouiller les ordinateurs. Adapter l'infrastructure au nombre de joueurs, relancer le jeu quand un « plantage » est survenu, etc. Les occasions sont nombreuses, et elles suscitent en général un échange. Mais surtout, ils parlent du jeu. Pas quand il s'agit uniquement de tirer sur tout ce qui bouge. Mais construire une civilisation nécessite beaucoup plus de capacités d'écoute ou de négociations. Nicolas manque de nourriture pour ses soldats. Il demande à David, plus compétent, s'il existerait un moyen d'échanger des vivres. « Va sur ton port et construis un bateau de commerce, explique ce dernier, je te filerai de la nourriture avec ça ! » En réalité, la conversation est permanente. Sur tous les tons. Conseils, moqueries (« Ils sont mignons tes cavaliers... Tu joues au tiercé ? »), avertissements (« Fais gaffe, tu vas te faire attaquer par le haut ») ou échanges (« Ça t'arrangerait que je te donne de l'or ? »).

Il ne faut pas s'y tromper : ces ados que nous avons pu observer « sur le terrain » sont bien en train de jouer. Au sens classique du mot. L'outil a changé, mais les plaisirs sont les mêmes : développer une stratégie, partager des idées, tendre des pièges, rire aux éclats. Nos lycéens n'ont rien de commun avec des « otakus », ces Japonais qui ont passé – au moins physiquement – le cap de l'adolescence mais qui ont choisi de vivre dans le monde virtuel. Des « emmurés » qui ont réduit au minimum les rapports avec leurs semblables, sont tombés amoureux d'une héroïne de jeu vidéo ou d'une idole télévisuelle, et dont on a cru, un temps, qu'ils deviendraient la norme de l'*homo virtuens* dans le monde occidental *. Mais le phénomène s'est cantonné au Japon, et si l'ère du multimédia a généré ses drogués, le phénomène n'a pris cette ampleur que dans la très particulière société japonaise.

À moins de se cantonner exclusivement à des jeux abrutissants où il suffit de « poser son cerveau à côté », le jeu vidéo ne représente probablement pas la menace sociale que certains croient pouvoir y déceler. « Quand les parents regardent leur enfant jouer, ils ne voient que la partie émergée de l'iceberg, le moment où il est seul face à la machine, confirme Serge Tisseron, pédopsychiatre, spécialiste de l'image. Mais les jeux vidéo sont tellement compliqués aujourd'hui que le joueur ne peut avancer dans une partie – et donc avoir du plaisir à jouer – que s'il échange régulièrement des trucs avec des copains. Le jeu permet de se rattacher à une communauté de pairs, de gérer le passage de la communauté familiale à la communauté sociale. »

C'est le point de vue de tous les psychologues : pour aller loin dans une telle activité ludique, il est indispensable d'échanger des solutions avec ses camarades. L'activité sociale générée par les jeux vidéo est intense : échange de CD, de magazines spécialisés, d'astuces. D'ailleurs, les jeunes adultes d'aujourd'hui sont passés eux aussi par ce genre de loisirs. Le réseau n'était pas là, mais la console Nintendo ou Sega tour-

* Les notes figurent en fin de volume à partir de la page 305.

nait tous les mercredis après-midi. Et ils ne sont pas, dix ans plus tard, murés dans leur solitude. À quelques exceptions près, comme toujours. Mais pour ceux-là, nul n'est en mesure de prouver que, sans Nintendo, ils n'en seraient pas au même point. « Ce qui inquiète les parents, conclut Serge Tisseron, ce n'est pas que l'enfant soit désocialisé et qu'il reste à la maison – si c'était pour lire Victor Hugo ou démonter des moteurs, ils ne s'affoleraient pas – mais qu'il soit obnubilé par quelque chose qui leur échappe. »

Le Net, une usine à produire de la solitude ?

Affaire classée ? Ce serait oublier, précisément, le réseau. Lui n'existait pas il y a dix ans. Et si, à première vue, le mot fait penser à tout sauf au repli sur soi, puisqu'il s'agit de relier tout le monde, il génère pourtant des activités solitaires. Le paradoxe est là. Potentiellement, l'Internet permet de rentrer en contact avec des hommes du monde entier. Les fondus de Dark Age of Camelot, un jeu en réseau fréquenté par des milliers de Français, Belges, Suisses et Québécois de tous âges, organisent d'ailleurs des IRL (*In Real Life*) c'est-à-dire des rassemblements de joueurs, qui parcourent parfois des centaines de kilomètres pour découvrir le visage de celui ou celle qui, dans le jeu, est depuis des mois leur frère, père, ou sœur, et qu'ils côtoient sans les connaître jusqu'à quinze heures par jour.

Une bonne nouvelle ? Encore faudrait-il que le contact soit maintenu avec les *vrais* parents, frères, sœurs, ou amis. Ce qui, justement, n'est pas acquis. Une étude réalisée par l'institut américain Pew Internet & American Life Project en juin 2001 [2] révèle ainsi que 64 % des adolescents américains ayant l'habitude de surfer sur Internet manifestent une inquiétude quant à l'impact du Net sur leur vie de famille : celui-ci diminuerait le temps passé ensemble. À la question « l'Internet améliore-t-il les relations des adolescents avec leurs parents ? », 79 % des jeunes interrogés répondent par la négative. Ce chiffre atteint même 87 % chez les filles de quinze à dix-sept ans. Difficile d'être plus explicite. À mesure que la télécommande de la télé familiale se transforme en souris, le nombre de mains qui se la partagent chute. Se mettre d'accord parmi un choix de quelques chaînes, passe encore, mais quand les possibilités sont à peu près infinies, l'action collective devient presque impossible. Surfer est bien une activité essentiellement solitaire.

L'outil lui-même favorise ce repli sur soi : l'une de ses principales forces est sa capacité de « personnalisation », comme disent les professionnels. C'est-à-dire sa capacité à adapter en permanence son contenu à l'internaute. Cette opportunité inédite a été louée par tous les acteurs du e-commerce. Le géant américain Amazon s'en est fait le chantre, affirmant vouloir créer « 25 millions de magasins pour 25 millions de clients ». En enregistrant le parcours de chaque client sur le site, ainsi que tous ses achats, Amazon est capable de mieux cerner ses goûts. Grâce à cette connaissance fine, l'entreprise californienne peut présenter un site plus adapté aux attentes des uns et des autres... et augmenter ses chances de vente (ainsi, dans le monde entier et au cours de l'année 2001, Amazon est parvenu à convertir environ 9 % de ses visiteurs en acheteurs, une performance unique dans le monde du e-commerce). Mais là où l'on peut parler de performance commerciale, n'y a-t-il pas une ombre qui plane sur l'ouverture d'esprit des consommateurs de produits culturels ? Si l'on ne propose que de l'opéra à un acheteur d'opéra, comment espérer qu'il découvre un jour la musique de chambre ? La personnalisation, c'est aussi la segmentation, et le cloisonnement.

Plus inquiétant peut-être, certains médias en ligne proposent cette même fonctionnalité. Monsieur Dupont ne s'intéresse qu'au football et à l'actualité économique ? Il peut se créer son propre journal en ligne, pour ne lire que des informations sur ces deux domaines. Et ne plus être dérangé par toutes les guerres lointaines, dont on lui rebat trop souvent les oreilles. C'est bien ce média « idéal » que dépeignait Nicholas Negroponte, directeur du Medialab au très renommé Massachusetts Institute of Technology dans *L'Homme numérique* [3] : « Ce genre de journal [...], qui mêlerait les grands titres de l'actualité à des faits moins importants concernant vos relations, les gens que vous verrez demain, et les endroits où vous vous apprêtez à aller ou d'où vous rentrez [...], appelons-le “ Mon

Monde ". » *Le Monde* est-il moins intéressant que « Mon Monde » ? La vertu des *mass media*, celle d'entretenir un ciment social, est-elle vouée à disparaître ?

Si l'on ajoute à cela le fait que de nombreuses actions traditionnellement collectives peuvent désormais se faire de chez soi (pourquoi aller au cinéma quand on peut télécharger gratuitement la version piratée du film ? Pourquoi aller chez le disquaire acheter un CD deux titres alors que la chanson est disponible en format mp3 sur Internet ?), on a toutes les raisons de s'interroger. Surfer confine chacun dans un « Mon Monde » confortable tout en lui évitant la tâche désagréable d'aller se frotter aux autres dans les salles obscures ou les magasins. Une inquiétude que semblait corroborer l'une des rares études sur la question. Le Pr Robert Kraut et son équipe de Pittsburg (États-Unis) avaient ainsi constitué un panel de 93 familles (soit 256 internautes) pour collecter pendant deux ans des informations sur leur utilisation du Net. Au terme de l'étude, Robert Kraut disposait de 169 profils d'internautes complets. La conclusion, publiée en 1998, était glaçante : l'utilisation d'Internet est associée « à un déclin de la communication avec les membres du foyer, à un déclin de la taille du cercle social, et à une augmentation de la dépression et de la solitude ». Rien de moins.

Mais c'était avant que Robert Kraut lui-même... ne tempère ses propres conclusions. Après un suivi plus poussé des panels d'internautes, son équipe finit par affirmer en 2001 que le Net engendrait moins d'isolement qu'auparavant, mais plus de stress. Aujourd'hui, le discours des spécialistes est donc plus tempéré sur la question de la sociabilité. Et l'on manque, au fond, d'études sérieuses pour établir que le Net est une usine à produire de la solitude. Plus troublant (et encourageant) : ceux qui pratiquent le Net, ou le font pratiquer aux enfants, tiennent, presque unanimement, un tout autre discours. Ils y voient surtout un outil qui facilite les rencontres, l'ouverture à la différence.

Première objection aux prévisions catastrophistes : les adolescents – âge oblige – sont justement coincés, en permanence, dans un autre « Mon Monde » angoissant. Comme l'explique Annette Dumesnil, ancienne psychologue du site pour enfants Kazibao.net et auteur d'un ouvrage sur la question [4] : « Leur seul horizon n'est même pas le collège, mais la classe. Avec la famille et, parfois, les voisins. Les plus timides voient leurs relations réduites à une amitié exclusive. Internet, dans ce contexte, c'est formidable ! »

Pour Annette Dumesnil, il n'y a pas de doute : le *chat* et les forums de discussion sont une chance pour la majorité des adolescents. La psychologue a eu l'occasion de surveiller et d'animer un espace de dialogue dédié aux enfants et aux adolescents sur le site Kazibao. Sa conclusion est nette : « Avec ces nouveaux modes de communication, la prise de parole est facilitée. Les jeunes ont des dialogues directs et francs. Grossiers, oui, parfois. Mais ni plus ni moins que dans une cour de collège ! » Dans tous les cas, les complexes sont dépassés. Elle cite l'exemple d'un collégien que l'on surnommait « Bouboule » en raison de son poids et qui vivait mal cette situation. Sur les *chats* de Kazibao, ce dernier était respecté pour la pertinence de ses prises de position. « C'était une vraie star sur notre réseau. Les problèmes d'apparence, si cruels à cet âge-là, disparaissent avec le Net. »

Des échanges moins riches qu'en face-à-face ?

Autre avantage que souligne Annette Dumesnil : souvent, l'échange est véritablement enrichissant. On se familiarise avec les différences, on se pose des questions nouvelles. « Un jour, explique la psychologue, il y avait une discussion anodine en ligne. Une des intervenantes nous a soudain expliqué qu'elle était coincée chez elle. Il s'est avéré qu'elle s'exprimait depuis l'Arabie Saoudite. Il y a eu des échanges très forts sur la condition féminine. Je peux vous dire que les petites Françaises ont arrêté de se plaindre de ne pas pouvoir aller au cinéma à chaque fois qu'elles en avaient envie ! » Il y aurait donc en ligne des discussions essentielles, et difficilement envisageables par le biais des rencontres réelles. Annette Dumesnil cite aussi le cas d'un garçon de quatorze ans, très actif sur Kazibao, qui a un jour révélé qu'il souffrait d'un cancer en phase terminale. « On a parlé de sa maladie, du corps souffrant, de la mort. Je ne vois pas dans quelles autres circonstances des enfants auraient pu avoir ce type d'échange. »

Sur Internet, il est souvent plus facile de parler : une réalité que constate régulièrement Nicole Viallat, responsable de la communication chez SOS Amitié. À partir du 1er mai 2001, son association a mené une expérience d'« écoute » par e-mail : au lieu de téléphoner, les personnes en détresse sont à même d'envoyer un courrier électronique, grâce à un système qui leur garantit l'anonymat. « Beaucoup de jeunes sont plus à l'aise avec l'outil électronique qu'avec le téléphone. Leurs messages sont très forts. Ils vont droit au but. Leur malaise s'y manifeste dès les premiers échanges. » Les vérités se disent plus facilement en ligne, même les plus douloureuses. Le « virtuel » n'est donc pas un monde aseptisé. La rencontre de l'autre, dans tout ce qu'elle a de délicat, mais d'enrichissant, y est donc, dans certains cas, une réalité.

L'existence de véritables rencontres en ligne est d'ailleurs confirmée par une autre enquête de l'institut américain Pew Internet & American Life Project, publiée fin octobre 2001 [5]. Le type d'internautes sur lesquels se penche cette étude y est baptisé « cyber groupies ». Il s'agit des 84 % d'internautes américains (90 millions d'individus à l'époque de l'enquête) qui déclarent avoir utilisé l'Internet pour rentrer en contact avec une communauté quelconque, ou recevoir des informations de la part de celle-ci. 50 % de ces « cyber groupies » (donc 42 % des internautes) affirment ainsi que leur participation à une communauté en ligne les a amenés à rencontrer des gens qu'ils n'auraient pas croisés dans d'autres circonstances. Et, fait remarquable, il ne s'agit pas forcément de rencontres entre personnes de milieux comparables. Ainsi, 37 % des « cyber groupies » sont rentrés en contact avec des personnes d'âge différent, et 27 % affirment avoir échangé avec des gens de milieux « raciaux, ethniques ou économiques » différents. L'Internet, meilleur allié du melting-pot ?

Ces chiffres sont encore plus élevés chez les jeunes. Ainsi, dans la tranche des 18-24 ans, 47 % des sondés pensent que l'Internet facilite les rencontres avec des personnes d'âge différent, 42 % affirment être rentrés en contact avec des gens d'un autre « groupe ethnique » que le leur, 36 %, enfin, parlent d'une rencontre avec des personnes d'un autre milieu économique.

Pour illustrer cette dimension « socialisante » du réseau, un sondage réalisé en France par Kazibao et Louis Harris pour *Madame Figaro* est à première vue convaincant. Ce dernier, réalisé au mois de juillet 2001 auprès de 2 500 jeunes, révèle que l'amitié en ligne est une réalité pour les 8-16 ans. À la question « Vous êtes-vous déjà fait des amis en ligne », 25 % des adolescents (12-16 ans) répondent par l'affirmative. Ce chiffre s'élève même à 38 % chez les plus jeunes (8-11 ans).

Reste à savoir ce que signifie précisément le terme « ami »... Peut-on parler de « socialité », comme disent les chercheurs, ou s'agit-il d'un ersatz de relations humaines ? La sociologue Pascale Weil, en analysant les types de communication apparus avec l'époque numérique, a décelé une « socialité light ». C'est-à-dire une forme d'échange qui n'engage pas, qui ne porte pas à conséquence. Rien de plus facile en effet que de se déclarer compatissant avec quelqu'un que l'on ne verra jamais, et dont on n'aura pas à affronter réellement les hauts et les bas. L'ami au sens classique, celui qui sera présent pour partager les moments de joie mais aussi les coups durs, a-t-il encore quelque chose à voir avec l'individu masqué par un pseudo, qui se déclare proche de vous, mais dont vous n'avez jamais croisé le regard ?

C'est cette objection que formule le sociologue Philippe Breton, auteur d'une série de recherches sur les comportements engendrés par les technologies numériques. Son message est clair : les cyber-relations humaines relèvent d'une « illusion de socialité ». Exemple ? Le collégien déjà évoqué plus haut, qui souffre d'isolement à cause de sa corpulence. A-t-il vraiment résolu son problème d'intégration en devenant une star sur le site de Kazibao ? Pour Philippe Breton, la réponse est probablement négative : « Ce n'est qu'un soulagement local. On peut même se demander si ça ne rendra pas son intégration encore plus difficile dans la vie réelle. »

Le discours du sociologue est particulièrement pessimiste dans son ouvrage *Le Culte de l'Internet, une menace pour le lien social ?*[6]. Écrit en réaction à la période d'euphorie pour les nouvelles technologies (courant 2000), ce livre présente cet engouement soudain comme une volonté inavouée des Américains d'en finir une fois pour toutes avec les relations humaines réelles. Une idée saugrenue ?

Laissons-le s'expliquer. Pourquoi, d'abord, en finir avec les relations en face-à-face ? Parce que c'est là le meilleur moyen de se débarrasser d'un corps encombrant, et presque superflu. « La société américaine, explique Philippe Breton, se caractérise par l'éloignement des corps. Il y a une certaine impureté inhérente au corps. » Et notre société européenne ? Il y décèle une différence notable : historiquement, la proximité des corps est une donnée. Il rappelle par exemple qu'il était courant, au XVIe siècle, pour un voyageur, de louer pour une nuit une place dans un grand lit, et de dormir côte à côte avec un étranger. Ce qui fit écrire à Érasme qu'une des règles du savoir-vivre était de ne pas se toucher la nuit. De même, on vivait souvent tous dans la même pièce, et il n'était pas rare de voir quelqu'un faire ses besoins dans la rue. « La situation aux États-Unis est très différente, car les corps sont plus à distance. C'est une société travaillée par le puritanisme. Le corps est presque archaïque. C'est le culte du savon. Les odeurs, la pilosité sont difficilement supportables. D'où l'idée de mettre le corps à l'écart. » Mais cette différence entre nos deux civilisations durera-t-elle éternellement ?

Les relations humaines sans obligation de présence corporelle, voilà bien, selon Philippe Breton, l'utopie qui nourrit la fascination pour l'Internet. La liste des

« avantages » de la communication virtuelle ne s'arrête pourtant pas là. Une autre difficulté des relations réelles disparaît avec l'Internet : l'unicité de l'identité. Alors que les relations humaines obligent traditionnellement à une certaine constance de tempérament et de pensée, ce qui implique pour chacun un travail sur ses propres incohérences, la prise de parole « sous pseudo » se situe à l'opposé. Le même individu pourra jouer les innocents sous un identifiant classique (son prénom par exemple) puis rentrer dans la peau d'un personnage beaucoup plus énigmatique pour s'exprimer sur d'autres sujets. Personne n'aura le moyen de faire le lien entre ces deux identités.

Le Net ne crée pas l'isolement, il le révèle

Cette dislocation de l'identité en de multiples personnages, représentant différentes facettes d'un même individu, n'est pas une fiction. La première étude citée plus haut (cf. note 2) révèle en effet que « 56 % des adolescents en ligne ont plus d'une adresse e-mail ou d'un pseudo et la plupart utilisent différents pseudos ou différentes adresses e-mail pour compartimenter différentes parties de leur vie en ligne ». Qui sont les adeptes de ce « jeu » ? Les garçons plus que les filles. Mais, surtout, les plus âgés. Ce qui signifie que plus l'on grandit, plus cette pratique se banalise. Ainsi, les deux tiers des garçons de quinze à dix-sept ans déclarent avoir plus d'une adresse e-mail. Plus étonnant, et plus sympathique d'une certaine manière, on apprend dans cette étude qu'un signe d'amitié forte entre adolescents aujourd'hui est de partager une identité en ligne (c'est-à-dire partager à la fois un pseudo et le mot de passe qui permet d'y accéder). Deux amis peuvent donc se relayer pour prendre en main le même personnage virtuel, et le faire vivre aux yeux des autres internautes. Amusant ? Peut-être. Mais aussi passablement inquiétant quand on voit à quel point l'existence en ligne ne nécessite pas la moindre élaboration de sa subjectivité, la moindre définition de soi face aux autres. À croire que Dr Jekyll et Mr Hyde ont découvert l'outil qui leur permettra de vivre en bonne harmonie.

Si la confrontation réelle disparaît, s'il n'est plus nécessaire de s'impliquer physiquement dans une relation, alors les rapports humains, au moins en apparence, deviennent simples. Vidés de leur substance, peut-être, mais faciles, légers comme l'air. Et, nous dit Philippe Breton, on peut alors croire que la violence, qui a toujours été la conséquence de la confrontation entre les hommes, va pouvoir disparaître. C'est sur cette utopie évidemment délirante que s'assoit selon le sociologue l'engouement pour les nouvelles technologies. La frénésie du tout-Internet reposerait sur cette équation désolante : moins d'échanges en face-à-face égale plus de paix sociale. Le prix à payer pour obtenir une société pacifiée (renoncer à la socialité réelle) serait bien peu élevé par rapport aux bénéfices attendus (une société lisse et sans remous)...

On peut bien entendu sourire devant cette théorie radicale, qui a déjà pris quelques rides depuis que le discours pro-Internet s'est calmé. Philippe Breton lui-même n'est pas loin de l'admettre. Mais il ne faut pas négliger le fait que les relations réelles font de plus en plus peur. L'autre serait-il en train de devenir terrorisant ? L'enfer, c'est les autres... quand ils se tiennent juste en face de nous ? Au sujet des plus jeunes, en tout cas, il semble que la peur soit de mise. Témoin, Annette Dumesnil, la psychologue du site Kazibao, qui raconte la panique de certains parents lorsque leur enfant annonce qu'il veut effectuer le grand saut : rencontrer un cyber copain « pour de vrai ». Comment faire ? Comment s'assurer des bonnes intentions de cet ami ? Où la rencontre doit-elle avoir lieu, et en présence de qui ? Toutes ces questions se bousculent, même lorsqu'elles se posent à un âge où l'adolescent a depuis longtemps le droit de sortir seul le soir...

Chacun chez soi devant son écran, et nous vivrons épargnés... C'est en résumé ce que redoute Philippe Breton avec la généralisation de l'Internet. Les hommes vont-ils effectivement se contenter d'un substitut de relations humaines ? En réalité, rien ne permet de l'affirmer. Les comportements qui apparaissent ne vont pas exactement dans cette direction. Nous avons ainsi interrogé Nathalie, une jeune femme de vingt-sept ans qui a préféré garder l'anonymat. Son histoire ferait rêver tous les chantres du *chat* et de la communication par ordinateur. En septembre 2001, le groupe de personnes avec qui elle avait l'habitude de chatter a décidé de se réunir pour une rencontre *de visu.* Au milieu de la France, pour que tout le monde puisse venir, un gîte a été loué pour accueillir une trentaine de participants. L'expérience l'a séduite. « Au cours de ce week-end, j'ai discuté avec un chef d'entreprise, un étudiant en psychologie, un chômeur, des musiciens, etc. La tranche d'âge allait de vingt à cinquante ans. Et, au total, j'ai découvert des gens intéressants, avec qui je n'avais jamais beaucoup échangé en ligne. » L'histoire est assez convaincante, car elle est restée en contact avec « six ou sept » personnes de ce groupe.

À quel point le portable modifie-t-il le rapport de l'individu au groupe ?

Quelque part entre la peur de Philippe Breton et l'expérience de Nathalie, se trouve la réalité des relations en ligne : désincarnées mais potentiellement enrichissantes... à condition de ne pas s'enliser dans le virtuel. C'est effectivement l'excès de relations en ligne qui, souvent, révèle un déséquilibre. Comme le rappelle Philippe Breton, « l'outil ne crée pas la socialité. Internet, c'est comme le bistrot, ça *rend possible* un certain type d'échange, mais ça n'en est pas la cause. Il ne faut pas inverser la cause et l'effet ». Une position qui n'est pas éloignée de celle du psychanalyste Serge Tisseron, auteur de nombreux ouvrages sur les médias pour les jeunes, pour qui les objets technologiques sont une création des hommes pour se consoler de leur angoisse de la séparation. Le téléphone portable aurait d'ailleurs modifié à la fois le rapport réel au groupe (on peut désormais se mettre à l'écart pour répondre à un appel sans passer pour un goujat total), le rapport imaginaire au groupe (on est, en général, rassuré parce qu'on peut toujours être joint, et on caresse, dans sa poche, ce portable qui nous relie aux êtres aimés), le rapport à l'espace (l'interlocuteur doit demander à l'autre où il est au moment où il l'appelle, et s'il est seul ou non) et le rapport à l'intimité (le portable, comme les caméras de Loft Story, fait entrer autrui dans notre salle de bains ou notre chambre à coucher). Autrement dit, le malaise social pré-existait à la technologie. Elle n'en est que le révélateur. D'ailleurs le portable, en tant que signe de reconnaissance sociale, constituerait plutôt un progrès par rapport au walkman : il implique une communication, un échange avec l'autre, quand le baladeur conduirait, lui, à l'isolement total dans un lieu public.

Internet ne crée pas l'isolement, il le révèle ? C'est probablement autour de ce constat que se situe le seul consensus aujourd'hui : chercheurs et praticiens, souvent en désaccord, sont pour une fois sur la même longueur d'ondes. Annette Dumesnil, qui ne tarit pas d'éloges sur le Net, raconte pourtant l'histoire d'un enfant qui passait son temps sur le site de Kazibao. Étonnée par cet excès, elle finit par le questionner. Ce dernier était le fils de hauts fonctionnaires très souvent absents de leur domicile. « Ce garçon passait son temps libre en tête à tête avec son ordinateur. Le *chat* a été un révélateur de son malaise. »

« Ne raisonnons pas comme si les enfants n'avaient pas de parents, conclut la psychologue. C'est le rôle des parents de surveiller leur enfant, de voir quelle utilisation il fait de l'Internet *. Le vrai problème n'est pas l'existence du Net, mais le fait que 65 % des enfants s'y sont initiés seuls... » Le *chat* n'est pas forcément dangereux. Il peut même être l'occasion d'échanges profonds, qui seraient difficilement envisageables dans le quotidien. Mais il nécessite aussi un apprentissage. Nathalie, pourtant très heureuse des relations qu'elle a nouées en ligne, admet qu'elle a « mis du temps à réaliser qu'il y avait des personnes en chair et en os derrière les pseudos qui s'affichaient sur [son] écran ». C'est ce travail qui doit être entrepris dès le début par les parents, afin que leur enfant ne se noie pas dans une déréalisation progressive de l'autre, ou dans un jeu d'identités multiples débouchant sur des relations ambiguës.

* Voir l'annexe 1 : « Petit manuel à l'usage des parents inquiets ».

2.

Du tout-cuit pour le QI

L'ordinateur et les jeux rendent-ils idiot...
ou favorisent-ils le développement intellectuel
des enfants ?

Kevin, sept ans, doit se rendre deux fois par semaine au centre médico-psycho-pédagogique Le Moulin Vert, dans le XVIII e arrondissement de Paris, pour suivre une thérapie. Avant chaque séance, il ne tient plus en place, enfile son manteau sans qu'on le lui demande et harcèle sa mère pour accélérer le mouvement. Il est vrai que son traitement rend ses copains jaloux : il joue à Super Mario !

L'instituteur, inquiet de ses résultats, avait insisté pour qu'il rencontre un psychologue. Kevin est un enfant colérique, agité, aux mouvements désordonnés, qui parvient tout juste à écrire son nom. Il n'a jamais connu son père et sa mère ne les nourrit, lui et sa sœur, que grâce au RMI. Le petit, qui n'imaginait pas que le traitement consisterait à se mettre devant une console, a traîné les pieds au début, mais aujourd'hui personne ne pourrait le convaincre de renoncer à ses séances. Celles-ci s'étaleront sur deux ou trois ans, et l'amélioration ne sera ni immédiate ni spectaculaire, mais Kevin, assure la thérapeute, a de bonnes chances de voir sa coordination et sa capacité de concentration progresser grâce aux jeux vidéo.

Soigner le physique et le mental grâce au jeu vidéo

La psychomotricienne Évelyne Esther Gabriel[1] a été la première en France à soigner des enfants avec les jeux vidéo. Elle développe ces thérapies depuis une douzaine d'années et obtient de bons résultats. Pourquoi ne s'est-elle pas contentée des ballons, des cubes ou des Lego, que les éducateurs spécialisés utilisent généralement avec les enfants qui souffrent de problèmes psychomoteurs ? « Les jeux vidéo vont plus loin, répond-elle. Les cerceaux ou les ballons permettent une expression corporelle, mais au travers des jeux vidéo, l'enfant s'implique psychiquement autant que physiquement. Il traduit son monde imaginaire et met en scène sa vie quotidienne. Par le jeu, on peut théâtraliser l'angoisse de mort ou d'abandon, l'instinct de domination ou la rivalité. »

C'est aussi une question de génération : les thérapeutes évoluent avec leur époque. La culture, aujourd'hui, passe par l'image. Avec la télé, et, dans les foyers les plus aisés, l'ordinateur et la console, les enfants en sont imprégnés. Le jeu vidéo devient un médiateur naturel qui facilite le dialogue entre le thérapeute et l'enfant. D'abord, pour mieux le connaître : « Plus l'enfant est jeune, plus il s'identifie au personnage et se projette en lui : il dit “ je tire ”, “ je l'ai eu ”, “ je l'ai tué ”... La manière dont le personnage réagit – fuite, affrontement, évitement – est la sienne. Ce sont autant d'indices sur sa personnalité. » Un enfant qui fuit l'adversité ou requiert une assistance de tous les instants est inhibé ; à l'inverse, celui qui « fonce dans le tas » sans réfléchir devra apprendre à prendre du recul par rapport à ce qu'il voit et à choisir une autre réponse que la violence. L'instabilité, enfin, se traduit par un comportement qui consiste à vouloir changer de jeu sans cesse dans l'espoir de trouver la formule miracle où l'on réussit vite et sans effort.

Les jeux vidéo les plus élémentaires requièrent attention, habileté, rigueur et persévérance chez des enfants qui en manquent souvent cruellement. « Au départ, certains ont déjà du mal à coordonner leurs doigts sur un clavier, à dissocier leurs deux mains, à se diriger dans l'espace, à maîtriser leurs réflexes ou même à comprendre les enjeux de scénarios pourtant simples », explique la thérapeute française. Maîtriser un jeu vidéo suppose effectivement de « penser avec ses doigts ». Comme pour les performances sportives, le physique et le mental doivent travailler de concert pour atteindre un bon résultat. Au début, les enfants en difficulté sont souvent rebutés par l'aspect progressif du jeu et refusent ses règles. C'est un signe qui ne trompe pas : « Un enfant qui joue est sur la bonne voie. Un enfant qui va mal ne joue pas, il se contente de manipuler », explique Évelyne Esther Gabriel.

En fait, le jeu exige, comme les connaissances scolaires, un apprentissage : « Souvent, les enfants veulent savoir, mais pas apprendre. Il faut donc leur apprendre à apprendre. » Le jeu vidéo, c'est l'école, en réduction. Si on ne triomphe pas d'un certain nombre d'épreuves, on ne gagne pas de points, donc on ne progresse pas dans le jeu ou on doit recommencer. Il faut au moins autant de patience et de persévérance pour sortir vainqueur d'une confrontation avec Lara Croft que pour apprendre une récitation ou une table de calcul.

Le joueur procède par essais et erreurs : c'est une expérimentation active. L'enfant n'a pas à se remémorer des connaissances apprises pour les mettre en application, comme dans les exercices scolaires, mais il doit se construire lui-même des savoirs grâce à ses tentatives d'action. « Avec la machine, le seul moyen de progresser, c'est de passer par la phase d'apprentissage, explique la thérapeute. La machine est disponible et têtue à la fois : elle ne se lasse jamais de montrer au joueur qu'il se trompe, et c'est lui qui doit céder s'il veut triompher d'elle. L'esprit ludique des jeux permet de rendre plaisante la notion même d'apprentissage. Si l'enfant n'y arrive pas, il faut lui expliquer que ce n'est pas dramatique et comprendre avec lui les raisons de son échec. Cette recherche lui permettra de sortir peu à peu de sa psychose d'échec. »

Le jeu oblige l'enfant à prendre constamment l'initiative, à résoudre une succession de problèmes qui s'enchaînent de manière logique, ce qui lui permet de prendre conscience à tout instant de l'importance et de la pertinence de ses choix. Il se rapproche ainsi du monde des adultes, un monde où il sera seul responsable de ses décisions et où personne ne pourra réussir à sa place. Il détient les clefs de son succès.

Les jeux ne constituent pas pour autant la panacée. Évelyne Esther Gabriel ne les utilise pas avec tous les enfants qu'elle reçoit en traitement. « Il faut que leur espace psychique soit suffisamment développé, et qu'ils aient intégré les repères spatiaux (gauche, droite, haut, bas...) et temporels. » Et si les petits, à partir de six ans, se voient proposer Super Mario ou un équivalent – un jeu de plate-forme où le héros doit courir, sauter, lancer des objets, ramasser... –, les plus grands, à partir de neuf ou dix ans, ont droit à des jeux d'action comme Tomb Raider. Elle évite les jeux de stratégie, trop éloignés du quotidien des enfants.

Les enjeux et les sentiments mis en scène à l'écran – privation, danger, duel, mystère... – renvoient à un état psychique propre à chaque enfant. Les jeux vidéo ne sont pas un simple défilé d'images auquel il faut être attentif et réactif; ils ont une dimension symbolique et merveilleuse qui frappe l'imaginaire affectif de l'enfant. « Déambuler à travers un labyrinthe peuplé de dragons à la recherche d'une princesse peut évoquer pour le jeune garçon les rapports douloureux qu'il entretient avec sa mère. » Les enfants venus des ZEP (Zone d'éducation prioritaire) préfèrent souvent les situations de violence « peut-être parce qu'elles ressemblent davantage à leurs vies », estime la thérapeute. Autant dire que les jeux d'aventures qu'elle choisit ne sont jamais très violents, et surtout pas sanglants : « Proposer à un enfant un contexte où il doit tuer tout ce qui bouge peut évidemment le conforter dans sa vision d'un monde rempli d'ennemis », dit-elle. Autrement dit, oui à la plantureuse et sympathique Lara Croft, non au superviolent et terrifiant Carmaggeddon * ? « Il est évident qu'on n'utilisera pas les jeux réputés pour leur violence ! Néanmoins, les jeux d'aventures qui requièrent une petite dose d'agressivité sont intéressants : ils aident aussi le psychologue à mieux connaître l'enfant, et l'enfant à mieux se connaître lui-même. Ils permettent d'évoquer ses pulsions, de lui dire : dans le jeu, tu peux faire ce geste ou avoir telle attitude, c'est sans conséquence, mais dans la vie, en as-tu envie aussi ? »

Les situations de bagarre peuvent être « chargées positivement » : les adversaires ou les épreuves que rencontre le joueur peuvent figurer des handicaps et des obstacles que l'enfant doit affronter dans sa vie. « S'identifier au héros revient à combattre symboliquement ses propres angoisses. Mais l'identification ne doit pas aller trop loin : si elle fonctionne trop bien, l'enfant fusionne avec le héros et refuse sa dis-

* Voir la description de ce jeu au chapitre 4.

parition car il croit, jusqu'à un certain point, disparaître lui-même. »

Pour la psychomotricienne, les jeux sont une occasion d'« indiquer à l'enfant la marche à suivre, à l'école comme dans n'importe quelle situation d'apprentissage ». Encouragé, valorisé par ses résultats, l'enfant en difficulté prend progressivement confiance en lui et apprend à surmonter les difficultés. Il confronte ses points de vue avec ceux d'autres enfants, échange des solutions, interroge l'adulte sur les moyens à mettre en œuvre pour poursuivre le jeu, tire des leçons de ses erreurs et de celles des autres, découvre des jeux de plus en plus complexes et comprend intuitivement qu'il doit se comporter de la même manière dans la vie quotidienne, c'est-à-dire identifier des informations, les traiter pas à pas et oser des comportements inhabituels pour triompher des obstacles.

Une corrélation entre la pratique des jeux et le QI

Les jeux multimédia « sous contrôle médical » peuvent constituer un vecteur de progrès pour les enfants en situation d'échec scolaire. Reste à savoir s'ils ont pour les autres des effets aussi enrichissants. Les champions de la console sont-ils aussi les plus brillants en classe ? Ceux qui ont manié la souris dès l'âge de deux ans ont-ils plus de facilité en lecture ou en mathématiques ou, au contraire, les enfants qui passent quatre heures par jour devant l'écran interactif obtiennent-ils de moins bons résultats ? Ou, troisième scénario, ces deux choses n'ont-elles rien à voir ?

Évacuons d'abord le problème des comportements maladifs. Un adolescent qui reste devant son ordinateur dix heures par jour, n'en dort plus et bâcle ses devoirs verra forcément ses résultats scolaires se détériorer. Mais en ce qui concerne les enfants qui y consacrent « simplement » l'essentiel de leurs loisirs, les études statistiques sont contradictoires. Il faut donc raison garder : si les résultats scolaires des vidéophiles étaient très significativement supérieurs, ou très significativement inférieurs, à ceux des vidéo-allergiques, les psychologues seraient aujourd'hui en mesure de le clamer haut et fort. Ce qu'ils ne font pas. Pas de panique donc ! Il est néanmoins indéniable que la pratique massive des jeux aura de vraies conséquences, à moyen terme, sur la manière de se comporter, de raisonner ou d'imaginer, de toute une génération d'enfants.

Patricia Greenfield, professeur de psychologie en Californie, à l'université d'UCLA, aurait, dit-elle, identifié une corrélation entre la pratique des jeux et un niveau élevé de QI, le quotient intellectuel. Il est vrai que les tests de QI requièrent souvent les qualités qui se trouvent valorisées dans la plupart des jeux multimédia. L'étude de Greenfield attribue à la diffusion des jeux vidéo l'accroissement global du QI non verbal (c'est-à-dire les aptitudes spatiales, l'utilisation d'icônes pour résoudre des problèmes et la capacité à percevoir une situation à partir de points de vue multiples). Mais la chercheuse note aussi que cet accroissement moyen du QI s'est fait au détriment d'autres capacités, comme le sens des responsabilités.

Certains de ses homologues prétendent avoir obtenu des résultats plus spectaculaires. À la demande du gouvernement, l'ESCR (Conseil de la recherche économique et sociale), un organisme britannique indépendant, a publié en juin 2001 les résultats d'une étude sur les jeux électroniques[2] qui a dû remplir d'aise les fabricants : « Les gens qui jouent régulièrement semblent développer des capacités de concentration, et plus généralement un état mental qui n'avaient été remarqués jusqu'alors que chez les athlètes de haut niveau », explique Jo Bryce, la responsable de l'étude. Pratiqués avec modération, les jeux vidéo apprendraient donc aux enfants à mieux se concentrer ou à rester attentif plus longtemps, des qualités précieuses lorsqu'on veut devenir une bête à concours. La définition de la modération réjouira (ou effraiera) pourtant bon nombre de parents : il faut jouer moins de dix-huit heures par semaine, soit tout de même deux heures et demie par jour !

Compte tenu de cette norme, seule une minorité d'obsédés du joystick joueraient de manière excessive. La majorité des jeunes interrogés dans l'enquête britannique pratiquent régulièrement – mais raisonnablement – et ces activités ne les empêchent pas de développer d'autres centres d'intérêt. Ils consacreraient d'ailleurs autant de temps à la lecture ou au sport qu'au multimédia. Mieux encore, ils seraient « plus intégrés socialement » et auraient « davantage d'amis » que les enfants aux passe-temps traditionnels. Et ce n'est pas tout. Comme le souligne Jason Rutter, l'un des auteurs de l'étude : « Exposés à des stimuli depuis leur plus jeune âge, ils semblent capables de se concentrer bien mieux que les autres enfants sur ce qu'ils font, et ils sont généralement plus habiles dans la coordination de leurs mouvements. » Autrement dit, leur corps et leur esprit travailleraient en meilleure coordination que dans la population moyenne. Enfin, dernière bonne nouvelle, les compétences acquises en jouant seraient également assimilées dans la vie réelle ; par exemple, la conduite d'une voiture avec des jeux type Gran Turismo. Mais faut-il s'en réjouir, si ces compétences les poussent à conduire plus vite ou à atteindre une cible vivante du premier coup ?

En résumé, les joueurs réguliers, grâce à leurs facultés de concentration ou de raisonnement plus affûtées, obtiendraient de meilleurs résultats scolaires. Mais l'équipe britannique n'est pas allée jusqu'à chiffrer la différence. Et l'on peut quand même se demander où est la cause, où est l'effet... car les enfants qui disposent à demeure du matériel de jeu vidéo, à la maison ou ailleurs, sont souvent, on s'en doute, issus de milieux qui ont toujours mieux tiré leur épingle du jeu à l'école.

Ces résultats, de même que toutes nos constatations empiriques, tendent en tout cas à montrer que la « génération des zappeurs » sait rester concentrée, au moins lorsqu'il s'agit d'écrans interactifs. Certes, la télévision a habitué les enfants à changer de chaîne dès que le programme les ennuie. Mais elle les a surtout habitués, avec les séries américaines ou les dessins animés, à des scénarios vivants, un rythme soutenu, des rebondissements réguliers, un intérêt toujours renouvelé qui leur fait paraître, par contraste, l'enseignement scolaire, où l'on passe du temps à élaborer les sujets, bien terne. Du moins lorsque le prof n'a pas réussi à rendre son cours particulièrement vivant ou son autorité indiscutable *. La télévision, les jeux ou Internet ont effectivement renforcé le niveau d'exigence « formel » des élèves : ils attendent désormais de l'enseignant qu'il ait le talent de transmettre le savoir autant que le savoir lui-même. Mais les jeux électroniques ne les ont pas pour autant rendus inconstants. Pour être bon dans un jeu vidéo, il faut être tenace et obstiné : les performances sont directement proportionnelles au nombre « d'essais et d'erreurs », donc au temps passé devant l'écran. De même, sur Internet, les recherches sont fastidieuses et là aussi, le succès est généralement affaire de temps et d'obstination. Et tant pis pour les zappeurs !

En réalité, l'apport le plus positif du jeu vidéo ne tient pas, d'après la grande majorité des spécialistes, à

* Voir le chapitre 6, « Les ratés de la cyberécole ».

l'hypothétique augmentation du QI mais plutôt au développement de cette faculté de progression par « essais-erreurs » évoquée plus haut. « Les jeux valorisent l'intelligence intuitive, de plus en plus nécessaire dans un monde où les règles changent sans cesse, explique par exemple le pédopsychiatre Serge Tisseron. Autrefois les gens naissaient et mouraient dans leur village, dans les mêmes meubles, après avoir exercé le même métier toute leur vie. Aujourd'hui, les points de repères ont disparu, on demande une plus grande mobilité professionnelle, géographique, intellectuelle. Nous vivons dans une société du tâtonnement, et les jeux permettent de s'y adapter. »

La console ou la Game Boy apprennent aussi une relation différente aux machines. « À certains moments, explique Tisseron, il faut considérer la machine comme un alter ego avec lequel il faut ruser si l'on veut gagner, et à d'autres moments, comme un assemblage de tôle et de silicium. Ce sont les jeux vidéo qui préparent les jeunes à faire ce va-et-vient, et donc à savoir utiliser les machines de demain sans s'y laisser piéger. »

Si les éditeurs de jeux ne mettent pas souvent en avant les bienfaits intellectuels ou psychologiques des jeux vidéo, les fabricants de CD-Rom éducatifs, eux, ne se privent pas de souligner les vertus de leurs produits pour le développement de l'enfant. Dès dix-huit mois, expliquent-ils, l'enfant comprend que lorsqu'il bouge la souris, l'image se modifie ; vers deux ans, il saisit le plus difficile : la relation entre le glissement horizontal de la souris et l'espace vertical de l'écran ; et à trois ans, il est complètement à l'aise avec la machine et peut rester concentré sur son jeu pendant vingt minutes. Cependant, les cibles favorites des éditeurs de CD-Rom éducatifs sont les 4-10 ans.

Les jeux provoquent-ils un appauvrissement de l'imaginaire ?

Que les fabricants soient enthousiastes n'est guère surprenant. Mais la plupart des pédiatres encouragent aussi les parents à plonger : « Les CD-Rom accélèrent l'apprentissage de la lecture et de l'écriture », souligne l'un d'entre eux, François Undreiner. Certains de ses confrères ne partagent pourtant pas cet avis, et l'apport réel des CD-Rom dans l'apprentissage des enfants et sa comparaison avec le support écrit sont encore au cœur des réflexions des chercheurs et des pédagogues. « Le livre est une source d'émotions et de sensations que le meilleur des CD-Rom n'offrira jamais », reconnaît Nicolas Marçais, concepteur multimédia chez Gallimard, qui crée des CD-Rom « spécifiques et complémentaires » des livres. Christine Henniqueau-Mary, psychothérapeute en pédagogie, s'émeut, elle, de la nouvelle prédominance de l'image sur le texte, qui sévit maintenant dans les manuels scolaires. Est-ce grave, docteur ? « Les conséquences ne sont pas anodines : cette prédominance enlève aux enfants une grande partie de leur aptitude à l'abstraction [3] », estime-t-elle. Une aptitude pourtant essentielle dans la construction de la pensée et du raisonnement. Las, l'image fixe laisse de plus en plus la place à l'image animée, qui briderait encore davantage l'imagination...

FCB International, qui conseille les fabricants de jeux vidéo pour qu'ils améliorent leur offre, a cru bon en effet d'alerter les médias sur cet effet pervers des jeux : ils provoqueraient une « perte de l'imaginaire ». « Le monde virtuel change la vie des enfants de 6-11 ans, mais aussi leur psychologie, explique Jean-Pierre Cantorné, qui a participé à la réalisation de cette étude en interrogeant deux cents spécialistes dans sept pays (États-Unis, Allemagne, Grande-Bretagne, Singapour, Mexique, Brésil, Japon [4]). L'intelligence, la recherche du résultat, le besoin d'apprendre et de gagner prennent le pas sur l'imaginaire qui, lui, est proposé, cadré, structuré par les jeux vidéo. » Bref, l'enfant est programmé pour jouer et gagner, plus pour rêver. Les bons vieux Lego faisaient mieux travailler son imagination !

Ce sont surtout les garçons qui seraient touchés, car ils sont les plus gros consommateurs de jeux. Les filles, plus accros au téléphone, un outil moins chronophage (car plus coûteux) que les jeux, auraient davantage de temps disponible pour laisser vagabonder leur imagination.

La pratique du jeu détourne-t-elle de la lecture ?

« On me dit qu'il y a un temps pour tout : un pour le livre et un pour l'ordinateur. Mais l'ordinateur possède une tendance fâcheuse à détourner l'enfant des autres supports de jeux ou d'apprentissage », dénonce encore Christine Henniqueau-Mary. Pour certains, se concentrer sur des images fixes lorsqu'on a l'habitude de manipuler des images animées serait fastidieux et frustrant. « Et qu'on ne vienne pas me dire que le CD-Rom permet d'apprendre à apprendre ! ajoute-t-elle. Pour cela, il faudrait que le sujet ait conscience des processus mentaux par lesquels il s'approprie le savoir et, à mon sens, le CD-Rom ne forme pas à ces processus : il permet seulement d'obtenir des informations. Quand l'enfant clique avec la souris sur un corps humain et observe les réactions d'un nerf à une stimulation nerveuse, il fait une expérience intéressante. Mais cette expérience ne suppose pas nécessairement qu'il se soit posé des questions ou ait émis des hypothèses particulières. » Et de conclure – un peu hâtivement ? – que ce type de procédure rendrait au contraire l'enfant moins apte à d'autres moyens d'apprentissage.

Cet avis est isolé. La grande majorité des spécialistes estiment que l'ordinateur ne détourne pas du livre. « Les enfants assidus devant leur micro sont aussi, le plus souvent, des voraces de lecture, estiment

Dominique Pasquier et Josiane Jouët, du CNRS, auteurs d'une étude sur le sujet [5]. 47 % des forts utilisateurs de jeux vidéo sont de gros lecteurs de livres ; le pourcentage n'est que de 42 % chez les petits utilisateurs. De même, les gros utilisateurs d'ordinateur sont aussi les lecteurs les plus assidus. » Une autre étude, réalisée en 2002 par le premier institut d'études en ligne Opinion-Way [6], confirme que même lorsqu'ils passent deux ou trois heures par jour devant des écrans, les ados branchés continuent de faire du sport, lire des livres et aller au cinéma avec leurs amis. La moitié d'entre eux surfent en effet chaque jour en moyenne une heure sur Internet et les jeux ne les empêcheraient pas de lire cinq ou six livres par mois, ni, pour 60 % d'entre eux, de pratiquer régulièrement un sport. Un score proche de celui de la moyenne des ados français. « Le critère qui détermine si l'enfant lit ou non, c'est plutôt la pratique de ses parents : s'ils lisent beaucoup, ils lui ont probablement donné le goût de la lecture, et la pratique des jeux vidéo n'y change rien », estiment Anne Lejarre et Isabelle Dijols, deux jeunes femmes qui ont créé une société d'analyse de l'offre multimédia destinée aux enfants.

Par quel miracle ces enfants réussissent-ils à tout concilier ? En fait, c'est au sommeil que les outils multimédia voleraient en grande partie le temps que les ados leur consacrent. En effet, 44 % des ados se coucheraient après 23 heures (17 % après minuit) alors que la moyenne des Français se couche à 22 h 30. Aux États-Unis – mais pas encore en France, semble-t-il –

c'est la télévision qui a fait les frais de l'apparition d'Internet : elle a vu son audience diminuer chez les jeunes avec la montée en puissance du réseau. Les foyers équipés d'AOL, premier fournisseur d'accès aux USA, passent en effet 15 % de temps en moins devant leur télé que les ménages américains moyens. Et lorsqu'on demande aux enfants ce qui les amuse le plus, de la télé ou d'Internet, 92 % des interrogés optent pour le second. 30 % d'entre eux confirment avoir diminué leur consommation de télé à son profit [7].

On pourrait imaginer que cette fréquentation accrue de la haute technologie va en tout cas développer l'esprit scientifique chez les jeunes utilisateurs. Mais Georges Charpak, l'un des plus grands scientifiques français, n'y croit guère : « C'est plutôt l'irrationnel qui revient en force et l'esprit scientifique qui recule, dit-il. Le problème vient du fait, entre autres, qu'on n'enseigne plus aux enfants dès l'école primaire le goût de la démarche scientifique, de la découverte des mécanismes fondamentaux de la science. Les gosses accumulent des connaissances mais n'apprennent pas les méthodes pour établir des hypothèses, construire un raisonnement, écrire une démonstration. Un exemple ? Ce n'est pas la même chose, pour un enfant, d'apprendre par cœur " la-circonférence-d'un-cercle-est-égale-à-2piR " que de découvrir cette propriété en mesurant la circonférence et le rayon de différents récipients : un seau, une bouteille de Coca, etc. » Pour notre prix Nobel de physique, les enfants, dans leur immense majorité, n'essaient donc pas de comprendre comment la console ou l'ordinateur fonctionnent : ils se contentent de connaître le minimum nécessaire pour les faire marcher. « Remarquez, rien que pour cela, il faut déjà être calé ! ironise le professeur Charpak. Le manuel de mon nouveau portable contient des dizaines de pages... Certes, l'engin me permet d'envoyer un e-mail à un gaucho dans la pampa, et c'est merveilleux, mais cela ne développe en rien l'esprit scientifique. L'invention du stylo à bille, rappelez-vous, n'a pas engendré des générations de poètes. Elle fut simplement la naissance d'un outil [8]. »

Autant que la manière d'apprendre, les outils multimédia modifient la forme des connaissances ingurgitées. Le ministre délégué à l'Enseignement scolaire, Xavier Darcos, dont le petit garçon de deux ans manipule les disquettes, la souris et son « ateur », comme il dit, aussi bien que son père, estime que la culture des enfants d'Internet sera nécessairement « plus prospective et plus réactive » que celle des adultes d'aujourd'hui mais aussi « plus éphémère, moins ancrée dans l'Histoire, et moins patrimoniale [9] ».

Les soucis familiaux influent davantage sur les notes

Au final, le multimédia va-t-il pénaliser ou enrichir intellectuellement les adultes de demain ? En ce qui concerne les jeux, Anne Lejarre et Isabelle Dijols plaident pour un juste milieu. « Nous n'avons pas constaté de réel écart de résultats scolaires entre les enfants qui adorent les jeux et ceux qui ne les pratiquent que très occasionnellement », indiquent-elles, en précisant que leurs observations ne sont pas une vérité statistique : elles se fondent sur leur expérience, depuis dix ans, avec quelques centaines d'enfants – des inconditionnels des jeux, des occasionnels, ou des réfractaires. Patrick Longuet, de l'Institut universitaire de formation des maîtres (IUFM) de Chambéry, auteur d'une étude portant du cours préparatoire au collège [10], confirme ces constatations empiriques. Les difficultés familiales, le divorce des parents, une relation prof-élève conflictuelle ou des problèmes personnels d'apprentissage ont beaucoup plus d'influence sur le cahier de notes que la pratique des jeux. Tout juste les spécialistes font-ils remarquer qu'en moyenne, lorsque les enfants se trouvent devant leur écran interactif plus de trois heures par jour, sept jours sur sept, ils sont parfois plus fatigués, plus repliés sur eux-mêmes et moins disponibles pour le travail scolaire.

Pour Anne Lejarre et Isabelle Dijols, il ne faut pas demander aux jeux plus qu'ils n'en peuvent donner. « Au début, lorsque nous avons commencé à tester l'offre avec une quinzaine de familles, nous étions enthousiasmées par les logiciels et fascinées par la manière dont les enfants se les appropriaient en deux ou trois clics. Au bout de quelques années, alors que nous avions rassemblé quelque deux cents familles testeuses, nous avons constaté que l'offre ludo-éducative du marché n'évoluait plus en termes de créativité. Aujourd'hui, on trouve beaucoup d'imitations de produits existants, davantage de paillettes autour des personnages, des emballages plus “ marketing ”, mais pas plus de richesse. Les jeux sont seulement devenus plus violents. » Dans la lumière bleutée des écrans, les enfants, eux, ne sont pas devenus des génies ; mais ils manient mieux la souris que la scie ou la bêche.

L'écrivain Philippe Sollers, avec qui nous avons évoqué le sujet, dénonce cette « écranisation » (« é-crânisation » ?) universelle, cette technologie qui nourrit et décervelle à la fois. Pour lui, nous sommes entrés dans une civilisation de l'œil, du panoptique, où les autres sens (ouïe, toucher...) sont sous-utilisés : « L'individu qui saura utiliser les potentialités de son corps entier, celui qui soupçonnera que tout n'est pas dans la communication instantanée, se détachera des autres. » Et de miser sur une civilisation qui, comme toutes celles qui l'ont précédée, vaudra par ses singularités [11].

Le Pr Yves Coppens, lui, est plus optimiste et croit à une élévation générale du niveau. Son fils Quentin, sept ans, fait partie de la génération Internet. Lorsque son père lui a montré pour la première fois une souris grise (bien vivante), l'enfant s'est exclamé : « Mais papa, ce n'est pas ça une souris ! » Il ne connaissait que celle sur laquelle on clique. « Grâce à la télé, à

Internet, aux CD-Rom, un enfant de sept ans, aujourd'hui, connaît mille fois plus de choses que je n'en connaissais à son âge, lorsque je rêvais d'être explorateur, nous a confié le paléontologue. Il sait à quoi ressemble la Terre, il est imprégné de toutes les cultures. L'espace, pour lui, s'est réduit de manière considérable. Même le téléphone portable change les perspectives : un jour où je lui téléphonais du fond de la Sibérie, mon fils a pu entendre l'air de guitare que jouaient mes compagnons russes... Tout cela n'est pas neutre : cette ouverture au monde façonne le cerveau des enfants [12]. »

Mais cette facilité d'accès à la connaissance – qui leur arrive « toute cuite » – ne risque-t-elle pas de les rendre paresseux ? « Sûrement pas, répond le professeur. Diriez-vous que l'électricité nous a rendus paresseux, puisqu'on n'a plus besoin d'allumer des bougies ? Les enfants partent de plus haut que nous : c'est un socle pour de nouvelles explorations. »

3.

Perdus dans la poubelle géante

Que peut-on trouver de choquant sur le Net ?

« J'ai trois enfants : onze ans (fille), huit ans (garçon) et quatre ans (garçon) », écrit un père sur le forum de discussions pour parents du site Kazibao, un site destiné aux enfants, le 4 septembre 2000. « Les deux grands sont fanas d'ordinateur et d'Internet. J'ai laissé mon fils de huit ans seul sur Internet l'autre jour. À mon retour j'ai regardé l'historique de Netscape : [...] il a tapé " Image Pokémon " sur un moteur de recherche (Voilà) et s'est retrouvé, à la troisième sélection, sur des sites homosexuels avec des photos très explicites (faites le test, c'est sidérant ! Internet est formidable mais il y a malheureusement beaucoup de tordus...). Je lui en ai parlé et l'ai écouté, et bien évidemment il ne comprend pas : j'ai dit que les gens faisaient des trucages et je ne le laisse plus aller tout seul sur Internet. »

Des sites porno dans une liste censée conduire vers des personnages de dessins animés japonais ! L'information était trop inquiétante pour ne pas être vérifiée. Nous avons donc fait le test, plus récemment, en utilisant l'annuaire voila.fr. Avec soulagement d'abord, car, en troisième position dans la liste des sites proposés par le moteur, on trouve désormais un site banal sur les Pokémon. Mais le soulagement fut de courte durée. En huitième et neuvième réponses, nous sommes arrivés en effet, à notre tour, sur des sites pornographiques. Le mécanisme est simplissime : comme le mot « Pokémon » compte parmi les plus souvent tapés dans les moteurs de recherche, des petits malins l'ont inséré dans le descriptif de leur site. Leur objectif ? « Générer du trafic », c'est-à-dire attirer des visiteurs, et gagner, à terme, de l'argent grâce à la publicité, dont les tarifs sont proportionnels à l'audience du site. Et qu'importe si la requête « Pokémon » est généralement effectuée par des enfants : le cynisme n'a pas de limites.

Pour le gamin qui s'aventure malencontreusement en territoire douteux, inutile d'espérer une mise en garde préalable, un avertissement du type : « Attention, ce site est réservé aux adultes. » C'est souvent de but en blanc qu'on se retrouve sur un site porno. Et les images immédiatement visibles ne sont pas toujours « suggestives » ; elles sont parfois crues. Contrairement à une idée reçue, les pages d'accueil des sites porno payants ne donnent pas dans l'érotisme esthétique. Nous sommes souvent dans l'exhibition détaillée des pratiques sexuelles.

L'inquiétude du père de famille cité plus haut est compréhensible. Le réseau mondial n'est pas seulement une bibliothèque monumentale. C'est aussi une poubelle géante. Pour l'adulte armé de son esprit critique, il n'y a guère, en ligne, d'autre risque que celui d'être choqué. Mais les enfants – on y reviendra – sont plus vulnérables. Et si la pornographie peut représenter un danger pour les jeunes esprits, il est loin d'être le seul : le web a plus d'un tour dans son sac-poubelle. Sites pédophiles, bien sûr, mais aussi xénophobes ou néo-nazis... quand il ne s'agit pas de « recettes en ligne » pour confectionner chez soi un cocktail Molotov ou tout autre engin explosif dont les divers ingrédients sont accessibles dans le commerce. Est-ce sombrer dans la paranoïa que de voir le réseau mondial comme une jungle d'où les enfants peuvent ne pas sortir indemnes ?

Les parents, en tout cas, s'affolent. D'après une étude publiée par Bayardweb en mars 2002, 78 % des parents sont anxieux à l'idée que leur progéniture puisse tomber sur des sites inappropriés. Ou qu'elle fasse des rencontres louches en participant à un *chat* ou en communiquant par e-mail. Cette peur pourrait même expliquer chez certains le refus de se connecter à la maison : 87 % des parents non connectés s'inquiètent de ce que leurs enfants feraient en ligne. Et 69 % de ceux qui ont Internet à la maison ne sont pas non plus rassurés.

Quelle est la probabilité de voir son enfant tomber malencontreusement sur des sites qu'il n'aurait jamais dû voir ? Difficile de savoir avec quelle fréquence se produit ce genre de mésaventure. Mais on peut continuer le test.

Quand les mots innocents mènent au porno

Nous avons par exemple essayé de trouver, *via* plusieurs moteurs de recherche, les sites Internet sur Britney Spears, la célèbre starlette américaine dont les posters ornent depuis deux ou trois ans les murs des chambres des pré-adolescentes. Le résultat est édifiant. Comme les responsables de sites « hot » connaissent leurs statistiques par cœur – ils sont toujours au courant des requêtes les plus fréquentes des internautes sur les moteurs de recherche –, ils s'efforcent d'attirer le chaland au hasard de sa navigation. Comme « Britney Spears » est une expression très fréquemment tapée sur Google ou Voilà, tous les vendeurs de sexe en ligne du monde utilisent l'image de la chanteuse pour générer du trafic sur leur site. Ainsi, il est impossible de ne pas être envahi d'images sexuelles quand on recherche les paroles de ses dernières chansons ! Sur Voilà, la recherche dans la catégorie « photos » renvoie, au premier résultat, sur un simple catalogue de photos de la chanteuse. Mais, juste à côté de ces photos, un banal bandeau publicitaire s'avère être un piège. Un site pornographique s'ouvre. Le terme de « piège » n'est pas abusif, car l'enfant choqué par ce spectacle devra pour s'échapper faire preuve de ténacité : à plusieurs reprises, lorsqu'on veut quitter ce site (en cliquant sur la croix en haut, à droite de l'écran), il resurgit. Enfin, à la quatrième tentative, un texte en allemand propose l'installation d'un kit de connexion, ce système de paiement mis en place par l'industrie pornographique pour surtaxer la communication téléphonique. Histoire de bien insister, un zoom entoure d'un gros cercle rouge la case « ja » (« oui » en allemand). Cliquez ! nous explique cette fenêtre... Pour la fillette tombée dans cette embuscade, difficile de trouver le chemin de la sortie.

Cette mésaventure n'est pas anecdotique. Que fera la même enfant si, quelques sites plus loin (toujours en cherchant des informations sur sa starlette préférée), un texte en anglais surgit, proposant de choisir entre « OK » et « Annuler » ? Aura-t-elle la présence d'esprit d'annuler ? Comprendra-t-elle que, là encore, on veut lui faire souscrire à un kit de connexion, le sésame des sites de sexe ? Entre les kits de connexion, les images pornographiques qui surgissent à l'écran sans qu'on les ait sollicitées, les bandeaux publicitaires parfaitement « explicites » qui jonchent des sites sans autre danger, l'enfant n'a à peu près aucune chance d'échapper à des images choquantes. Et ce, quel que soit le moteur de recherche utilisé. Car c'est bien le nom de « Britney Spears » qui attire à lui seul tous les vendeurs de sexe du monde. Il va sans dire que les résultats de l'expérience sont à peu près les mêmes avec tout autre nom de star mondiale...

Comment savoir, en tant que parent, si son fils ou sa fille a subi ce genre de traumatisme ? Jean-Yves Hayez, pédopsychiatre et spécialiste de la question des enfants face à la pornographie, distingue deux cas de figure, selon l'âge de l'enfant. Pour les plus jeunes, le traumatisme est décelable, « si du moins les parents acceptent d'en faire l'hypothèse », précise-t-il. Les plus petits extériorisent en effet leur malaise par des comportements excessifs : soit ils deviennent plus inhibés, manifestent des pudeurs nouvelles, soit au contraire ils ont des attitudes plus ostentatoires allant jusqu'à l'agression sexuelle de plus jeunes qu'eux. En revanche, les adolescents auront tendance à « faire comme si » ils ne ressentaient pas de malaise. Il arrive alors que l'enfant ne subisse plus, mais recherche volontairement cette pornographie. Et la trouve sans difficulté, puisqu'il lui suffit de se faire passer pour un adulte (déclaration sur l'honneur d'un clic de souris) pour accéder à tous les contenus pornographiques du Net. « Quand il s'agit d'un enfant qui recherche ce genre d'images, explique Jean-Yves Hayez, les seuls indicateurs des comportements maladifs sont le temps passé en ligne, et l'isolement de l'intéressé. » Exactement comme avec la drogue : « L'enfant va déplacer son énergie, consacrer du temps à de nouvelles habitudes qui lui procurent du plaisir. »

Bien sûr, les enfants n'ont pas attendu l'arrivée de l'Internet pour découvrir la pornographie. Les magazines réservés aux adultes se sont toujours échangés dans les cours de collège. Comme l'écrit Jean-Yves

Hayez dans un texte consacré à la question [1], « l'ado de quinze ans qui envoie l'image de son sexe [...] en guise de signature électronique se sentira " con " de l'avoir fait à dix-huit ans, deviendra peut-être notaire à cinquante ans, comme le chantait Jacques Brel, et épargne au moins à nos murs la même signature, mais en tag ». Mais peut-être sommes-nous en train de changer d'échelle. D'abord parce que la profusion de pornographie sur le réseau est sans commune mesure avec les magazines qui circulaient sous le manteau. Mais aussi parce qu'il y a une différence entre échanger un magazine entre copains et « consommer » de la pornographie seul face à son écran d'ordinateur. C'en est fini du jeu et de la surenchère adolescente. « Consommer de la pornographie seul ou pour se vanter auprès des copains sont deux attitudes très différentes, aux conséquences incomparables », explique le pédopsychiatre. L'ampleur du phénomène serait encore minime, à l'en croire. Sauf qu'elle est très difficile à mesurer, car les adeptes de la pornographie en ligne ne sont pas prompts à parler de ce qui leur arrive lorsqu'on les interroge... Jean-Yves Hayez identifie tout de même, chez une faible minorité de jeunes internautes, des fixations qu'il qualifie de « franchement perverses », notamment la pédophilie, « particulièrement tentante pour des adolescents peu sûrs d'eux, à la recherche de dominations illusoires, d'amours consolateurs, et nostalgiques de leur enfance perdue ». Ainsi, lors du démantèlement d'un réseau pédophile russo-italien à l'automne 2000 (par

Don Fortunato, un prêtre italien qui s'est fait le spécialiste de cette traque), on a constaté que 1 % des clients des vidéocassettes étaient mineurs.

La recette des bombes en libre service

Autre type de « contenu » charrié par les eaux boueuses de l'Internet : la violence. Sous toutes ses formes. On trouve sur certains sites des images dépassant l'entendement. Classées scrupuleusement, des photos toujours plus barbares présentent tour à tour la tête de suicidés après le coup de carabine final, de bébés accidentés, etc. La liste des atrocités est longue. Et les collégiens se font un plaisir de s'échanger les adresses Internet de ces sites effrayants. Le choc psychologique est inévitable, mais puisque les copains de classe sont capables d'aller se confronter à ces images, il faut bien suivre... Dans un autre registre, aussi peu rassurant, on trouve en ligne des recettes permettant de confectionner chez soi toutes sortes d'engins explosifs. Avec l'annuaire du site Yahoo (mais n'importe lequel aurait aussi bien fait l'affaire), il nous a suffi de vingt minutes pour trouver un manuel de préparation d'un cocktail Molotov. Avec, en prime sur la même page Internet, une méthode pour confectionner un ersatz de napalm, des bombes fumigènes, et de multiples autres réjouissances. Bien entendu, un texte quelque peu hypocrite prévient l'internaute que toutes ces recettes sont données à titre « éducatif » et que l'auteur du site ne pourra en aucun cas être tenu pour responsable de l'utilisation qui en sera faite... La tonalité globale de la page nous indique que l'auteur en question ne doit pas être très âgé. Ce jeu d'adolescent ferait d'ailleurs sourire s'il ne provoquait, parfois, de véritables drames. En mai 2002, un chirurgien de Marseille a ainsi opéré deux garçons de dix-huit ans qui s'étaient trop « amusés » sur Internet. L'un a perdu trois doigts, l'autre fut amputé d'une main et de deux doigts de la seconde main. Fabriquer des explosifs est désormais, au sens propre, un jeu d'enfant : les méthodes se trouvent en trois clics de souris, et les ingrédients dans le commerce.

En surfant sur Internet, les enfants tombent donc, volontairement ou non, sur des pages que tout parent ou éducateur préférerait leur cacher. Mais ils peuvent aussi avoir affaire à des individus malintentionnés abusant de la naïveté enfantine. Le cas le plus inquiétant pour les parents, heureusement rare, est celui des pédophiles se faisant passer pour des « copains » dans les salons de *chat*, et dont le but est de rencontrer l'enfant. Régulièrement, des scandales défraient la chronique et alimentent la psychose. Comme le cas de ce vice-président américain d'une grande entreprise technologique, condamné en septembre 2000 après avoir donné un rendez-vous à une fillette de treize ans... laquelle était en fait un agent du FBI, qui l'avait piégé. Selon Homayra Sellier, fondatrice de l'association Innocence en danger et auteur de *Innocence-en-danger.com* [2], les bénévoles qui travaillent pour surveiller les salons de *chat* sur le site de MSN France ferment dix à quinze salons de discussions pédophiles par soirée. Bien entendu, cela ne signifie pas que quinze nouveaux pédophiles font leur apparition chaque soir : le même déséquilibré sexuel peut revenir à la charge sous des identités différentes. Un gendarme spécialisé dans l'Internet nous a cependant avoué, sous couvert d'anonymat, que ce genre d'affaires se comptait, chaque année en France, « sur les doigts de la main ». Avant d'ajouter : « Évidemment, nous ne sommes pas au courant de tout. »

Les enfants discutent-ils souvent avec des individus aux intentions inavouables ? Ce qui est certain, c'est qu'ils passent beaucoup de temps à converser en ligne. D'après une étude AOL-EPE réalisée en mars 2002 en interrogeant 466 jeunes de 8 à 18 ans, la communication est leur première utilisation de l'Internet. À la question « Que fais-tu quand tu vas sur Internet ? » 78 % ont répondu « J'envoie et je reçois des messages ». Ce pourcentage atteint même 93 % chez les 15-18 ans. Or, d'après Homayra Sellier, il y aurait environ 45 000 forums de discussions et salons de *chats* pédophiles sur le réseau. Ce dernier permet à de plus en plus de pédophiles du monde entier d'assouvir leurs fantasmes. La présidence d'Innocence en danger estime même « qu'on a assisté, entre 2000 et 2001, à une hausse de 345 % du nombre de sites pornographiques mettant en scène des enfants ». Il serait probablement absurde de sombrer dans le catastrophisme et de voir des pervers à tous les coins de rue. Mais la vigilance des parents s'impose.

Les sites commerciaux aussi peuvent être dangereux

Dernier danger du surf occasionnel – ou autre façon de profiter de la crédulité des plus jeunes –, de plus en plus de sites marchands tentent de faire remplir aux internautes des questionnaires afin d'obtenir sur leur foyer des informations exploitables commercialement. Les parents ont souvent assez d'esprit critique pour éviter de tomber dans ce genre de panneau. Mais les enfants se font appâter par des promesses alléchantes. « Tu veux gagner des super cadeaux ? C'est facile : il te suffit de remplir ce questionnaire », explique ce site qui demandera ensuite toutes sortes d'informations : profession des parents, numéro de téléphone portable de ces derniers, centres d'intérêt et types de consommation de l'enfant, etc. Le genre de renseignements qui se revend à prix d'or. Sur ce point, la loi est claire : collecter des informations auprès d'un mineur n'est pas interdit, tant que l'enfant est informé du traitement qui sera fait de ces données, qu'il dispose d'un droit d'accès et de rectification, que les informations sont conservées pour une durée limitée, et surtout qu'elles ne sont pas cédées à des tiers, sauf autorisation des parents. Les États-Unis sont plus fermes que la

France sur la question puisque le Children's on line privacy protection act (Coppa) interdit depuis avril 2000 toute collecte de données personnelles auprès d'enfants de moins de treize ans sans autorisation parentale.

Face à ces dangers, des solutions techniques existent *. Elles permettent de préserver en partie l'enfant des sites choquants. Mais le *chat* n'est pas près d'être totalement sécurisé, ni le web débarrassé des questionnaires inquisiteurs abusant de la naïveté des enfants. La seule vraie parade reste malheureusement évidente : un jeune enfant ne doit pas surfer seul... et encore moins avoir l'ordinateur familial dans sa chambre.

* Voir l'annexe 1 : « Petit manuel à l'usage des parents inquiets ».

4.

Les Rambo de la Nintendo

Les jeux violents rendent-ils les enfants violents ?

Le 20 avril 1999, à Littleton, dans le Colorado, Dylan Klebold, dix-sept ans, et Eric Harris, dix-huit ans, massacrent à coups de fusil treize de leurs camarades du lycée de Columbine et en blessent vingt-trois. Puis ils retournent leurs armes contre eux-mêmes et se donnent la mort. Ils n'ont pas choisi leur date au hasard : c'est l'anniversaire de la naissance d'Adolf Hitler.

Cette tuerie a bouleversé l'Amérique... et affolé les fabricants de jeux vidéo. Les deux garçons étaient des inconditionnels de Doom et de Quake, des jeux où le héros doit liquider tous ses ennemis pour gagner. Harris, féru d'informatique, avait même développé à ses moments perdus une version de Doom dans laquelle deux hommes dotés de munitions illimitées s'en donnaient à cœur joie sur une foule sans défense. Familiers de l'Internet, les deux adolescents avaient également mis en ligne un site au discours peu ambigu : il appelait chaque visiteur à tuer ses voisins de palier. Aux États-Unis, ce fait divers sanglant a radicalisé le débat sur les effets de la brutalité virtuelle sur l'agressivité réelle des adolescents. Et même si le sulfureux réalisateur américain Michael Moore a essayé de montrer, dans son film *Bowling for Columbine*, sorti en France à l'automne 2002, que la vente libre des armes à feu et la propension des chaînes de télévision à mettre l'accent sur la peur – pour augmenter leur audience – étaient les principaux fléaux dont souffrait l'Amérique, le débat sur la mauvaise influence des jeux vidéo n'a pas été clos pour autant.

Certains scénarios sur écran semblent, il est vrai, n'avoir été conçus que pour flatter les plus vils instincts de nos chères têtes blondes. Les courses de voitures qui se télescopent, passait encore ; on s'y était habitué. Mais comment accepter que les petits conducteurs gagnent des bonus en fonction du nombre de personnes âgées qu'ils écrasent, ou du temps de souffrance de leurs victimes accrochées au pare-chocs et traînées sur deux cents mètres ? C'est pourtant l'une des joies de Carmageddon II. Pour atteindre le nirvana des super-champions, il faut avoir tué, grosso modo, 33 000 personnes. Et que dire de ces jeux de cache-cache dans des asiles où les fous se suicident en « live » et où l'on déterre le cadavre d'un enfant mort (Sanitarium) ? Ou de ces écorchés vifs qui dévorent les intestins des femmes décédées dans Resident Evil [1] ?

Heureusement, ces jeux ne représentent pas la plus grosse part du marché. 3 000 jeux seront édités cette année dans le monde (70 % pour les consoles, 30 % pour les PC) et se vendront à 400 millions d'exemplaires. Seulement 10 % d'entre eux – les plus connus, tels Rayman, Tomb Raider, les Sims, etc. – représenteront 90 % du chiffre d'affaires du secteur. Néanmoins, certains jeux horribles comme GTA 3, où un évadé de prison doit regagner ses galons dans la mafia en dealant, en assassinant ou en mettant des filles sur le trottoir, entrent désormais dans la liste des best-sellers mondiaux.

70 % des jeux seraient violents

« Même les jeux réputés innocents reposent sur le simplisme, le sexisme et le racisme », plaide Dominique Marcilhacy, vice-présidente de la Fédération Familles de France. Que dire alors des autres... Elle a milité pour l'interdiction des cas de boucherie virtuelle les plus extrêmes. Une action rendue selon elle nécessaire par le fait qu'il n'existe pour les jeux vidéo – contrairement aux films, qui peuvent être classés X – que des « recommandations » (« pour tous », « plus de 12 ans », « plus de 16 ans »). Ainsi, Wild 9, un jeu sorti en 1998 classé dans la deuxième catégorie, peut-il clamer en guise d'argument de vente : « le premier jeu vidéo où l'on peut torturer ses ennemis, les empaler et les noyer en les laissant respirer un peu pour prolonger leur agonie ». Encore est-il bien inoffensif comparé à Phantasmagoria, qui propose dix sortes de tortures pour la même victime, dont : la décapitation lente, l'écrasement de la tête ou l'étouffement par ingestion de terre...

Certains jeux apparemment anodins peuvent même devenir de véritables films d'horreur dès que l'enfant possède le code secret, le « patch » permettant de débrider la version soft, de changer le décor ou de transformer certains personnages – les chiens en grizzlis ou Lara Croft en Oussama Ben Laden ! C'est le cas de Doom, de Quake, et aussi de Carmageddon II, où l'on peut remplacer les zombies par de simples passants. Or ces codes secrets, développés par des pirates de l'informatique, les fameux hackers, encouragés par les éditeurs qui savent que cela prolonge la durée de vie de leurs jeux, sont disponibles dans toutes les bonnes cours de récréation !

En 1999, une association française de parents a fait le calcul : 70 % des jeux commercialisés seraient violents. Depuis, quelques interdictions à la vente de jeux particulièrement sanglants, l'arrivée de scénarios « plus féminins » et la vogue des jeux de stratégie adaptés à la vie quotidienne (comme les Sims) ont sans doute empêché que cette proportion n'augmente. Néanmoins, les jeux qui n'ont pas pour but ultime la destruction physique de l'adversaire demeurent minoritaires. Contrairement à ce qui était annoncé, il n'y a pas eu d'« effet 11 septembre » : les attentats du World Trade Center n'ont pas rendu les créatifs d'Hollywood ou des jeux vidéo plus « raisonnables ». Dans son rapport, commandé par le ministre de la Culture et publié en novembre 2002, la commission Kriegel plaide d'ailleurs pour que les compétences de la Commission de classification des films s'étende aux jeux vidéo, aux DVD, et ultérieurement à Internet, afin de mieux protéger les enfants et les adolescents.

Pourquoi les jeux seraient-ils dangereux ? Après tout, les bambins ont toujours joué à la guerre, fût-ce avec des soldats de plomb. Mais pour les partisans de la « censure », emmenés notamment par l'Association américaine de psychologie (AAP), l'image imposée du CD-Rom se surajoute aux fantasmes personnels du joueur. S'il est fragile, il devient boulimique d'images, et l'accumulation des scènes violentes provoque sur lui un effet traumatique. C'est la thèse du passage à l'acte : « À forte dose, les jeux violents conduisent à des comportements violents », affirme l'AAP. Les joueurs narcissiques ou à problèmes sont évidemment les premiers concernés.

D'autres psychologues, plus optimistes, prônent à l'inverse les vertus cathartiques [2] des jeux : l'enfant ou l'adolescent serait tellement épuisé nerveusement après deux heures de jeu sur écran qu'il n'aurait plus besoin d'aller se battre pour de vrai. Il y aurait alors, d'un côté, le « monde des fantasmes », et de l'autre, la « vraie vie ».

En fait, les études sérieuses sur les rapports entre jeux vidéo et violence sont à la fois peu nombreuses et contradictoires, donc, et nous y reviendrons, il n'est pas toujours évident de trancher. Le débat ressemble étrangement à celui qui a lieu, depuis 1946, à propos des effets de la télévision sur le psychisme. À ce détail près que ce dernier a fait, lui, l'objet de près de 22 000 travaux différents – excusez du peu – depuis l'introduction des premiers programmes de télé aux États-Unis [3] ! Un vieux débat qui s'alimente de présomptions, d'hypothèses et d'évidences (vraies ou fausses) davantage que de preuves, mais dont l'ancienneté permet d'« extrapoler » ou d'anticiper sur les effets plus récents provoqués par la violence sur Internet ou dans les jeux vidéo.

Pour les Américains, le débat télé = violence est déjà tranché

À douze ans, un jeune téléspectateur américain a déjà assisté à 8 000 meurtres et 100 000 actes de violence. Certes, il faut se méfier des chiffres : le monde s'écrit trop facilement en langage mathématique (les enfants ont aussi vu 500 000 poignées de main, 1 million de sourires...). Mais aux États-Unis, la plupart des chercheurs estiment désormais que cette violence cathodique encourage nécessairement un comportement agressif. Même si aucune étude n'a fait l'unanimité absolue en établissant un lien de cause à effet indiscutable entre télévision et violence (toutes sont critiquables sur le plan méthodologique, y compris la dernière, la plus sérieuse et la plus spectaculaire, que nous évoquerons en dernier), les travaux sont nombreux et convergents [4]. Pour Jeffrey McIntyre, responsable de la législation et des affaires fédérales à l'Association américaine de psychologie, qui ne donne pas dans la demi-mesure, les preuves sont si accablantes que les contester « équivaudrait à mettre en doute l'attraction terrestre ». Le ministère de la Santé, à Washington, a lui-même conclu par deux fois, à dix ans d'intervalle, que la violence à la télévision contribuait « à la recrudescence de la criminalité et des comportements antisociaux ». Blandine Kriegel, présidente de la commission chargée par le ministre de la Culture, Jean-Jacques Aillagon, d'évaluer les rapports entre télévision et violence, estime dans son rapport publié en novembre 2002 que « depuis les années 60, les preuves d'une influence de la télévision sur les comportements violents se sont accumulées » et que si l'on ne peut parler de mimétisme ou d'une incidence très forte, « il est raisonnable de dire que pour certaines personnes et dans certaines situations, les émissions violentes ont un effet ». La télé « désensibiliserait » et « ferait baisser les inhibitions ». Et de conclure à « l'existence d'un pouvoir et d'un danger de la violence télévisée ».

L'immense majorité des études constate qu'il existe une corrélation, « ténue mais bien réelle » selon l'expression de Jonathan Freedman, professeur de psychologie à l'université de Toronto, entre violence à la télévision et violence dans la vie. Même s'il peut s'agir, relèveront les sceptiques, d'une fausse corrélation : ainsi, quand les enfants s'abreuvent de violence télévisuelle, c'est souvent parce que, chez eux, il n'y a pas d'adulte responsable pour veiller sur leur comportement. D'où les mauvaises fréquentations ou l'absence de principes moraux qui favorisent leur délinquance pour des raisons qui, en dernier ressort, seraient loin de n'être que télévisuelles.

Dale Kunkel, professeur de communication à l'université de Californie à Los Angeles, a recensé sur les quatre dernières décennies plus de mille travaux « crédibles » (sociologiques, épidémiologiques, psychiatriques...) portant sur les effets de la violence dans les médias. Pour certains, il s'agissait d'expériences sur des individus : on faisait, par exemple, visionner des émissions de télé violentes à des groupes d'enfants avant d'observer leur comportement sur l'aire de jeux. Autre variante, on proposait à des étudiants d'appuyer sur un bouton permettant de « zapper » une personne qui leur avait fait du mal... Au final, ils étaient plus agressifs et avaient la « gâchette » plus facile après avoir vu un film violent.

Deux études de Rowell Huesmann, le gourou de l'université du Michigan Ann Arbor, sortent pourtant du lot. La première, entamée en 1960, concernait 600 personnes, examinées à 8 ans, 18 ans puis 30 ans. La seconde, qui s'est terminée en 2000, concernait 750 élèves des écoles primaires de la région de Chicago, suivis pendant trois ans. « Les garçons qui avaient été témoins de violence télévisée de façon répétitive à l'âge de huit ans sont devenus plus agressifs que les autres », affirme-t-il. Et de conclure : « Les enfants qui assistent régulièrement à des scènes violentes à la télévision (...) ne deviendront pas tous des adolescents violents, de même que tous les gens qui fument ne mourront pas du cancer. D'autres facteurs interviennent (...). Mais de même que chaque cigarette accroît les risques de cancer du poumon, chaque exposition d'un enfant à des scènes de violence accroît la probabilité qu'il ait un jour un comportement violent. »

Tout le monde n'est pas d'accord avec cette thèse. Pour Serge Tisseron, un des psychiatres français qui fait autorité sur le sujet [5], il n'y a pas d'images violentes, seulement des gens qui les regardent – autrement dit, tout dépend du psychisme du spectateur. « Le passage à l'acte isolé sous l'influence de films violents n'est possible qu'en cas de schizophrénie, lorsque le sujet confond fantasme et réalité », dit-il. En revanche, il admet que les images peuvent avoir un effet sur les enfants lorsqu'ils sont à plusieurs, car elles constituent une des « courroies de transmission de la violence des groupes » : l'envie de s'assimiler au groupe, de ne pas en être rejeté, peut pousser certains enfants à adopter un comportement agressif. Ils ont ainsi le sentiment d'être en phase avec les autres en s'identifiant à des héros communs. Encore faut-il distinguer l'attitude des garçons de celle des filles : ces dernières s'expriment davantage que les premiers après avoir ingurgité des images violentes, dénouant ainsi plus facilement les tensions psychiques.

Le 29 mars 2002, une étude publiée dans la très sérieuse revue *Science* a apporté une contribution essentielle, à défaut d'être définitive, au débat. L'équipe de Jeffrey Johnson, chercheur à l'université de Columbia et à l'institut psychiatrique de l'État de New York, a étudié une population de 707 familles pendant dix-sept ans – un record. Cet échantillon, interviewé à intervalles réguliers, était représentatif de la population de deux comtés du nord de l'État de New York (blanche à 91 %, catholique à 54 %). Les psychologues ont recensé les actes les plus violents commis par les jeunes de l'échantillon (agressions, bagarres, utilisation des armes, etc.) grâce aux fichiers de police et du FBI. Ensuite, ils les ont comparés à leurs pratiques en matière télévisuelle. L'âge moyen du groupe étudié était de seize ans en 1985 et de trente et un ans en 2000. Même si quelques spécialistes contestent sa méthodologie, il s'agit de l'étude la plus complète et la plus sérieuse réalisée à ce jour.

Ses conclusions sont spectaculaires : 45,2 % des hommes regardant la TV plus de trois heures par jour ont commis une agression (vol, menaces, utilisation d'une arme pour un délit, blessure de quelqu'un lors d'une bagarre, etc.), contre 8,9 % des hommes qui voient la télé moins d'une heure par jour ! Le rapport est le même chez les femmes, même si les chiffres sont moins élevés puisque le sexe dit faible est traditionnellement moins violent : 12,7 % des grosses consommatrices de télé ont été impliquées dans un acte d'agression, contre 2,3 % seulement chez les utilisatrices plus occasionnelles.

Les chercheurs de Columbia – et c'est là le fait nouveau – disent qu'ils ont pu « isoler la variable télé », c'est-à-dire calculer l'influence de la télé prise isolément, en écartant d'autres facteurs tels le niveau de revenu de la famille, le climat de violence dans le quartier, les diplômes des parents ou les antécédents psychiatriques, qui conditionnent aussi le niveau de délinquance. Toutes choses égales par ailleurs, les jeunes téléspectateurs « accros » à la télé seraient donc quatre à cinq fois plus violents que les moins assidus.

C'est le temps passé devant la télé qui compte

Si différence il y a, c'est bien la variable temps qui la provoque, car la télé est un média très démocratique au niveau de la répartition des équipements. En France, on trouve même davantage de postes en moyenne dans les familles défavorisées que chez les plus favorisées (le taux d'équipement est de 99 % chez les premiers, contre 97 % chez les seconds). La fréquence d'utilisation, elle, est à peu près identique, mais les volumes sont très différents : la consommation quotidienne déclarée par les enfants d'un milieu très favorisé est de 72 minutes par jour contre 102 minutes pour ceux issus d'un milieu défavorisé [6]. L'écart est particulièrement fort pendant le week-end, où 40 % des enfants de milieu défavorisé disent regarder la télé plus de trois heures par jour, contre 26 % dans les milieux les plus favorisés. Ce qui distingue les enfants n'est donc pas tant le fait de regarder ou non la télévision, ni même de la regarder plus ou moins souvent, mais de la regarder longtemps ou non...

Le parallèle entre le tabac et la violence télévisuelle, évoqué précédemment par Rowell Huesmann, est le cheval de bataille d'un « repenti », George Miller, le réalisateur de *Mad Max*. « Le débat sur la violence à la télé me rappelle celui sur le tabac, explique l'auteur de ce film qui fut un précurseur du genre. Les effets nocifs de la cigarette n'ont été démontrés qu'à la fin des années 60 ; or nous en fumions depuis des siècles. Il a malgré tout fallu entre dix et vingt ans pour se décider à faire quelque chose. Le cinéma a à peine plus de cent ans, et la télévision est deux fois plus jeune. Quand on dit que rien ne prouve que la violence dans les médias ait des effets nocifs, on adopte un discours aussi mensonger que les producteurs de tabac et leurs prête-noms scientifiques. Ils ont si longtemps défendu le tabac avec ce genre d'arguments ! Les films et la télévision influent sur le comportement, j'ai pu le constater de mes propres yeux. Un jour, un homme s'est garé en face de nos bureaux. Il conduisait la même voiture que Mad Max, et portait le même costume. Pendant une semaine, de 9 heures à 17 heures, il est resté planté là, les yeux dans le vague. Puis il a disparu. Combien d'entre nous, enfants dans les années 50, se sont blessés en se prenant pour Superman et en sautant du toit du garage avec un drap en guise de cape ? Observez des enfants qui jouent, et vous comprendrez à quel point nous nous nourrissons de la culture urbaine américaine véhiculée par les films et la télévision. Si ces médias ont une influence sur notre façon de nous vêtir, de parler, de bouger, de jouer, comment imaginer qu'ils n'influent pas sur notre comportement au niveau cognitif ou moral [7] ? » George Miller va sans doute un peu vite en besogne, et son raisonnement relève sûrement, pour les spécialistes, de la « psychologie à quatre sous », qui ne démontre rien. Mais l'anecdote interpelle, venant du réalisateur d'un des premiers films violents de l'histoire du cinéma.

David Grossman, ancien psychologue de l'armée américaine, ne donne pas non plus dans la nuance : « Lorsqu'un gamin de quatre ou cinq ans regarde un film, établit un rapport avec un personnage pendant une heure et demie puis voit, dans les trente dernières minutes, et sans rien pouvoir faire, son nouvel ami poursuivi et sauvagement assassiné, cela équivaut, moralement et psychologiquement, à lui présenter un petit camarade, à le laisser jouer longuement avec lui, puis à égorger son nouvel ami sous ses yeux. Les enfants, aujourd'hui, sont soumis à ce genre de brutalité à longueur de journée. On leur dit, bien sûr : " C'est pour rire ! Regarde, c'est juste la télé. " Les gamins acquiescent, mais en réalité ils ne sont pas encore capables de faire la différence. »

En France, le débat n'a pas tourné de manière aussi nette à l'avantage des partisans du lien causal télévision-violence. Mais quand un adolescent nantais abat ses parents avec un fusil à canon scié après avoir vu *Pulp Fiction* sur Canal +, ou qu'un lycéen de dix-sept ans tue à coups de couteau une camarade pour refaire le scénario du film *Scream*, en ajoutant qu'il suffit ensuite, pour la faire revenir à la vie, de rembobiner le film, on est obligé de s'interroger. La télé, école du crime ? Liliane Lurçat, pionnière en matière de psychologie des médias, et auteur de plusieurs livres sur le sujet [8], en est convaincue : « Le conditionnement commence dès le plus jeune âge, quand la télévision est allumée en permanence dans la maison où le bébé vit avec sa mère ou sa baby-sitter. Les jeunes gens d'aujourd'hui souffrent d'une surdose d'images, d'une imprégnation visuelle et émotionnelle. »

Le psychanalyste Boris Cyrulnik parle lui aussi d'imprégnation par les images violentes (télévision et jeux vidéo), qui serait d'autant plus forte chez les enfants que leurs cerveaux sont en construction, qu'il se constitue chez eux « plusieurs dizaines de milliers de circuits neuronaux chaque jour [9] ». Cette contamination mentale qui s'inscrit biologiquement dans leur mémoire (c'est le phénomène de l'empreinte) le conduit à douter fortement « que les images de violence rendent nos enfants aimables »...

Liliane Lurçat réfute catégoriquement les vertus cathartiques de la violence montrée – la thèse selon laquelle « un meurtre exhibé est un meurtre économisé ». Pour elle, rejeter la faute sur la télé, c'est refuser notre responsabilité d'éducateurs. « Bien sûr, les causes locales, personnelles et familiales entrent en jeu, reconnaît Liliane Lurçat ; tous les jeunes téléspectateurs ne finissent pas dans la peau d'adolescents criminels. Mais la violence n'est pas cathartique, elle est contagieuse. Comme pour l'alcool, la “ contagion ” est plus forte pour certains que pour d'autres. Certains adolescents ne possèdent qu'un vocabulaire de trois cents mots et comptent vingt mille heures devant des écrans. Or beaucoup de chercheurs estiment que les jeunes qui n'ont pas l'usage d'un langage complet sont coupés de la réalité et tentent de se libérer de leur mutisme en passant à l'acte. » Comme le disent souvent les psychanalystes, et pour simplifier, « ce qu'on ne peut symboliser, on l'agit ».

Mais après tout, les contes d'autrefois, ceux que nous racontaient nos grand-mères, étaient aussi violents, avec leurs récits remplis d'ogres cannibales et de sorcières cruelles. Ils n'avaient pas grand-chose à envier aux films « gore » d'aujourd'hui. Pourquoi la violence télévisuelle aurait-elle des effets plus graves sur les psychismes enfantins que les contes de Grimm ? « Il y a deux différences cruciales, explique Dany Robert-Duffour [10], philosophe et spécialiste des sciences de l'éducation. D'abord, la grand-mère, en médiatisant l'horreur, l'intégrait dans le circuit énonciatif et la rendait en quelque sorte acceptable. Ensuite, il existe une nette dissemblance entre l'univers clairement imaginaire de l'ogre dans le conte, obligeant l'enfant à penser cet univers comme un autre monde (celui de la fiction), et l'univers très réaliste des feuilletons avec rixes, violences, viols et meurtres, sans distance avec le monde réel. Des pédopsychiatres font état de cas d'enfants qui, par exemple, pensent pouvoir sauter sans dommages d'une fenêtre d'étage “ comme à la télévision ”. De sorte que ce n'est plus une injonction symbolique qui les arrête mais le trauma, c'est-à-dire le réel. »

De même, la violence au cinéma serait moins dangereuse qu'à la télévision. « Le cinéma en salle est violent depuis toujours, mais il assigne une place, celle du spectateur, qui regarde cette violence en sachant où il est, qui il est, où il va », estime le philosophe Olivier Mongin [11], directeur de la rédaction de la revue *Esprit*. La violence de la télévision, en revanche, réside dans son flot continu d'images, où le réel (le journal télévisé) se mêle à la fiction. La place du spectateur est brouillée. La télévision devient une projection de soi, un prolongement mental.

Ce qui est valable pour la télé l'est-il pour les jeux vidéo ?

Internet et les jeux vidéo ressemblent-ils aux films projetés à la télévision, c'est-à-dire à la réalité, ou aux contes de Grimm, c'est-à-dire au monde imaginaire ? Une étude menée par l'Australian Broadcasting Authority (l'équivalent du CSA français) en 1997 opte pour la première hypothèse, au moins pour Internet : on trouve sur le web, dit-elle, les mêmes images qu'à la télé, avec, en plus, la possibilité de visiter des sites ouvertement racistes, sadiques ou pédophiles. Quant aux jeux, « ils répercutent le mode de représentation de la violence à la télé entre deux héros (le bon et le méchant) difficiles à départager, avec pour seule morale la raison du plus fort », estime Divina Frau-Meigs, spécialiste des médias à l'université de Paris III.

Les conclusions valables pour la télé s'appliqueraient-elles donc aussi, tout naturellement, aux jeux vidéo ?

Les jeux vidéo ont fêté leur trentième anniversaire en 2002. Pong, l'ancêtre, lancé en 1972 en France par Atari, était une simple version vidéo du ping-pong. Rien de bien méchant : on risquait moins de se blesser en renvoyant, sur l'écran, le petit carré qui faisait office de balle avec ce qu'on n'appelait pas encore un joystick, qu'en se démenant avec une raquette. Dix ans plus tard, c'est le vrai démarrage de l'industrie des jeux vidéo, avec l'apparition des jeux d'arcade et du célèbre Pacman : une tête avec une grande bouche cherchant à engloutir le plus grand nombre de « fantômes » possible. Ce jeu n'était pas plus dangereux que le bowling ou le chamboule-tout. Quelques années plus tard, on se prit de passion pour Super Mario, un petit personnage moustachu qui escaladait les murs et tombait dans les gouffres. Inoffensif, mais doté d'un graphisme déjà plus réaliste.

C'est en 1993 que le marché des jeux vidéo change drastiquement de dimension, avec l'apparition de Mortal Kombat. Cette fois, des humains sont représentés d'une manière sinon réaliste, du moins permettant au joueur de s'identifier à eux. Et comme l'indique son nom, le jeu assigne pour objectif aux participants de tuer leurs opposants. Ce sont des jeux de la même veine, toujours plus sophistiqués, qui dominent aujourd'hui le marché. Un marché énorme, évalué à 23 milliards de dollars en 2002 (autant que l'industrie du cinéma), mais qui, en progressant de 15 à 20 % par an, devrait atteindre 30 milliards en 2005, donc dépasser l'industrie musicale ! Et pour cause : aux États-Unis, 79 % des enfants utilisent régulièrement une console ou un ordinateur pour jouer, à raison de 8 heures au moins par semaine pour les 7-17 ans. Le pourcentage, encore plus élevé au Japon, est un peu plus faible en France, mais partout les jeux font partie du quotidien. On l'a vu, plus de 3 000 jeux différents ont été vendus en 2002 et chaque joueur en possède, en moyenne, une dizaine. Selon l'étude « Les jeunes et l'écran » (menée en France par le CNRS, en milieu scolaire, sur une base déclarative, auprès des 6-17 ans), 47 % des garçons et 38 % des filles interrogés possédaient une Game Boy, 66 % une console (47 % pour les filles), et 53 % un ordinateur (50 % pour les filles). Et les deux tiers de garçons jouaient aux jeux vidéo tous les jours ou plusieurs fois par semaine, contre un peu plus de la moitié des filles *.

Le débat sur les effets des jeux vidéo sur le comportement des enfants et des adolescents ne fait donc que commencer. Et comme pour la télévision il y a trente ans, les chercheurs livrent des conclusions éminemment contradictoires, même si, aux États-Unis, une tendance semble se dessiner depuis 1999.

Comme pour la télévision, et sans plus de nuances, les associations américaines de psychiatrie et de pédiatrie affirment que les jeux vidéo provoquent, à haute

* Voir sur ces écarts le chapitre 9 : « L'ordinateur est-il sexiste ? »

dose, les mêmes effets que la télévision ; certaines de leurs études voudraient même démontrer qu'ils sont encore plus incitatifs à la violence. Quels sont leurs arguments ?

D'abord, les jeux sont pro-actifs : contrairement aux films TV devant lesquels les enfants se comportent en observateurs passifs, les jeux vidéo exigent une participation active, donc une implication plus grande. De plus en plus de scénarios permettent même de jouer « à la première personne » : le joueur s'identifierait d'autant mieux au héros qu'il voit le monde par son regard ; les images sont conçues de telle façon que son arme, *via* le joystick, semble être le prolongement de son propre bras. Comme si l'écran n'était qu'une paire de lunettes posée sur ses yeux et qu'il se trouvait physiquement au cœur de l'univers virtuel.

La plupart des études se sont surtout attachées à montrer que l'utilisation des jeux violents entraînait des réactions physiologiques : augmentation de la pression sanguine, accélération du rythme cardiaque, évolution du taux d'adrénaline et de testostérone – et ce d'autant plus que le joueur est « naturellement agressif ». Ces effets physiologiques seraient exactement ceux qui affectent une personne engagée dans un combat *réel*. Au point qu'une enquête de l'université d'Oklahoma publiée en mars 2002 estime que les « aficionados » des jeux vidéo violents risquent d'avoir davantage de problèmes cardiaques à l'âge adulte que la moyenne de la population.

Autre conséquence, que ces études estiment mesurable, de l'utilisation fréquente de jeux, le développement de « pensées agressives » et de « réflexes agressifs » (mouvements d'humeur, accrochages avec les professeurs...) jusqu'à dix fois plus importants chez les adeptes des jeux vidéo violents. Pis : les enfants « naturellement peu bagarreurs » mais qui jouent beaucoup aux jeux vidéo violents auraient plus de risques de s'engager dans des bagarres que les enfants « naturellement bagarreurs » mais qui ne pratiquent pas ce type de jeux ! Reste néanmoins à définir ce qu'est un enfant « naturellement » bagarreur...

Sophie Jehel, coauteur des *Écrans de la violence* [12], estime aussi que « les jeux vidéo développent une culture de l'agressivité. Même s'il n'y a pas tuerie ensuite, ils encouragent les comportements agressifs. Néanmoins, tempère-t-elle, l'enfant pour passer à l'acte doit s'enfermer dans un monde virtuel. Et ce comportement pathologique reste, heureusement, extrêmement rare *. »

« La leçon retenue par les enfants est que la violence est amusante et sans conséquence », soutient le psychologue américain Leonard Eron. De fait, les jeux violents ne brillent guère par leur sens des valeurs. La chercheuse Divina Frau-Meigs, de Paris III, identifie trois caractéristiques communes à ces scénarios : d'abord, le manque d'entraide entre les personnages ; ensuite, la dépréciation de l'adversaire ; enfin – même si l'immense succès de Lara Croft tend à rééquilibrer ce constat – l'absence des femmes... quand elles ne servent pas de victimes passives ! Ces recherches

* Voir chapitre 10 sur les « drogués de l'ordinateur ».

concluent que le lien entre la violence dans les jeux et la violence dans la vie existe, même si le rapport de cause à effet n'est pas démontré.

L'armée US utilise les jeux pour insensibiliser ses soldats

Mais le plus troublant des arguments à charge provient d'un militaire américain, David Grossman, lieutenant-colonel à la retraite de l'US Army, et professeur de psychologie de l'université de l'Arkansas déjà cité plus haut. Il a révélé au début de l'année 2002 que les Marines utilisaient le jeu vidéo Doom pour « insensibiliser » les jeunes recrues et leur apprendre à tuer sans états d'âme. « À défaut d'entraînement spécifique, seuls 15 à 20 % des fusiliers tireraient vraiment lorsqu'ils se trouvent en face d'un ennemi ! C'est pourquoi l'armée utilise les jeux pour le conditionnement mental des soldats, dit-il. Mais les enfants exposés aux mêmes jeux seront tout aussi insensibilisés ! Ils risquent de prendre plaisir à tuer, au moins sur écran. Il ne faut pas oublier que les jeux les récompensent pour cela. Autrement dit, nous leur apprenons à associer le plaisir et la mort ou la souffrance d'un être humain. » L'armée a protesté : elle n'utiliserait pas Doom pour « insensibiliser » ses jeunes soldats mais pour « les entraîner à coordonner vision et mouvement de main ». Singulière nuance, mais qui ne libère pas de toute inquiétude. Car c'est reconnaître que les jeux vidéo provoquent – et c'est le troisième facteur aggravant par rapport à la télévision – un effet d'apprentissage.

Une mère de famille du Kentucky est venue ainsi raconter devant le Congrès américain comment, en 1997, sa fille Kayce avait été tuée, et cinq autres étudiants blessés, par un garçon de quatorze ans qui avait appris à tirer à la carabine grâce aux jeux vidéo. Des proches du jeune garçon ont reconnu que s'il n'avait jamais utilisé un pistolet de sa vie, il s'entraînait pendant des heures devant son ordinateur.

Certains fabricants de jeu ont d'ailleurs sans vergogne exploité en leur faveur l'argument du trop grand réalisme : « Les psychologues disent qu'il est important de ressentir quelque chose au moment de tuer », clamait ainsi la société américaine Logitech en mai 1999, lors de la sortie de son joystick révolutionnaire Wingman Force, qui permet au joueur de tester des armes à feu de manière très réaliste.

En France, le débat est une nouvelle fois moins manichéen. Chez nous, les psychologues qui refusent de diaboliser les jeux sont, comme pour la télé, plus nombreux et plus influents qu'ailleurs, et pas seulement au nom du refus de la censure et de la défense des libertés individuelles. « L'univers vidéo ne déteint pas sur le quotidien, c'est même plutôt l'inverse, estime Évelyne Esther Gabriel, cette psychomotricienne qui soigne avec des jeux vidéo les jeunes en difficulté. Les adolescents agressifs, qui ont l'insulte facile et transforment souvent le débat en affrontement physique, retrouvent dans ces jeux leur mode de comportement, et prennent ainsi du recul par rapport à eux-mêmes. Rien de tel pour calmer. »

Les adolescents, Évelyne Esther Gabriel les fait jouer et analyse leurs réactions. Elle observe, comme nous l'évoquions en introduction de ce chapitre, des effets cathartiques : « Jouer est une manière de revivre les expériences violentes de la vie quotidienne en les dominant. » De plus, avec la tension nerveuse qu'il provoque, le jeu fatigue tellement le joueur, et le vide tellement de son énergie, que cela diminue le risque qu'il aille ensuite se battre dans la rue.

Épuisant, le jeu vidéo ? Sûrement dans les minutes qui suivent l'« entraînement ». Mais *quid* du lendemain matin, lorsque l'adolescent a retrouvé toute son énergie ? Cette imprégnation régulière de violence n'a-t-elle pas des effets négatifs à long terme ?

Serge Tisseron ne le croit pas. Le pédopsychiatre et psychanalyste français qui a le plus travaillé sur les écrans est, là encore, plus mesuré que ses confrères américains. Pour lui, la pro-activité des jeux vidéo, loin de constituer un danger supplémentaire, diminue le risque : « Les manipulations nécessaires pour actionner un personnage – par exemple : « clic + contrôle + F3 » pour tirer un coup de revolver – introduisent une médiation symbolique. L'adulte voit sur l'écran un personnage qui donne un coup de couteau, mais ne saisit pas la distance entre ce geste et celui qu'a fait l'enfant. Il faut jouer soi-même pour s'en rendre compte. De plus, dans le jeu vidéo, le gamin ne subit pas les images. Il en est l'acteur, il peut agir sur elles. Il lui suffit de lever le petit doigt pour changer le cours de l'Histoire. C'est cet effet baguette magique qui le fascine [sous-entendu : et non le fait de tuer] ». Mais s'il le fascinait au point de le transformer ? « L'enfant n'est pas dupe, répond Serge Tisseron. En une seconde, il devient champion du monde de foot ou spationaute, c'est cela qui est amusant. Pourquoi vouloir toujours tirer des conclusions simplistes ? »

Certains de ses confrères estiment aussi que les jeux vidéo violents font moins de mal aux enfants que les programmes télé de la même eau parce que, dès l'âge où ils manipulent l'ordinateur, nos bambins comprennent que les jeux relèvent du domaine du virtuel, alors que la télé – qui mêle informations et fiction – semble refléter la réalité. La psychanalyste Hélène Vecchiali aboutit au même constat avec une autre analyse : « Il existe, dit-elle, une différence essentielle entre la violence subjective, celle qui vient de l'enfant, qu'il produit lui-même, et les violences produites par d'autres et auxquelles il assiste. Ces dernières ont sur lui un effet d'effraction. Il pourra en être choqué, alors que sa propre violence ne le choquera jamais. » Autrement dit, si votre petit ange écrase une fourmilière dans le jardin ou provoque un bain de sang sur écran par joystick interposé, il n'en sera pas perturbé. Tandis que s'il assiste à une scène du même genre à la télévision, il pourra en être durablement traumatisé.

Les zombies et les écorchés vifs ne seraient pas plus dangereux que les gendarmes et les voleurs d'autrefois... et les pistolets laser pas plus traumatisants que les épées de bois. « Les soldats de plomb de mon enfance étaient plus dangereux, s'amuse Serge Tisseron. Car on les dégommait avec des élastiques, lesquels finissaient toujours par atterrir dans l'œil de l'adversaire ! » D'ailleurs, après avoir joué aux autos tamponneuses sur écran, personne n'y joue avec sa propre voiture ou son scooter dans la rue. Et pratiqués à dose normale, le karaté ou le rugby, comme tous les sports dits violents, ne rendent pas agressif pour autant. « Des générations d'enfants ont torturé des grenouilles et arraché les ailes des mouches, reprend le psychanalyste. Ceux-là pourchassent des extraterrestres sur un écran. Et alors ? » Pour lui, les jeux vidéo ne sont rien d'autre que de la pâte à modeler numérique. « Quand un enfant construit un bonhomme en pâte à modeler et le découpe en rondelles, personne ne pense qu'il va devenir un criminel. Il n'y a pas davantage de raisons de s'inquiéter quand un enfant assassine une armée de créatures virtuelles. »

L'ambiance familiale a davantage d'influence que la PlayStation

« Les jeux vidéo sont une version modernisée des cow-boys et des Indiens », renchérit le P-DG du fabricant de Doom, Todd Hollenshead. Modernisée, certes... mais on n'imagine pas à quel point ! Le jeu baptisé GTA, par exemple, permet au joueur d'organiser le trafic de drogue et de tuer les policiers qui s'interposeraient. Un jeu du même genre, mais au design assez simpliste, existe aussi sur le Net : il consiste à défendre ses champs de cannabis en tirant sur les soldats américains qui descendent en parachute.

Les trafiquants n'ont, il est vrai, attendu ni le Net ni les jeux vidéo pour faire leur business. « La mise en accusation des jeux vidéo est la réponse facile aux problèmes de violence », estime Henry Jenkins. Ce ponte du célèbre MIT travaille depuis des années sur le comportement de ses concitoyens vis-à-vis des jeux. « Ils veulent les rendre responsables de tous leurs maux, rappelle le chercheur, et ils ont tort. La plupart des criminologues ne considèrent pas la violence véhiculée par les jeux comme une cause sérieuse de criminalité. Elle arrive très loin derrière la violence domestique et la violence quotidienne. » « Internet, les jeux ou la télé ont certes une influence sur l'enfant, confirme Hélène Vecchiali, mais elle est sans commune mesure avec la manière dont est vécue la violence dans son milieu familial. Si ses parents ne cessent de s'agresser, si l'enfant voit son père gifler sa mère, s'il est lui-même frappé, la probabilité qu'il adopte un comportement agressif sera beaucoup plus grande. »

Jenkins constate aussi que les jeunes Japonais sont statistiquement moins violents que les jeunes Américains alors qu'ils consomment davantage de jeux vidéo. « Les petits Japonais n'ont pas accès aux armes, alors que les fusils et les munitions sont à portée de main dans les foyers américains. » Le raisonnement vaut pour les petits Français. Avec les armes en libre circulation, les États-Unis seront toujours un pays plus meurtrier que la France.

Pour Serge Tisseron, l'appareil psychique est une sorte de tube digestif qui ingère et transforme les informations qu'il reçoit. Tout le monde ne transforme pas les images de la même façon, car chacun a ses propres désirs et ses propres angoisses. « La manière dont les images qui réveillent nos traumatismes passés s'installent en nous est comparable à celle dont le vampire Dracula, dans le roman de Bram Stoker, s'empare de l'esprit de ses victimes avant de posséder leur corps. Dans ce récit, le Prince des Ténèbres ne peut en effet pénétrer dans aucune maison sauf s'il y a été préalablement appelé. De la même façon, aucune image ne prend possession de notre esprit sans que nous ne l'ayons d'abord désirée, fût-ce inconsciemment. »

Apprendre aux enfants à douter des images

Comment, quoi qu'il en soit, préserver les enfants de l'effet parfois néfaste des écrans sur leur psychisme ? « D'abord, en leur expliquant que toute image est une mise en scène. » Serge Tisseron prône la création, dans les écoles, d'ateliers explicatifs des trucages de films : « La compréhension des mécanismes éloigne le risque d'être envahi par des émotions, des états du corps, des représentations pénibles. » Il faut donc contribuer à la mise en place d'une « culture du doute » par rapport à toutes les images, y compris celles des jeux vidéo qui provoquent des émotions intenses. Les philosophes comme les psychanalystes plaident d'ailleurs tous, dans un bel ensemble, pour une « éducation aux images ».

Ensuite, les parents, principaux interlocuteurs des jeunes, ont un rôle essentiel à jouer pour éviter que leurs rejetons ne préfèrent les représentations fictives au réel en leur proposant, continue Serge Tisseron, « une réalité qui soit autre chose qu'une image ». Autrement dit, en montrant qu'eux-mêmes préfèrent la réalité, avec ses difficultés et ses déceptions, à la fiction. Concrètement, inutile de leur cacher des difficultés conjugales ou une mise au chômage : mieux vaut au contraire en parler avec eux pour dédramatiser. « Les empires et les dictatures se construisent sur des idéaux, qu'ils soient de pureté, de fidélité ou de dévouement. La démocratie, en revanche, se fonde en grande partie sur la communication et, en particulier, sur la communication de ce qui ne va pas. » Des principes difficiles à appliquer ? Sûrement. Mais incontournables. « Si les enfants ont l'impression que nous leur mentons ou que nous nous mentons à nous-mêmes, conclut le psychanalyste, le risque est que, mensonge contre mensonge, ils préfèrent le monde des images ouvertement menteuses à celui des communications familiales sournoisement menteuses. »

La parole est utile en toutes circonstances. À l'école d'abord, en commençant par exemple la journée de classe en parlant de ce qu'on a vu la veille à la télévision, pour interpréter et expliquer les images ; la plupart des instituteurs ont eu spontanément ce réflexe au lendemain du 11 septembre. Même chose à la maison : il faut parler pendant ou après le film regardé ensemble, afin de « décrypter » les images et les replacer dans leur contexte fictionnel. La discussion permet de désamorcer la violence. Pour les jeux aussi : les parents, même s'ils ne jouent pas souvent, doivent s'intéresser à cette nouvelle culture s'ils ne veulent pas en être totalement coupés. Reste qu'aujourd'hui, « parler » est mis à toutes les sauces. « Il ne faut pas en abuser non plus, explique Hélène Vecchiali. Après la catastrophe de Toulouse, les bonnes volontés étaient nombreuses et les dispositifs se sont multipliés, au point que certains enfants ont été vus par huit psychologues différents ! » Comment croire que cela les a aidés à « dédramatiser » la situation ?

Enfin, si l'on part du principe qu'à forte dose, les jeux violents peuvent conduire à des comportements violents, limiter le nombre d'heures passées devant les écrans est indispensable. Les spécialistes ont du mal à fixer un « seuil », car la limite acceptable dépend étroitement du contexte et du psychisme de chaque enfant : ce qui est dangereux pour l'un sera totalement inoffensif pour l'autre. Néanmoins, une heure de télé et une heure de jeux par jour, en moyenne sur la semaine, paraissent à tous un compromis « raisonnable ». Il est impératif de « borner » le désir d'émotions fortes *.

* Pour les conseils pratiques, voir annexe 1.

Pour certains, la lutte est perdue d'avance. Pour le philosophe Jean Baudrillard, le procès fait aux médias de propager la violence par le spectacle n'a guère de sens. Car l'écran, qui est une surface virtuelle, nous protège assez bien, quoi qu'on en dise, des contenus réels de l'image. Pour lui, ce contre quoi nous sommes sans défense, c'est la violence du médium lui-même, la violence du virtuel et sa prolifération non spectaculaire. « C'est parce que notre société ne laisse plus place à la violence réelle, à la violence historique, à la violence de classe, qu'elle engendre une violence virtuelle, une violence réactive. Une violence nerveuse, en quelque sorte, comme on parle d'une grossesse nerveuse... et qui, tout comme elle, ne serait ni fondatrice ni génératrice de quoi que ce soit [13]. »

Et si les jeux vidéo avaient tout bonnement remplacé... le diable ? C'est l'avis d'un sociologue américain, auteur de *Joystick Nation*, J. C. Hertz. Pour cet intellectuel aux initiales évocatrices, des jeux comme Doom ou Quake permettent aux adolescents de rencontrer des ennemis parfaits. Ils remplacent le Malin, un concept qui aurait son utilité, et que la religion a – erreur fatale – préféré abandonner.

Ce sociologue a publié son best-seller en 1997. Et ne l'a jamais réactualisé. La tragédie de Littleton, deux ans plus tard, l'a peut-être fait changer d'avis : les deux adolescents adeptes de Quake avaient beau avoir trouvé, sur écran, des ennemis parfaits, ils sont quand même passés à l'acte.

5.

Je t'M, moa non plu

Une nouvelle façon d'aimer ?

« J'ai eu un jour une liaison avec une femme qui habitait une autre ville. Nous avons échangé une foule de messages par courrier électronique. Nous avions même imaginé un moyen d'aller au cinéma ensemble. Nous choisissions un film qui passait à la même heure dans nos deux villes. Pendant le trajet en voiture, nous bavardions avec nos téléphones cellulaires. Nous assistions à la séance et, sur la route du retour, nous reprenions nos portables pour commenter le film. » Et de conclure que ce genre de rendez-vous virtuels, voués à se multiplier, seront le lot commun des hommes de demain.

L'auteur de cette prédiction qui peut faire froid dans le dos, vous le connaissez sûrement. Ce n'est pas un jeune ermite branché, un accro d'Internet rêvant d'une société idéale où les hommes vivraient plus heureux car dispensés de toute rencontre directe.

C'est l'un des hommes les plus connus de la Terre. Tout en poursuivant, le soir, sa relation en ligne, il rencontrait, dans la journée, des dizaines de clients, de salariés et de personnalités huppées dans le monde bien réel. Car il dirigeait – il dirige toujours – l'une des entreprises les plus puissantes du monde. C'est Bill Gates. En 1999.

Depuis, le patron de Microsoft s'est marié avec une de ses collaboratrices et a fondé une famille. L'histoire, qu'il raconte dans son livre *La Route du futur*, ne dit pas s'il a physiquement connu la jeune femme avec qui il entretenait ces rapports numériques. Mais l'anecdote pourrait préfigurer la société amoureuse des prochaines décennies... si l'on en croit les plus pessimistes de nos intellectuels. Par exemple ceux qui, comme le chercheur Philippe Breton, craignent que le tout-Internet, « qui dispense des liens physiques et de leurs inconvénients », favorise l'avènement d'un monde où « le nouveau lien social serait fondé sur la séparation des corps et la collectivisation des consciences ». La génération numérique, ou celle qui la suivra, est-elle en train de nous construire un univers où l'on pourra se fiancer, se marier, et avoir des bébés-éprouvette sans jamais se rencontrer ?

Internet, première agence matrimoniale du monde

Inutile de paniquer : on n'en est pas là, et il est peu probable qu'on y arrive un jour. Au contraire, Internet est en train de devenir la plus grosse agence matrimoniale de la planète. La plus performante des entremetteuses. Selon le cabinet Jupiter, plus de 17 millions d'Américains ont consulté les petites annonces sur Internet en 2002 et, chaque année, aux États-Unis, plus d'un millier de mariages sont l'aboutissement d'idylles nées sur le web. Il devient aussi banal d'aller pêcher l'âme sœur en ligne que dans les boîtes de nuit ou chez des amis ! Les témoignages abondent, sur Internet bien sûr : de nouveaux couples créent des sites pour raconter leur histoire, d'autres remercient celui qui a favorisé leur rencontre. En France, AOL Contacts et Love@Lycos ont concocté une rubrique « success stories », histoire d'encourager ceux qui ne seraient pas encore convaincus. La fonction de marieuse du réseau est même – avec celle des petites annonces professionnelles – l'une de ses rares fonctions « rentables ».

Catherine et Christian, Tom et Amy, Mathias et Karina, Patrick et Diana, Philippe et Noï racontent dans *Le Nouvel Obs*, *Libé* ou *Le Monde* des histoires étrangement ressemblantes : « On a fait connaissance sur un *chat*... puis on s'est retrouvés en *PV* [ces chambres privées virtuelles, où les deux internautes se retrouvent en tête à tête, leurs messages ne pouvant être lus par d'autres ni interceptés]. Ensuite est venu le temps des longs dialogues téléphoniques [ou des mails interminables]... Il vivait à Paris, moi à Béziers [au Gabon ou à Nogent-le-Rotrou]... Nous dialoguions plusieurs heures par jour... Notre complicité s'est développée... Nous avions les mêmes goûts, la même conception de la vie... On devinait à demi-mot quand l'autre n'allait pas fort... Nous avons voulu nous rencontrer... et là, ce fut le coup de foudre [ou une déception passagère... mais vite oubliée] : nous vivons désormais ensemble [ou elle me rejoindra bientôt] et notre relation est d'autant plus solide que nous nous connaissions par cœur avant même d'emménager... Je n'ai pas été surpris[e] le premier soir quand il [elle] m'a proposé d'aller voir le dernier Woody Allen [ou James Bond]. »

Les flèches de Cupidon savent trouver leur chemin dans les dédales de la toile : 71 % des internautes en sont convaincus, selon un sondage mené par le fournisseur d'accès AOL-France auprès de ses abonnés. Les Français dans leur ensemble sont plus partagés : selon l'institut Louis Harris, toujours pour AOL-France, 46 % de nos concitoyens jugent qu'Internet permet de rencontrer l'amour, mais 47 % sont convaincus du contraire [1]. Il faut dire que la grande majorité des interviewés n'ont jamais utilisé Internet ! Ce dernier sondage traduit donc surtout la méfiance résiduelle vis-à-vis d'un outil encore mal connu. L'avis du commun des mortels devrait, au fur et à mesure que la France s'équipe, se rapprocher de celui des internautes.

Car c'est indéniable : le Net joue, en ce début du XXIe siècle, le rôle que jouaient les bals populaires dans la première moitié du XXe. « Dans notre société, les occasions de rencontre sont devenues assez rares, estime Pascal Leleu, auteur de *Sexualité et Internet.* Il n'y a plus de ritualisation de la séduction dans des lieux spécialisés. Les nouvelles technologies répondent logiquement à ce manque. »

Le Net vole au secours des timides, des isolés (ruraux, expatriés), ou de ceux qui ont du mal à exprimer leur homosexualité. Près de Perpignan, Jean-Marie, quarante ans, et Pascal, trente-huit ans, se sont rencontrés sur le site citegay.com et ont « passé des heures à délirer en ligne » avant d'aller boire un verre ensemble. Six mois plus tard, ils se sont pacsés. Internet donne aussi de nouvelles chances à ceux qui sont desservis par leur apparence physique. La psychothérapeute Catherine Delafon raconte ainsi le cas d'une patiente qui souffrait d'un problème de surpoids et a trouvé l'âme sœur en ligne : « C'était une fille très intelligente, dynamique, vivante, et dotée d'un grand sens de la répartie. Elle a découvert sur le Net ce que c'était que séduire un homme. Cela ne lui était jamais arrivé. Comme son correspondant ne la voyait pas, il passait outre le barrage de l'image et, en échangeant des mails avec elle, avait appris à l'aimer pour ses qualités intrinsèques. » On ne sait pas ce qu'il serait advenu s'ils s'étaient rencontrés physiquement, car la jeune femme a un jour cessé de correspondre avec son soupirant.

Pour les adolescents, le Net prépare à l'appel de la chair, à défaut d'y remédier. Aujourd'hui, les 12-16 ans connaissent souvent leurs premiers émois amoureux en chattant et ils seront de plus en plus nombreux dans ce cas. Sur Internet, à un âge où il n'est pas évident de parler de tout, on dépasse ses peurs et ses interdits. Les mots viennent plus facilement qu'en face-à-face. « On n'a pas peur de se prendre un râteau comme lorsqu'on aborde une fille dans la cour du collège », explique Julien Daireaux, un grand garçon de dix-sept ans qui n'a pourtant pas un physique à « prendre des vestes », même électroniques. Ni vu ni connu.

De fait, pour Hugues Lagrange, de l'Observatoire sociologique du changement au CNRS, l'usage de l'ordinateur facilite surtout les relations des garçons avec les filles : « La partenaire du premier baiser se trouve souvent dans la cour de l'école, mais celle de la première caresse y est plus rarement, dit-il. L'Internet permet la désagrégation des espaces et un brassage des milieux [2]. » En effet, les garçons se trouvent, à cet âge, en situation de demandeur. L'entrée dans la vie sexuelle ne passe plus par la prostitution, ni par les rencontres organisées par les familles. « Les *chats* sont des cadres propices à des mouvements vers un partenaire féminin pour des garçons écartés des sphères de mixité, notamment dans les milieux modestes et l'enseignement professionnel, explique le sociologue. La participation des filles semble ludique, celle des garçons plus instrumentale. Les *chats* constituent une prénégociation où les filles sont plutôt en position de dicter leurs conditions. » Il est vrai qu'elles y sont en nette infériorité numérique : selon les professionnels, le pourcentage d'intervenants de sexe féminin, tous âges confondus, dépasse rarement 25 %. Comme le remarque Jean-Michel Normand, journaliste au *Monde* : « En général, l'entrée en scène d'un pseudonyme féminin sur un forum de discussion fait à peu près autant d'effet que l'irruption, hier, d'un jupon dans une salle de garde [3]. »

À vrai dire, la DAO, la drague assistée par ordinateur, se banalise dans tous les milieux et à tous les âges. Normal : elle est diablement efficace. « Le Net permet de chercher dans un plus grand vivier, de brancher plus de gens, et surtout des gens censés être là, comme vous, pour faire des rencontres, explique Pascal Leleu, l'auteur de *Sexualité et Internet* [4]. Ils sont plus disponibles que dans une soirée entre amis. Quelqu'un qui affirme être rentré du travail très tard et avoir trouvé sur le Net un interlocuteur en deux minutes ne ment pas. Le même scénario, dans un bar, serait inconcevable. L'efficacité tient aussi à la démarche technique que permet le web : vous cochez des cases, en fonction de vos affinités, afin de mieux cerner celui ou celle que vous recherchez. Ce premier tri vous évite de perdre du temps avec des gens trop différents de vous ou de votre idéal. »

Autre avantage par rapport aux rencontres dans les clubs ou les soirées, les rencontres sur Internet permettent de fractionner à volonté les différentes étapes d'une relation amoureuse. Chacun va à son rythme. Entre les premiers mots échangés en ligne et la rencontre physique, il peut se passer des mois de découverte mutuelle sans qu'aucun des partenaires ne soit vexé par les hésitations de l'autre.

La rencontre physique reste l'objectif prioritaire

Les nouvelles technologies sont d'autant plus efficaces en matière de relations amoureuses que les sites qui en vivent essaient de plus en plus de « sécuriser » les internautes désireux de rencontrer « pour de vrai » leur âme sœur virtuelle. Fabienne Korchia et Jicky Vogel ont ainsi créé à Paris le *Love connection café* en même temps que le site de rencontres du même nom. Dans une rue piétonne, entre le Louvre et la Bourse, un bistrot aux allures de salle informatique – une batterie d'ordinateurs alignés en rang d'oignon, et une série de tables gris métallisé rehaussées de orange et égayées de fleurs de pavot – accueille les candidats à l'amour que le site a « mariés » virtuellement. Le principe est simple : vous êtes un des 10 millions de « cœurs à prendre » de l'Hexagone. Vous vous connectez (de chez vous, ou à partir des postes en accès libre au café) sur loveconnectioncafe.com. Vous remplissez un questionnaire définissant votre profil et celui de l'être dont vous rêvez. Si vous êtes sérieux et sincère (traduisez : si vous n'employez pas de mots grossiers, que vous avez plus de dix-huit ans et que vous êtes célibataire, veuf ou divorcé), votre profil validé entre dans la base de données. Il est « matché » avec celui d'autres demandeurs. Puis vous recevez, sur votre agenda virtuel personnalisé, des propositions de rendez-vous. Ils ont lieu évidemment au Love connection café... où vous pouvez boire un verre ou déjeuner, à condition de ne pas être trop difficile : il est peu probable qu'il décroche un jour une étoile ou une toque dans les guides spécialisés. Moyennant un abonnement de trois mois minimum, les membres ont librement accès à la base de données des profils inscrits, ainsi qu'aux services d'une psychologue en ligne et d'un horoscope. Et si vous optez pour un abonnement haut de gamme, un « chasseur de cœur » vous assistera dans vos recherches.

« Là où il n'y a pas de corps, il n'y a pas d'âme », a écrit Régis Debray. Les sites de rencontres traditionnels ont également cherché des solutions pour permettre à leurs chatteurs des contacts en chair et en os, preuve que le virtuel ne suffit à personne. Le portail Caramail organise ainsi depuis trois ans des soirées dans des discothèques parisiennes : ces rendez-vous post-virtuels ont rassemblé plus de mille sept cents personnes en une nuit ! Plus romantique, Happilol, une association de Montpellier, propose des pique-niques en bord de lac. Et de plus en plus de chatteurs organisent eux-mêmes des dîners et même des week-ends « communautaires » dans la maison de campagne de l'un ou de l'autre. Internet, en la matière, n'a rien inventé : le Minitel rendait déjà possibles ces rencontres initiées sur écran. Mais le *chat* est nettement moins cher que notre champion de la télématique, et son audience plus large, d'où la prolifération des amours électroniques.

Les nouvelles technologies amoureuses ne se limitent pas au *chat* ou au mail. Chez les ados ou les jeunes adultes, le SMS, le mini-message sur téléphone portable, remplace déjà le copain chargé de porter de petits mots doux à l'être convoité. Idéal pour contacter une fille déjà repérée et dont on a obtenu, par son entourage, le numéro de mobile. Il épargne aux timides les rougeurs et les gaffes aux maladroits. À en croire les opérateurs, JTM (je t'aime) serait déjà le message le plus souvent frappé sur les claviers !

En Allemagne, on sophistique davantage. Des bistrots-clubs de Leipzig, Nuremberg ou Meissen exploitent ouvertement cet engouement de la nouvelle génération pour les SMS et sa dextérité à passer les messages : tous les lundis soir, pour 3 euros, les trois cents premiers clients du bistrot sont équipés d'un petit Nokia et d'un badge autocollant portant le numéro de l'appareil, à placer en évidence sur le corps. La fonction téléphone est bloquée et les échanges de SMS sont payés par l'établissement. Certains clients dialoguent toute la soirée sans s'aborder, d'autres sortent ensemble au bout de quelques minutes. Ces « nuits du mail » permettent aux propriétaires de remplir leur établissement pendant la soirée la plus creuse de la semaine...

Mais le fin du fin est japonais : à Tokyo, on peut trouver l'âme sœur sur son téléphone portable sans même sortir de chez soi. Seule condition, posséder un mobile dernier cri équipé d'une caméra. Il suffit alors de s'abonner au service d'une agence matrimoniale high tech, de se connecter sur son serveur, et de définir ses attentes. Sur l'écran s'affichent ensuite les renseignements correspondant aux personnes les plus proches de la recherche : âge, taille, poids, revenus, lieu de résidence, hobbies, ainsi que leur photo. Si vous en choisissez une, elle reçoit votre dossier et accepte ou non un premier contact vocal...

Peut-on vraiment être amoureux en ligne ?

Quelles que soient la méthode utilisée et les précautions prises par les candidats à la rencontre et leurs entremetteuses high tech, tout reste à construire après le premier contact physique. On reprend tout à zéro, ou presque. D'abord, tous les candidats ne sont pas aussi sincères qu'ils le croient eux-mêmes. Car la logique d'efficacité qui est l'atout majeur du web a des effets pervers : les habitués développent des techniques de séduction en ligne, et la recherche se change en chasse. « L'autre devient un gibier, il n'y a plus vraiment d'altérité, traduit Pascal Leleu. Un exemple : un homme constate qu'avec telle phrase d'introduction, il reçoit 80 % de réponses, alors qu'il n'en reçoit que 50 % avec telle autre. Dès lors, il exploite mécaniquement cette technique. Et s'englue dans de fausses relations au fonctionnement égocentrique. » Passer du mode « chasseur » à la relation vraie est alors tout sauf évident.

Sur le réseau, tout va trop vite : un simple « ASV ? » (âge, sexe, ville) et l'on cerne (ou l'on croit cerner) un correspondant. Alors, d'entrée, les mensonges sont légion, les photos vieilles de vingt ans monnaie courante, et les quiproquos nombreux. Bertrand G., alias Cool Lover, a laissé croire qu'il était directeur informatique d'une PME, alors qu'il n'y est que technicien de surface. Il a promis de rejoindre la Québécoise dont il est amoureux à Cuba, l'été prochain, mais comment lui avouer qu'il n'en aura pas les moyens ? Jamel T., vingt-deux ans, a fini par tomber amoureux d'une fille avec qui il correspond depuis un an, mais n'ose pas lui dire qu'il avait menti, à l'origine, sur son nom, son adresse, et même son âge : « C'est une fille sérieuse, elle ne me fera plus jamais confiance. » Alors, bien qu'ils habitent tous les deux à Paris, il repousse sans cesse la date de la première rencontre.

« On est souvent déçu lorsque l'on voit la fille, car sur les *chats*, elles font toutes du 95 D... », avoue, candide, Julien Daireaux, le garçon qui craint les « vestes » et qui, lui, n'a pas besoin de mentir sur son état civil ou son tour de pectoraux. Mais les filles se plaignent aussi de ne pas rencontrer beaucoup de Brad Pitt sur cette toile-là. Résultat, il arrive régulièrement que les deux chatteurs s'étant donné rendez-vous dans un lieu public s'enfuient avant même l'accostage. « Un jour, une fille de dix ans m'attendait, raconte Julien. Je suis parti sans lui dire bonjour. » Le beau Julien a sa méthode pour démasquer les filles peu gâtées par la nature : ce sont les seules qui acceptent de donner leurs coordonnées sans se faire prier. Mais repérer les gamines prépubères, quand elles sont intellectuellement précoces, reste un tour de force !

Les internautes en mal d'affection déçus par quelques rencontres ratées ne jettent pas pour autant le bébé avec l'eau du bain. Pour eux, ces petits inconvénients ne remettent pas en cause les énormes avantages des nouveaux outils technologiques. Sylvie Montrésor, trente-deux ans, se fait l'écho de l'expérience de ses amies autant que de la sienne : « Même quand le physique du garçon vous déçoit – normal, on l'a forcément un peu idéalisé – on a l'impression, dès que l'on discute un peu avec lui, de retrouver quelqu'un qu'on connaît depuis des siècles. Et finalement, grâce à Internet, on juge moins les gens sur les apparences. Ma meilleure amie va se marier avec un garçon qu'elle aurait sûrement évité si elle l'avait croisé dans une soirée. »

Les partisans de l'amour en ligne sont convaincus que le Net permet d'approfondir les relations, donc de « baliser le terrain ». Les échanges sont souvent longs et fréquents, donc chronophages, ils exigent un véritable investissement de soi. D'où un sentiment d'intimité. « C'est une illusion d'intimité ! proteste Pascal Leleu. Les gens croient aller plus loin et atteindre la vérité de leur interlocuteur. Mais c'est un leurre. Ce qu'on écrit sur soi, en ligne, demeure la manière dont on se perçoit. Beaucoup d'hommes se déclareront sportifs alors qu'ils font du jogging trois fois par an. Une femme dira qu'elle a des " formes épanouies ", et non qu'elle est en surpoids. Ils entrent dans une logique de désirabilité qui les pousse à s'idéaliser. La plupart du temps, ce ne sont pas des mensonges conscients. Mais ces libertés prises avec la réalité vont plus loin que dans la vraie vie : de telles mystifications ne passeraient jamais dans une soirée entre amis. » Internet ne les a d'ailleurs pas inventées : ces « vérités enjolivées » ont toujours fait la fortune des rubriques de petites annonces du *Nouvel Observateur* ou du *Chasseur français*.

« Les chatteurs croient pouvoir maîtriser la relation affective en choisissant leurs interlocuteurs et en parlant d'eux-mêmes de façon volontaire et anonyme, renchérit Philippe Breton. Mais l'écrit leur offre une représentation imagée de leur interlocuteur. Tout le travail de connaissance de l'autre, qui repose sur la communication orale, reste à faire. »

Peut-on être amoureux de quelqu'un qu'on n'a jamais rencontré physiquement ? « Évidemment non, répond l'écrivain Philippe Sollers. Être amoureux *via* Internet, c'est du chérubinisme [5]. » « Je ne crois pas que l'on puisse séparer la rencontre sensorielle (la vue, le toucher...) de la rencontre intellectuelle, confirme la psychanalyste Hélène Vecchiali. Une alchimie doit se créer entre les sens, qui est liée à la rencontre de deux inconscients – or comment deux inconscients communiqueraient-ils par e-mail ? » Sous prétexte d'apprendre à mieux se connaître, les internautes chercheraient surtout à repousser le moment de vérité qu'est la confrontation physique avec l'autre. « L'autre intime est le lieu de tous les dangers.

On est nu et cru devant lui. Il peut identifier vos failles. Nos corps en disent plus long sur nous-mêmes que tous les écrits. » Dans le rapport intime, même si l'on ment à l'autre, impossible de se mentir à soi-même : le corps est un baromètre infaillible. « Le virtuel permet de garder le fantasme et l'illusion du comblement. Oser la rencontre est le plus grand risque au monde », conclut-elle.

Deux Canadiens de Montréal « tombés en amour » sur Internet en ont fait l'expérience. Après trois mois de correspondance et de passion effrénées par mails interposés, ces deux inconditionnels du réseau se sont donné rendez-vous pour de vrai dans une « boîte à chansons ». Las ! Elle s'était décrite comme une Marilyn Monroe du cybermonde et lui comme un Tarzan branché. La réalité, on s'en doute, n'était pas à la hauteur. Qu'à cela ne tienne, ils décidèrent de l'oublier. Incapables de trouver un vrai sujet de conversation, et moins encore de s'embrasser goulûment comme ils le faisaient par mail, ils se quittèrent, gênés, dès la fin du spectacle. Mais l'histoire n'était pas finie. Il lui envoya un mail le lendemain sans évoquer leur soirée. Elle lui répondit en faisant allusion à leurs dialogues précédents, comme s'ils ne s'étaient jamais rencontrés. Et ils renouèrent, d'un tacite accord, les fils de leur amour virtuel.

Sommes-nous en train de fabriquer une génération d'amoureux par correspondance, comme ces « otakus » japonais [6] qui ne veulent plus prendre le risque du rapport aux autres ? Là encore, difficile d'y croire :

la rencontre physique demeure quand même l'objectif premier pour 99 % des relations initiées en ligne.

Le virtuel pour le virtuel existe aussi

La prise de contact sur le Net et son débouché sur le réel ne constituent néanmoins qu'une forme de cyberrelations. Il en existe une seconde : le cybermarivaudage. Celle-là ne vise pas le contact de chair et d'os : il s'agit de Net-flirts destinés à rester platoniques, des romances virtuelles, à mi-chemin entre l'amitié et l'amour. Du bavardage, du libertinage, des propos vaguement lestes (et généralement extraconjugaux) avec des interlocuteurs qui changent à la première occasion, ou à la première déception. Selon un sondage effectué par le portail Lycos, trois internautes sur quatre auraient déjà utilisé le courrier électronique pour de tendres échanges, 48 % le faisant même sur leur lieu de travail. 12 % y passeraient plus d'une heure par jour.

L'écrivain Gonzague Saint-Bris est convaincu que la correspondance amoureuse connaît une nouvelle jeunesse grâce au réseau des réseaux : « Non seulement la lettre d'amour a survécu au progrès technique mais l'Internet du XXIe siècle lui a fait faire, dès son aurore, le bond tant désiré. Flirt en ligne, badinage poétique sur le clavier, amour au bureau par écran interposé, désir à distance, mariage sans frontière, sites pour préparer la cérémonie, sites pour se rencontrer et *chats* pour en parler ; on assiste à l'incroyable renaissance mondiale de la correspondance amoureuse. Moins de gravité dans la lettre autographe, plus de rapidité dans l'expression du sentiment. C'est moins cher que le fax, plus spontané, plus naturel et beaucoup moins long que la Poste [7]. » De là à imaginer que l'on plébiscitera, dans le futur, le « désir à distance », cher à Honoré de Balzac et Évelyne Hanska, avec leur amour digne du livre des records (et pas près d'être égalé par des internautes) : dix-huit ans de correspondance, seize ans d'attente, deux ans de bonheur et dix mois de mariage...

Le cybermarivaudage a beau être platonique, il n'est pas pour autant sans danger. Si vous faites partie des 55 % d'internautes qui entretiennent une de ces idylles où l'intellect l'emporte sur la sensualité, mais qui estiment ne pas « tromper » leur partenaire, vous faites fausse route. Aux États-Unis, les avocats voient arriver sur leurs bureaux de plus en plus de demandes de divorces causées par un cyberadultère... Ici, pas besoin de détective pour prouver qu'il y a eu consommation, puisque ce n'est pas le cas. En revanche, quand un homme ou une femme marié(e) chatte dix heures par jour avec un individu du sexe opposé et délaisse son foyer – la « vraie vie » lui paraissant, en comparaison, bien terne –, le conjoint supplanté peut légitimement se sentir trahi.

Mais le Net n'est pas seulement un « grand bal masqué », un catalyseur de rencontres plus efficace que les petites annonces, et le média privilégié du badinage amoureux. Il aide aussi – accessoirement – à rendre l'éloignement plus supportable pour les couples déjà constitués. Lui est expatrié pour un an en Arabie Saoudite ou au Kamchatka, elle est restée en France où elle termine ses études (ou élève les enfants), bref, ils ne peuvent se voir que par intermittence. Avec Internet, ils se racontent leur vie quotidienne par le menu : « Steve travaille dans les télécoms et passe trois semaines sur cinq en déplacement sur les grands chantiers, raconte Anne, trente-deux ans, deux jumeaux d'un an et demi. Pendant ces semaines-là, nous nous parlons tous les soirs, pendant une heure au moins, dès que les enfants sont au lit. Je ne suis pas sûre que tous les couples qui vivent ensemble dialoguent autant ! »

Dans quelques années, on pourra, nous dit-on, compléter ces amours cérébrales par de vraies galipettes électroniques. En clair : faire l'amour en ligne. Avec une combinaison tactile, des gants spéciaux et une liaison à haut débit. En juin 1993, un article américain donnait un avant-goût de l'amour numérique. Fulvio Caccia le raconte dans son essai sur le cybersexe publié dès 1995, alors qu'Internet sortait tout juste des limbes en France [8] : « Sur la couverture du deuxième numéro de *Future Sex*, un mensuel consacré aux nouvelles formes de sexualité induites par la réalité virtuelle, un joyeux couple en string et en bikini, dûment casqué et ganté, s'adonne au plaisir de l'amour digital par console interposée. Leurs maillots sont taillés dans un tissu synthétique qui offre le même " toucher " que la peau. Le reste de la panoplie est composé du fameux " data glove ", le gant à retour tactile, du casque de visualisation, doté d'écrans à cristaux liquides stéréoscopiques, d'écouteurs stéréo, de consoles de contrôle et d'unités G spécialement conçues pour stimuler les zones érogènes de l'homme. »

L'article est un canular, et les maquettes ne sont que des trucages, mais qui font couler beaucoup d'encre : « Bien sûr, pas besoin de faire la conversation avant, pendant et après, écrit le *New York Times*. Pas la peine non plus, le matin, de préparer le petit déjeuner ni d'appeler un taxi. » « Des milliers d'Américains rêvent ainsi de résoudre, résume Fulvio Caccia, les frustrations érotiques des années sida. Car dans le monde virtuel tout est possible, de la partouze avec Sharon Stone ou Sylvester Stallone aux séances de SM avec un partenaire distant de 10 000 kilomètres... » Aujourd'hui, de telles combinaisons n'existent pas, et ne semblent pas près d'être au point. Mais l'imagination des entrepreneurs sans scrupules est sans limites, et on peut déjà acheter sur Internet de consternantes machines à fellation virtuelle ! Difficile de croire, pourtant, qu'il ne s'agira pas seulement d'un épiphénomène, et que ces gadgets pourront un jour remplacer le bonheur de la « vraie » fusion, en dépassant le champ de la masturbation.

Le nouvel eldorado de la pornographie

Le cybersexe n'a d'ailleurs pas attendu la combinaison magique pour exister. Cette fois, ce n'est plus une version améliorée de l'agence matrimoniale, mais bien une nouvelle pratique de la sexualité qui émerge. Après la révolution du mouvement, rendue possible par le cinéma et la télévision, le Net permet désormais l'interactivité. Dernier avatar de la pornographie, les « live-shows » sont des strip-teases en direct, avec dialogue entre l'actrice et les internautes. Entre ces derniers et la créature qui s'effeuille sur leur écran de PC, la communication est pourtant à sens unique : la jeune fille est là pour répondre aux fantasmes des hommes, qui ne se privent pas de lui donner des instructions.

Pour assister à cette réalisation de leurs fantasmes, ils ont payé, comme dans un vulgaire peep-show. Soit avec leur carte bancaire, soit en acceptant que la communication soit surtaxée, comme avec le Minitel. Quinze ans après la naissance de la télématique, les sites « roses » prouvent une fois de plus que le sexe est l'un des rares business virtuels qui puisse être rentable rapidement. Même si certaines entreprises du secteur étaient déjà des mastodontes avant d'investir le cybermonde, il n'est pas nécessaire de consentir à des investissements massifs pour monter son activité. Tout au bas de l'échelle, on trouve des « webmasters », étudiants pour la plupart, qui gagnent de l'argent de poche grâce à leurs sites Internet. Leur recette est simple : ils concluent des partenariats avec des professionnels du porno en ligne, et attirent les internautes avides de gratuité avec des photos fournies par leurs donneurs d'ordres. Plus les internautes cliquent sur le lien du partenaire, plus les jeunes webmasters gagnent de l'argent : ils « génèrent du trafic ». Leurs revenus moyens sont estimés entre 300 et 2 000 euros par mois. Les plus inventifs pouvant, bien sûr, faire beaucoup mieux.

Extrêmement discret sur ses performances économiques, le secteur du sexe en ligne n'affiche jamais de résultats financiers globaux. Difficile donc de savoir à combien s'élèvent les revenus de ces entrepreneurs d'un genre à part. Mais d'après certaines estimations, la nébuleuse de sites de sexe générerait presque la moitié du trafic Internet mondial ! Plus concrètement, il n'est un secret pour personne que le mot le plus demandé dans les moteurs de recherche est « sexe » – même si « mp3 », le format musical utilisé pour transmettre de la musique par les tuyaux, peut parfois lui ravir très provisoirement la pole position. En 2001, lorsque le moteur Nomade a publié son palmarès des requêtes les plus souvent formulées, l'information la plus répercutée par les médias fut l'étonnante percée de Loft Story, classé deuxième. Les journalistes ne parlaient même plus du numéro un, c'était une évidence pour tout le monde !

Non seulement les internautes recherchent souvent des images de sexe (entre 30 et 60 % d'entre eux selon les estimations), mais en plus certains sont prêts à payer pour les obtenir. Alors que tous les autres secteurs du e-commerce peinent à convaincre leurs visiteurs de communiquer leur numéro de carte bancaire, le X business aurait généré en 2000 un chiffre d'affaires de 2,7 milliards d'euros (en Europe et aux États-Unis selon Datamonitor et Forrester Research). Il devrait atteindre 3,7 milliards d'euros en 2003. À titre de comparaison, le secteur du tourisme en ligne, présenté comme l'un des rares eldorados du web, pesait 775 millions d'euros en France en 2001.

Cette fois, les jeunes ne sont pas les premiers concernés. Même si le portrait-robot de l'internaute consommateur de sexe en ligne est différent des deux côtés de l'Atlantique, il est partout majoritairement de sexe masculin (80 %), mais sa moyenne d'âge dépasse les quarante ans aux États-Unis, où ses revenus sont plus élevés (en moyenne 60 000 dollars par an). Une aisance confirmée par le fait qu'il dépense plus que les autres Américains sur Internet. En France, pays traditionnellement plus réfractaire à la technologie, les jeunes sont, en comparaison, surreprésentés : selon Forrester, en mars 2001, 30,3 % des 15-24 ans avaient déjà visité des sites de sexe, contre 19,8 % des 50-64 ans. Mais ils totalisent moins de temps de connexion que leurs aînés (32 minutes contre 61).

Comme les autres médias, le Net dévalorise l'image des femmes

Quelles conséquences peut avoir sur la personnalité et la sexualité des futurs adultes cet accès facilité à des images qu'il fallait autrefois glaner dans les magazines, les cinémas porno ou les vidéoclubs ? Le Net est sans doute un élément accessoire du débat : la pornographie existait avant lui, et c'est sur les écrans de télévision qu'elle est massivement présente et facilement accessible. Autant Internet permet une nouvelle manière de communiquer, d'écrire ou de jouer, autant les sites de sexe ne sont pas « révolutionnaires » ; ils ne jouent pas un rôle clé dans la maturation psychique de la nouvelle génération. Certes, ils contribuent à « désacraliser » le rapport sexuel et à dévaloriser l'image de la femme, mais leur contribution marginale est à replacer dans un contexte plus global. La télévision, le cinéma, la publicité, l'environnement médiatique dans son ensemble, n'ont jamais cessé de donner des femmes une image machiste. La génération numérique, parvenue à l'âge adulte, aura peut-être un rapport au sexe différent de celle qui l'a précédée – plus détaché, moins respectueux de l'autre –, mais le Net ne pourra en être tenu pour responsable que marginalement. Depuis les films de cow-boys de l'après-guerre où les belles filles poursuivies par John Wayne disaient « non » mais pensaient « oui », et se « donnaient » au premier baiser un peu forcé, jusqu'aux pubs porno-chic des marques de luxe en vogue ces dernières années, le phénomène n'a cessé de s'aggraver.

À ceux qui veulent savoir si Internet est un monde magique où tout est possible, un monde idéal où l'on peut rencontrer l'âme sœur à l'autre bout de la Terre, ou au contraire le refuge malsain des frustrés qui réalisent leurs fantasmes à distance, les sociologues des nouvelles technologies répondent : les deux, évidemment. Mais une chose est certaine : Internet crée des couples. Bien sûr, il permet de communiquer avec l'autre en faisant tout pour l'éviter. Bien sûr, il propose une « sociabilité light », et des « ersatz de vrais contacts », mais il n'en multiplie pas moins les occasions de contacts. Le spectre de cette société amoureuse 100 % virtuelle léguée à nos descendants demeurera donc sûrement – quel soulagement ! – une pure vue de l'esprit. Pour toujours.

6.

Les ratés de la cyberécole

Faut-il généraliser Internet et le cartable électronique en classe ?

Internet est une machine à remonter le temps. À Étienne-la-Thillaye, un village normand proche de Deauville, les enfants de CM1-CM2 apprennent l'histoire grâce au web. Nous sommes en mai 2001, mais le réseau les catapulte un siècle et demi en arrière, dans une bourgade du pays de Caux qui aurait pu être la leur : Anvie-la-Corbeline. Ils correspondent par e-mail avec Georges Gaston, le rebouteux aux mains magiques, Félicien Salmon, l'agriculteur « bio » qui s'ignore, Pierre-Laurent Maillet, le sculpteur, et quinze autres habitants dont ils peuvent consulter les portraits en ligne. Derrière chaque personnage se cache un animateur bénévole, enseignant ou étudiant, installé parfois à des milliers de kilomètres de là, mais qui a accepté de donner un peu de son temps pour jouer le rôle. Ce « village éducatif interactif » a été imaginé par un groupe d'instituteurs ; ils se sont inspirés d'une expérience québécoise lancée il y a une décennie.

Anne-Claude, l'institutrice, emmène les enfants à Anvie au moins une matinée par semaine. Ce jour-là, elle « descend » de son bureau tandis que ses élèves vont et viennent dans la classe. On oublie le face-à-face traditionnel, le maître sur son estrade et les gamins, passifs, écoutant en silence la bonne parole. Ils travaillent sur la « feuille de chou », un petit journal qu'ils reçoivent par e-mail et qui relate des événements du XIXe siècle. Pour comprendre qui était Jules Verne ou Gustave Eiffel, ils traquent l'information sur la Toile.

Si Étienne-la-Thillaye a poussé très loin l'expérience, des centaines d'établissements en France développent des initiatives autour d'Internet et des nouvelles technologies, utilisées collectivement, en classe. L'école maternelle Paul-Langevin, à Tremblay-en-France, en région parisienne, a créé son e-musée sur le serveur de l'académie de Corbeil : on peut y voir les réalisations des élèves, mais aussi des expositions Picasso ou Chagall. Un professeur d'Arras a conçu pour les CM1, CM2 et 6e les « Énigmes de M. Mystère », destinées à favoriser le travail en réseau et à revoir les notions travaillées en classe. À La Roche-sur-Foron, près de Grenoble, on suit par balise Argos le tour du monde de deux aventuriers en utilisant un GPS et des logiciels de cartographie ; au lycée Frédéric-Chopin de Nancy, ce sont les cigognes que l'on piste avec les mêmes outils. Trois collèges isolés du Puy-de-Dôme proposent l'utilisation couplée de la visio-conférence et de l'informatique pour ceux qui veulent apprendre le grec ancien : les élèves recueillent des informations sur le site éducatif du Louvre, Louvre-Edu, rencontrent des artistes locaux pour comprendre l'objet antique, visitent des musées régionaux, et mettent en ligne les fiches numériques des objets qu'ils y ont photographiés. Au collège Dussarrat de Dax, le professeur Daniel Lépine a organisé une nouvelle forme de concours : des élèves doivent créer de toutes pièces des robots censés aider les habitants à répondre à leurs besoins de base, dans le cadre d'une vraie compétition, la Lego league. Plus poétiques, les écoliers de La Chabure, à Saint-Chamond dans l'académie de Lyon, écrivent des cybercontes interactifs avec leurs correspondants canadiens. Le collège Michel-de-l'Hospital, à Riom, près de Clermont-Ferrand, propose à un groupe d'élèves tsiganes un projet culturel baptisé « Chimères et Dragons » qui leur permet d'acquérir les savoirs fondamentaux. À l'école Voltaire d'Issy-les-Moulineaux, en région parisienne, les enfants peuvent venir taquiner la souris tous les soirs après les cours. Les instituteurs qui dirigent l'étude lancent des « rallyes » Internet : les élèves doivent afficher le plus vite possible un site pertinent en relation avec un thème donné, de l'Égypte ancienne à Harry Potter... Et on pourrait multiplier les exemples : les expériences sont légion.

L'école française, éternelle retardataire sur les autoroutes de l'information, aurait-elle changé de vitesse ? Jusqu'alors, comparée à ses homologues américains ou d'Europe du Nord, elle faisait figure de parent pauvre. Les Français ont toujours eu la réputation d'être réfractaires à l'informatique, en dépit de quelques pôles d'excellence en matière de jeux vidéo ou de logiciels. Beaucoup d'Américains imaginent même que nous n'utilisons pas d'ordinateurs. Ils feraient bien de faire un tour dans nos cours de récréation, car, depuis la fin des années 90, les choses ont vraiment bougé. Même si la France est une tortue ! « Dans les discussions avec nos collègues européens, nous passons pour le pays qui réfléchit le plus, explique Clara Danon, sous-directrice des Sciences de l'information et de la Communication pour l'éducation, au ministère. Pas question de se lancer tête baissée dans l'e-learning, par exemple. Nous prenons le temps de consulter, d'expérimenter. Mais contrairement à d'autres, qui taillent dans les budgets quand la mode d'Internet passe, nous continuons d'avancer. » Près de vingt ans après la première grande expérience informatique nationale, le PIT (Plan informatique pour tous), le multimédia va-t-il (et doit-il) transformer en profondeur l'école de Jules Ferry ?

La France est à la traîne depuis vingt ans

C'est en 1984-1985 que la France a lancé son premier plan d'équipement des établissements d'enseignement primaire et secondaire, le fameux PIT.

Après avoir longtemps hésité à acheter des Apple (le fabricant américain se prépare alors à sortir son fameux Macintosh), le gouvernement français opte finalement pour une solution industrielle nationale. Thomson fournit des TO7 et des MO5 en association avec Goupil, Bull et Léonard, des fabricants français de matériels ou de logiciels. Cette décision autoritaire, éloignée des réalités du terrain et prise à contretemps – trois ans plus tard, tous les pays européens s'équiperont en PC –, se solde par un échec. Les enseignants l'ont, depuis, surnommé le PID (paysage informatique désolé) en souvenir des 10 000 ordinateurs distribués dans les écoles et qui ont fini dans les placards ! Il n'empêche : tous les profs qui peuvent aujourd'hui se débrouiller sur Internet savent ce qu'ils lui doivent. « C'est lui qui nous a mis le pied à l'étrier [1] », affirme Alain Gurly, enseignant-documentaliste dans un collège de la Grand-Combe, près d'Alès, dans le Gard, qui apprend aux élèves à mener des recherches en ligne. Alain fait partie de ces passionnés d'informatique qui se sont formés tout seuls, entre deux corrections de copies, pendant leurs week-ends, et que l'on retrouve maintenant à l'origine d'initiatives nettement plus pragmatiques que le PIT. Un groupe de pionniers sans lesquels l'ordinateur serait fâché avec l'école, car ce sont eux qui, aujourd'hui encore, « bidouillent » les machines et les connexions, maintiennent les postes obsolètes en survie artificielle, suscitent les échanges d'expériences ou exploitent les bonnes idées venues d'ailleurs.

Le système scolaire français accuse toujours un retard, du moins par rapport à ses voisins du Nord, en matière de TICE – les technologies de l'information et de la communication à l'école –, même s'il fait tout pour le combler à grande vitesse. Les premières connexions au réseau dans les établissements scolaires remontent à 1995, date à laquelle la seconde « vague » d'équipement a été lancée. L'objectif affiché du ministère était d'arriver à 100 % des établissements connectés à Internet pour l'année scolaire 2001-2002, sachant que le taux, en 2001, atteignait tout juste 30 % dans le primaire (89 % tout de même dans les collèges et 98 % dans les lycées). Mais être scolarisé dans une école branchée ne signifie pas, pour l'élève Dupont, pouvoir surfer à sa guise. Car l'école possède rarement assez d'ordinateurs pour que tous les enfants y aient accès. En réalité, il n'y en a pas toujours un par classe. Les statistiques sont trompeuses : au lycée Victor-Hugo de Caen, par exemple, on affichait bien, en 2001, un ordinateur pour six élèves, mais seuls les quatre postes du centre de documentation étaient accessibles à tous. Les autres se trouvaient dans les salles de sciences. Et tant pis pour les profs d'histoire-géo ou de français !

En fait, s'il est courant de trouver, partout, les ordinateurs dans des salles spécialisées plutôt que dans les classes elles-mêmes, les disparités sont énormes d'une région à l'autre et d'un établissement à l'autre. L'Éducation nationale est une lourde machine, et la volonté politique n'a pas toujours été évidente.

Claude Allègre, ancien ministre, se souvient de la réaction d'Olivier Schrameck, le directeur de cabinet de Lionel Jospin, lorsqu'il préconisa l'installation d'ordinateurs dans toutes les classes : « Il m'a rétorqué que c'était du gadget [2] ! » Le ministère ne peut d'ailleurs que donner des impulsions. Les investissements sont en effet décidés, pour les lycées, par le conseil régional, pour les collèges par le conseil général et pour les écoles par la mairie. « Quand la mairie est riche ou le maire convaincu, ça va, témoigne Jean-Jacques Rouvier, instituteur à Avignon. Sinon, le matériel manque. »

Un gouffre s'est ainsi creusé entre deux villes que seule la Seine sépare : à Issy-les-Moulineaux, où le maire André Santini est un « fondu » de nouvelles technologies, toutes les écoles sans exception étaient connectées en 2001, tandis qu'en face, à Boulogne-Billancourt, deux établissements seulement étaient reliés à Internet « à titre expérimental » !

Enfin, même quand les établissements sont équipés, les ordinateurs ne sont pas toujours en état de fonctionner : le principal problème est celui de la maintenance. Les machines tournent beaucoup, entre des mains différentes, elles reçoivent les logiciels les plus divers, bref, elles s'usent vite et tombent souvent en panne. Le ministère a certes demandé que l'on désigne une « personne-ressource » par établissement pour s'occuper des ordinateurs (un professeur, le plus souvent), mais même lorsque cette *hot line* vivante existe, elle est vite débordée.

Le « cartable numérique » ne signifie pas la même chose partout

« Faire entrer l'ordinateur à l'école » ne veut pas dire la même chose pour tout le monde, ce qui alimente les débats et les peurs. Dans les cours de technologie, l'ordinateur est d'abord un outil qu'on apprend à maîtriser. Tout élève qui sort, en 3e, du système d'enseignement, a forcément tapé sur un clavier. Mais le PC est aussi un instrument d'assistance pédagogique : équipé de CD-Rom (ou relié à Internet), il remplace le manuel, le cahier, les diapos, l'encyclopédie. Troisième possibilité, le micro est un substitut ponctuel du prof, pour l'enseignement des langues par exemple : dans le labo, c'est la machine qui joue les répétiteurs. Une situation plus confortable pour l'élève, car la machine ne « juge » pas et recommence autant de fois que nécessaire, en s'adaptant à son rythme.

Ces utilisations-là sont banalisées. Pour le reste, il ne s'agit encore que d'expériences, comme le tableau numérique – on y reviendra – et surtout le « cartable électronique ». Tous les élèves de demain seront équipés, entend-on souvent, d'un « cartable numérique », et quelques milliers d'enfants le sont déjà aujourd'hui. Le hic, c'est que ce cartable est totalement différent dans les Landes, le nord de la France ou dans le Poitou ! Le grand public ne connaît que le cartable électronique de Vivendi, ou plutôt de ses deux anciennes filiales Nathan et Bordas. Cette expérience lancée en août 2000, lors de l'université d'été de la communication à Hourtin, a été largement médiatisée bien qu'elle ne soit pas la plus concluante. À l'origine, ce cartable électronique, testé notamment au collège Joliot-Curie de Vivonne, près de Poitiers, était une simple tablette informatique munie d'un stylet, et qui contenait deux manuels électroniques et quelques logiciels. Mais ce kit scolaire souffrait de son absence de clavier et, dans une seconde phase d'expérimentation, la tablette a été remplacée par un véritable ordinateur portable. L'enthousiasme des enfants, total au premier trimestre, s'est quelque peu émoussé au deuxième ; au troisième, la plupart se plaignaient du poids de l'engin se rajoutant à celui des manuels classiques. Sans parler des ennuis techniques : le taux de retour des micro-ordinateurs portables prêtés aux élèves serait de l'ordre de 30 à 40 % selon le ministre délégué à l'Enseignement scolaire, Xavier Darcos. Le bon vieux manuel, lui, tombe rarement en panne...

En réalité, c'est le principe même d'avoir un écran sur son bureau, en classe, qui pose problème. Car le cours magistral se transforme en classe-atelier, ce qui ne convient pas à toutes les disciplines. L'un des spécialistes chargés de suivre l'expérience avoue ses réserves : « L'élève est ballotté entre son écran et le professeur. Il ne sait plus où donner de l'œil, de la main, de l'oreille. Comme s'il était happé en permanence par un second cours, concurrent de celui de l'enseignant. » Autre inconvénient, le cartable électronique ne favorise pas la mémorisation de l'enfant : « L'écran est amnésique : lorsqu'on lit quelque chose sur la page d'un livre, on se souvient de ce qu'on a lu en même temps que de l'emplacement où on l'a lu. Alors que sur l'ordinateur, l'information ne fait que passer, sans cesse remplacée par une autre, au même endroit. » En fait, l'enfant apprend à maîtriser l'ordinateur plus que la matière enseignée dans le cours ! Certains élèves n'ont d'ailleurs pas hésité à implanter des logiciels de jeux sur leur micro et s'entraînent discrètement sous le nez de leur prof. Conclusion de l'expert : « Le cartable électronique est moins efficace que le livre. Il perturbe la relation entre le prof et l'élève au lieu de la faciliter. C'est une avancée technologique, mais une régression pédagogique. »

Le ministre de l'Éducation nationale Luc Ferry, dont la priorité est la lutte contre l'illettrisme, pense sûrement à cette expérience lorsqu'il évoque les nouvelles technologies à l'école sans mâcher ses mots : « Très séduisantes, mais franchement nulles sur le plan pédagogique [3]. » Un de ses prédécesseurs, Jack Lang, que nous avons interrogé sur le sujet, est moins catégorique : « Je fais partie d'une génération qui pense que le rapport humain est primordial, et qu'aucune machine ne peut remplacer le maître. C'est lui qui donne le sens aux choses. Néanmoins l'ordinateur a son utilité à l'école : on le sait depuis longtemps, il est extrêmement efficace pour l'apprentissage des langues – avec son système d'autocorrection, il évite de culpabiliser l'enfant ; Internet est aussi une source d'information complémentaire très pratique ; sans parler de l'ouverture d'esprit qu'il permet, car la connexion permet de partir à la découverte du monde en établissant des liens avec des élèves dans d'autres pays [4]. » Et le plus « branché » des ministres de rappeler que c'est à son époque qu'a été mis en place à l'école, au collège, et désormais au lycée, un « brevet informatique et Internet » (B2i), une sorte de diplôme de navigateur, qui constitue un stimulant à l'utilisation des nouvelles technologies dans les classes. « Il est destiné à éduquer les enfants à la civilité de l'Internet, explique Clara Danon : nous devons leur apprendre à exercer leur autonomie et leur esprit critique face à la machine et à ses contenus. » Autrement dit, à se défendre de ses dangers. Mais aussi à en faire une utilisation éthique : des parents d'élèves de Boulogne-Billancourt se souviennent encore du scandale déclenché en 1999 par une bande de lycéens-bidouilleurs qui avaient créé un site pour se moquer ouvertement d'un de leurs camarades et d'une prof...

Il existe d'autres expériences de « cartable électronique », et certaines ont été engagées dès le début des années 90 [5]. Leurs définitions sont très différentes, voire contradictoires. Mais il s'agit toujours soit d'un support matériel mobile fourni à l'élève et à l'enseignant (micro portable, ardoise électronique, manuel interactif), soit d'un concept sans lien avec un support physique, une sorte d'espace numérique contenant des logiciels, des espaces de stockage, des outils de travail collectifs et accessibles aux enseignants, aux élèves et aux familles au sein de la classe ou en dehors. Seul point commun : le e-cartable établit un lien entre l'école et le domicile, puisqu'il est consultable dans les deux lieux. Autre point commun essentiel : la « sacoche virtuelle » permet de passer d'une utilisation collective de l'ordinateur à une utilisation individuelle.

Concrètement ? Demain, l'élève malade pourra maintenir son lien avec la classe. L'élève en difficulté pourra bénéficier d'un tutorat à distance, avec un vrai professeur ou un répétiteur virtuel. Le e-cartable, qui n'est rien d'autre qu'un site Internet que chacun peut s'approprier, sera le support des devoirs à la maison et des travaux pratiques, mais aussi du tableau d'affichage de l'établissement ou du cahier de correspondance. La famille pourra consulter les emplois du temps, réactualisés en temps réel, ou le carnet scolaire, l'élève pourra communiquer avec l'enseignant aussi bien qu'avec ses camarades et faire des devoirs avec eux. Bref, bien qu'il individualise le rapport à l'enseignement, le micro favorisera le travail d'équipe.

Communiquer, voilà le leitmotiv de toutes les expériences. Dans l'école-pilote de Darnétal, près de Rouen, tous les élèves ont une boîte aux lettres électronique, la Poste ayant attribué une adresse à chacun : « 80 élèves sur 180 correspondent avec des membres de leur famille et avec une autre école, explique Alain Robbes, instituteur en CM2. L'avantage de l'ordinateur, c'est de ramener vers l'écrit des enfants qui en ont bien besoin. Car, avec les nouvelles technologies, ils n'éprouvent plus le besoin d'écrire. »

Mais comment généraliser les quelques centaines d'expériences pilotes aux 52 000 écoles, 5 000 collèges et 2 500 lycées de France sans casser l'esprit d'initiative ni réitérer les erreurs du PIT ? Les profs les plus « branchés » et les spécialistes pointent sans ambages trois conditions minimales : disposer de machines en nombre suffisant, d'équipements qui fonctionnent et de gens qui savent les utiliser !

L'avènement de la pédagogie « par-dessus l'épaule »

En attendant, et même si les profs utilisent l'ordinateur en dehors des cours pour les préparer et échanger avec leurs collègues, seuls 20 % d'entre eux auraient, en France, modifié leur manière d'enseigner à cause d'Internet, contre près de 40 % en Suède, selon l'enquête européenne d'Eurobaromètre. Les pays nordiques ont en effet une longueur d'avance en matière de technologies, qu'il s'agisse de l'utilisation d'ordinateurs, d'Internet, du téléphone portable ou des SMS. Mais on comprend la méfiance des éducateurs : la généralisation des outils numériques risque de transformer profondément la pédagogie, et leur utilisation requiert de la part des professeurs un investissement personnel important. Pour les plus optimistes, elle n'aura que des avantages : « Le professeur est placé derrière les élèves et plus devant eux. Cela change tout. Ils ne se font plus face, dans un choc frontal. » C'est l'avènement de la « pédagogie par-dessus l'épaule », comme disent les Québécois.

Certains y voient au contraire un danger immédiat, qui rejoint les constatations en demi-teinte faites autour de l'expérience du cartable électronique version Vivendi. Serge Pouts-Lajus, de l'Observatoire des technologies pour l'éducation en Europe, imagine ainsi la classe de demain : « Chaque élève a posé son micro-ordinateur sur la table. L'écran déplié attire les regards, c'est ainsi. L'enseignant a beau s'agiter, et exiger qu'on le regarde, face à ce rival numérique, il a perdu d'avance. Et il faudra apporter la preuve que ce tête-à-tête avec leur nouveau " patron " compense, pour les élèves, ce qu'ils perdent avec leur enseignant... »

Si elle s'avérait exacte, cette vision pourrait sonner le glas de l'enseignement collectif. Déjà, les profs qui utilisent Internet citent comme premier atout la possibilité qu'il offre de faire de la pédagogie différenciée, c'est-à-dire de donner à chaque élève un style d'exercice adapté à son niveau. « À terme, le développement de l'e-éducation peut fondamentalement transformer le rôle de l'enseignant, qui jouera de plus en plus le rôle de modérateur et de tuteur au sein de la classe », confirme Daniel Kaplan, auteur d'un rapport de synthèse du groupe e-éducation d'une fondation qui milite pour le développement d'Internet, la FING [6]. Mais en réalité, une individualisation trop grande de l'enseignement assisté par ordinateur (EAO), si elle se déroulait dans une classe avec plusieurs niveaux, serait ingérable pour le professeur, qui ne peut avoir un œil au-dessus de l'épaule de chacun et suivre simultanément l'avancée de tous les élèves avec leur machine. Et puis, que devient la notion de classe si la pédagogie est différente pour chacun des élèves ?

« Notre société a toujours considéré que l'acquisition du savoir se faisait dans le collectif, le partage, mais aussi le classement, l'émulation, note Xavier Darcos. Or tout ceci disparaît. Chacun est isolé dans sa cellule. Cet isolement est générateur de plaisir immédiat, mais engendre des frustrations différées, car il n'est pas vrai que l'on sera toujours seul et superpuissant devant son écran [7]. » Pour le ministre, Internet donne en effet une illusion de superpuissance – on peut faire apparaître tout ce que l'on désire sur son écran –, illusion forcément démentie par la réalité.

Un élève pour un ordinateur, on en est de toute façon encore loin. « La mutation sera plus lente qu'on ne le croit, estime Xavier Darcos. Il faudra au moins vingt ans pour que l'ordinateur devienne l'outil central de l'enseignement. » Techniquement parlant, les logiciels sont d'ailleurs loin d'être parfaits. « Pour tenter de rendre l'échange avec la machine aussi proche (*sic*) que possible, la recherche a mobilisé ses outils les plus puissants : modélisation de l'élève, représentation de la connaissance, intelligence artificielle, systèmes experts, reconnaissance de la voix et de l'écriture manuscrite, explique Marielle Riché-Magnier, enseignante et auteur, avec Serge Pouts-Lajus, de *L'École à l'heure d'Internet*[8]. Ces efforts butent de façon automatique et persistante sur plusieurs obstacles techniques dont le plus sérieux est celui de la langue naturelle : aucun programme informatique, aussi sophistiqué soit-il, n'est capable de saisir le sens de la réponse de l'élève, dès lors qu'elle n'est pas encadrée par un nombre limité de choix imposés. Les ordinateurs ne parviennent pas à gérer correctement le dialogue libre avec l'élève. » Dire que les premières tentatives d'EAO ont déçu, notamment dans le domaine de la formation professionnelle, serait un euphémisme. Le dialogue « maître électronique »-élève est rigide voire ennuyeux, et l'EAO se trouve ramené au statut de ressource complémentaire, utilisable ponctuellement, pour la remise à niveau par exemple.

« Pourquoi n'envisager que des solutions extrêmes ? Il existe déjà une différence importante entre la pédagogie frontale avec des outils et la pédagogie frontale de jadis », conclut Danièle Valentin, professeur de français et responsable d'un réseau au Bureau des technologies pour l'enseignement scolaire. Seul le professeur peut motiver, encourager, guider au milieu d'une profusion d'informations *.

* Voir chapitre 7.

Son rôle est vital quelle que soit la matière enseignée. La crainte de le voir remplacer par une machine relève donc toujours du fantasme.

D'autant que le multimédia à l'école ne se limite pas à l'ordinateur ou au cartable électronique. Le vidéoprojecteur, successeur du bon vieux rétroprojecteur, permet, par exemple, de focaliser l'attention des élèves sur un écran commun en donnant un support illustratif à un cours (« Identifiez-vous le groupe de cellules anormales dans cette coupe ? », « Pourquoi la photo de droite est-elle plus réussie que celle de gauche, qui représente la même scène ? », « De quelle époque date la cotte de mailles que porte ce personnage ? »). Il fait converger tous les regards vers la même image.

Le multimédia peut être plus basique encore. Dans la classe de Mme Lebleu, à l'école maternelle Albert-Thomas de Champigny-sur-Marne, en région parisienne, on utilise une petite caméra vidéo pour filmer les pages fixes d'un livre et les projeter « en direct » sur un écran de télévision afin que tous les enfants puissent regarder les images tout en écoutant le récit de la maîtresse. Simple et efficace, comme nous l'avons nous-même constaté : une fillette de quatre ans était tellement passionnée par *Jacques et le haricot magique* qu'elle malaxait sans ménagement, et sans s'en rendre compte, le lobe de l'oreille de son voisin, un blondinet du même âge, qui oubliait de protester tant il était suspendu, lui aussi, aux images et aux paroles de la maîtresse...

Beaucoup plus sophistiquées sont les expériences de « tableau numérique ». C'est un écran géant interactif, qui réunit les avantages du tableau blanc traditionnel et de l'ordinateur : la partie tableau sert d'écran au vidéoprojecteur mais aussi de capteur pour renvoyer des informations à l'ordinateur. Des systèmes de tablettes graphiques offrent éventuellement la possibilité aux élèves de transmettre directement leurs travaux au tableau. Et là aussi, comme l'écran est commun, l'ordinateur n'entre pas en concurrence avec le prof.

L'utilisation du PC à l'école permettra-t-elle, au final, d'améliorer les résultats scolaires ? En orthographe, sûrement : « Une part de plus en plus importante des devoirs sont tapés par les élèves sur l'ordinateur, chez eux. Les profs sont ravis : avec le correcteur d'orthographe, ils ont beaucoup moins de fautes à corriger » se réjouit Claude Allègre. De même, en matière de langues, l'ordinateur est une aide réelle à l'apprentissage dont il serait désormais difficile de se passer. Mais au-delà ? L'innovation appelant l'évaluation, on a essayé, depuis plus de dix ans, de mesurer les effets bénéfiques de l'ordinateur sur les « apprenants ». Les résultats sont plutôt positifs, même si la corrélation entre l'amélioration des performances et l'utilisation d'une technologie particulière est difficile à établir. « Les spécialistes ont montré que certains apprentissages se faisaient plus rapidement avec l'aide de logiciels informatiques, en particulier les apprentissages logiques ou les savoir-faire techniques, souligne l'étude de la FING (...). Mais face à des résultats peu précis ou fragmentaires, comment ne pas se demander si l'effet obtenu et observé ne résultait pas davantage de l'attention particulière portée à l'élève pendant l'expérience, d'une rupture de la routine scolaire, plutôt que de la pédagogie elle-même ? »

« Les technologies à l'école peuvent être, comme la langue d'Ésope, la meilleure et la pire des choses, estime Philippe Meirieu, chercheur en sciences de l'éducation, aujourd'hui directeur de l'Institut universitaire de formation des maîtres de Lyon [9]. Elles seront néfastes si elles fonctionnent sur le registre de la sidération : les enfants sont scotchés à l'écran et n'ont plus de distance critique face à ce qu'ils y voient. Mais elles constituent le meilleur des outils si elles s'inscrivent dans la mission même de l'école, c'est-à-dire qu'elles permettent aux élèves de tâtonner, de confronter les informations, ou d'accéder à la pensée critique. Contrairement à l'enseignant qui, parfois, peut s'énerver face à un élève qui accumule les erreurs, l'ordinateur tolère les fautes et propose des remèdes. Il respecte cette démarche de tâtonnement que l'enseignant est tenté de squeezer. »

Les nouveaux outils peuvent aussi constituer une aide dans « la lutte contre l'ennui » sur laquelle l'école réfléchit de plus en plus. La plupart des enseignants sont en effet confrontés au manque d'intérêt des élèves, devenu l'une des causes de la violence scolaire. Certes, l'ennui à l'école n'est pas un phénomène nouveau : le ministre de l'Éducation nationale lui-même avoue s'être « énormément ennuyé à l'école », estimant que 80 % de ses camarades, dans le lycée-caserne où il est passé avant d'effectuer sa scolarité par correspondance, « s'ennuyaient comme des rats morts ». Mais cet ennui qui a toujours existé s'est accru chez les enfants de la génération télé et jeux vidéo, pour prendre des formes plus inquiétantes : « Les élèves avaient appris à s'ennuyer poliment. Ce qui a changé, c'est qu'ils expriment aujourd'hui leur ennui dans un langage qui n'est pas scolairement acceptable ; il est devenu ostensible », explique Philippe Meirieu. On utilise le walkman, on se maquille, on feuillette des magazines au milieu du cours. La raison de ce désintérêt ? « Nous sommes face à des enfants de la télécommande, de la souris et du joystick. Ils ne supportent pas de ne pas pouvoir agir. » Or l'école est un lieu où l'on accepte de perdre du temps pour comprendre et pour apprendre. « L'école est le temps de la lenteur, le contraire du zapping, ce qui rend l'ennui inévitable[10] » confirme le philosophe Gilles Lipovestky, membre associé du Conseil national des programmes. Pour lui, la culture scolaire, qui s'est historiquement construite en opposition avec la famille et la religion, doit aujourd'hui affronter un autre concurrent, plus redoutable encore : la culture médiatique, fondée sur la rapidité et les loisirs.

Les outils multimédia à l'école ne résoudront certes pas le problème de l'austérité de l'école, et le vieux débat n'est pas près d'être tranché qui oppose depuis longtemps les tenants de la pédagogie de l'exercice et ceux de la pédagogie de l'intérêt, selon les expressions de Philippe Meirieu (le bon maître étant celui qui travaille sur les deux registres : l'intérêt des élèves, d'une part, la rigueur et la concentration, de l'autre). Néanmoins, quand elles ne sont pas utilisées comme « un gadget qui vient brouiller le message », les nouvelles technologies peuvent contribuer à redonner à certains le goût d'apprendre, grâce à des cours plus vivants et dotés d'un supplément de sens grâce à la confrontation des points de vue et l'ouverture au monde qu'elles permettent.

L'utilisation scolaire de l'ordinateur et d'Internet a aussi pour objectif de combler la fracture numérique, la nouvelle « fracture sociale » provoquée par une répartition inégale du matériel numérique dans les foyers et les entreprises. Mais peut-elle y parvenir ? « Chaque fois qu'une innovation arrive, répond Thierry Piot, maître de conférences en sciences de l'éducation à l'université de Caen, elle profite d'abord à ceux qui en ont le moins besoin. Les bons élèves ont déjà un PC chez eux. L'écart risque donc de se creuser avec ceux qui n'utilisent l'ordinateur qu'à l'école. » L'école doit-elle pour autant baisser les bras ? Sûrement pas. La maîtrise de l'information numérique ne peut demeurer l'apanage d'une élite, comme le furent autrefois l'écriture ou la lecture : elle doit contribuer à assurer l'égalité des chances en offrant à ceux qui n'auront jamais d'ordinateur à la maison une facilité d'accès aux nouveaux outils, et une familiarisation avec la réalité informatique qu'ils retrouveront dans leur vie d'adultes. L'Éducation nationale joue son rôle si elle prépare les élèves aux outils de demain tout en les mettant en garde contre leurs dangers. Même si certains professeurs estiment encore qu'en donnant des ordinateurs aux élèves, on ne leur apprend pas à penser ni à porter un regard critique sur la société mais à devenir des travailleurs dociles, intégrés dans l'ordre économique.

Mais si la fracture numérique entre élèves est destinée, à coup sûr, à se réduire peu à peu, l'utilisation d'Internet à l'école risque d'accroître un tout autre fossé, moins souvent évoqué : la « fracture générationnelle » entre des enfants qui manient le micro comme un poste de télé, et leurs parents qui n'ont jamais utilisé un PC de leur vie. Comment feront ces laissés-pour-compte de la technologie pour suivre l'avancement des devoirs de leurs rejetons, les aider dans leurs recherches sur écran, ou, tout simplement, consulter les carnets de notes ou les emplois du temps en ligne ? Une seule solution : ils devront apprendre les rudiments d'informatique de leurs enfants eux-mêmes. C'est d'ailleurs sans doute sur ce tutorat paradoxal que la société compte aujourd'hui. En imaginant, peut-être, que cette inversion des rôles sera sans conséquence sur la psychologie des adultes de demain.

7.

Le coup d'État des bambins

Les technologies renversent-elles les rapports d'autorité ?

Ses parents sont séparés, mais chez son père comme chez sa mère, c'est Maxime, treize ans, qui commande à l'ordinateur. Comme à la plupart des machines d'ailleurs, hormis celles qui lavent le linge et la vaisselle. Il les utilise le plus souvent simultanément, au grand agacement de ses parents. En général, il joue aux jeux vidéo tout en écoutant de la musique sur la chaîne hi-fi et en laissant la télé allumée dans son dos. Mais c'est sur l'ordinateur qu'il fait la différence : c'est lui qui imprime les cartes de vœux personnalisées, envoie aux grands-parents les photos de la famille au ski, installe pour sa sœur le dernier logiciel de comptabilité, ou guide son père sur le site du ministère des Finances. Ce qui l'autorise à traiter le reste de la famille avec condescendance : « Cool, papa, je vais t'expliquer... Maman, tu es vraiment nulle... Cybèle, tu veux des cours de rattrapage ? » Le cas est terriblement banal : aujourd'hui, on reconnaît les maisons où il n'y a pas d'enfants au fait que l'horloge du magnétoscope clignote ! Il n'empêche : les parents souffrent.

Les professeurs aussi. Brigitte A. est documentaliste dans un lycée d'Île-de-France. Un métier en pleine révolution, Internet oblige : chercher de l'information sur le réseau des réseaux ne s'improvise pas. Les enseignants font souvent appel à Brigitte pour les aider dans leurs séances collectives sur Internet, qui parfois tournent à la catastrophe. « Juste après les présidentielles aux États-Unis, raconte Brigitte, une jeune prof a décidé de faire étudier à sa classe la répartition du vote dans les États américains. Ce genre d'information n'étant pas disponible dans la presse, elle a organisé une séance sur Internet avec sa classe. Mal lui en prit : il y eut d'abord des problèmes techniques. Le temps de les résoudre, la classe était déjà assez dissipée. Puis les choses se sont compliquées lors des recherches proprement dites. L'information était très difficile à obtenir. Les élèves ont senti que leur prof ne maîtrisait pas Internet, et ils se sont engouffrés dans la brèche. Impossible de contrôler la classe. Le brouhaha a eu raison de sa motivation : elle a craqué au milieu de la séance. »

Un cas isolé, le témoignage de Brigitte ? Pas sûr. Il est révélateur du désarroi d'une partie du corps enseignant, dont l'autorité semble remise en cause. Voyez Martine Julien, professeur de lettres dans un lycée réputé du sud-est de la France, tout aussi sceptique :

« C'était dans une classe de première S. J'avais demandé aux élèves de préparer une recherche sur la vie de Sénèque, avant d'étudier ses textes en classe. Tous les moyens étaient autorisés, de l'encyclopédie à Internet. Je demande à un garçon de présenter devant la classe ce qu'il a trouvé. Réponse : " Qu'est-ce que vous voulez que je vous dise ? Je ne vais quand même pas vous lire une page... " La page en question, un petit texte sur Sénèque, était 100 % made in Internet : trouvé, extrait, imprimé... mais à peine regardé par l'élève, et encore moins assimilé. Il était tout bonnement incapable d'en dire quoi que ce soit à ses camarades. »

Moralité : laisser les enfants seuls face à l'Internet, c'est leur faire perdre leur temps. C'est faire passer l'information du réseau au classeur de cours, sans détour par le cerveau. Alors, comment faire quand on est soi-même incapable de se servir d'Internet ? Abdiquer ? C'est le choix d'une partie des enseignants, qui préfèrent ne pas se frotter à un monde dans lequel la jeune génération les dépassera toujours. Rien de moins agréable que de s'avouer incompétent face à des élèves ravis de trouver la faille ! « Les plus jeunes sont aussi décontractés avec une souris que leurs aînés le sont avec le volant de leur voiture, constate un prof. Ils se sentent capables de faire la loi. » À l'école comme à la maison.

Autre témoignage désabusé, celui de cette mère de trente-deux ans relevé en mars 2001 sur le forum de Kazibao réservé aux parents : « Ma fille [...] surfe sur le Net vingt-quatre heures sur vingt-quatre car nous lui avons offert un abonnement illimité. Est-il normal qu'elle surfe au lieu de faire ses devoirs ? Ou de regarder la télé ? » Au fond, dès que l'enfant est autonome avec l'ordinateur, les parents sont incapables de comprendre ce qu'il fait, ni même quel plaisir il trouve dans cette activité. Sur ce même forum de discussion, on trouve aussi nombre d'interrogations de parents sur le *chat*. « Mais que se disent-ils à longueur de journée ? Qu'y a-t-il de si fascinant dans ce type d'échange ? » Et la banderille finale (inévitable) : « Pensez-vous que je devrais lui interdire l'Internet ? »

Comment poser des interdits quand on ne maîtrise rien ?

Dépassés, les parents ? Impossible de savoir dans quelles proportions, car aucune étude statistique sérieuse n'est disponible sur la question. Tout au plus peut-on constater, avec le très sérieux Observatoire de l'enfance [1], que le nombre d'enfants dans un foyer a une influence directe sur la présence ou non d'un ordinateur. Ainsi, en 2000, alors que le taux moyen d'équipement était de 27 %, ce chiffre passait à 41 % chez les couples avec un enfant, et à 54 % chez les « trois enfants et plus [2] ». Il est vrai que c'est généralement pour eux que les parents s'équipent. En conclure qu'ils s'accaparent ensuite le multimédia à la maison serait aller un peu vite en besogne. Il n'empêche : comme le montrent les échanges relevés sur Kazibao, beaucoup de parents souffrent de ne pas connaître le nouvel univers de leur progéniture. Au mieux, ils cherchent à apprendre. C'est le cas de Monique Brachet-Lehur [3] : « J'ai fini par me mettre à l'Internet parce que j'en avais assez de ne plus comprendre mes trois ados », avoue-t-elle. Encore faut-il sauter le pas. Tout le monde n'en a pas le courage. Cette psychanalyste et psychologue voit en effet poindre une angoisse chez beaucoup de parents qui « sentent leurs enfants captés par l'ordinateur sans pouvoir exercer la moindre influence ». Comment poser des interdits, ou même des limites, dans un domaine si mal maîtrisé ? « Face à l'ordinateur, les enfants sont plus doués que leurs parents, explique-t-elle. C'est peut-être la première fois dans l'Histoire que l'enfant est en avance sur ses géniteurs. Une petite révolution ! »

Petite révolution ou véritable coup d'État ? C'est toute la question. « Les enfants de l'ordinateur » le sont-ils effectivement – au sens où l'ordinateur, comme la télévision avant lui, serait un troisième parent, qui supplante les parents réels ? Où nous mènera cette inversion des compétences ? Faut-il se résoudre à assister, impuissants, à cette prise de pouvoir ?

Pour commencer, expliquons cette aisance des enfants face à l'outil. Pourquoi font-ils preuve de cette maîtrise qui manque aux adultes et les culpabilise ? C'est physiologique, répond, en substance, Monique Linard, professeur à Paris X, vingt-cinq ans de sciences de l'éducation à son actif. Plus un cerveau est jeune, plus il est malléable. « Une majorité de théoriciens de l'apprentissage s'accordent pour dire qu'apprendre, c'est se créer des habitudes, pour intérioriser peu à peu des schémas mentaux. » Un processus qui prend des années, mais qui est d'autant plus rapide que le cerveau est capable de s'adapter. La meilleure comparaison ? L'apprentissage des langues étrangères. « Quoi de plus impressionnant que de voir de tout jeunes enfants, dans une maternelle plurilingue, intégrer en quelques mois ce que leurs parents n'assimileront jamais ! »

Soit. Un cerveau tout jeune est un cerveau plus efficace. Mais l'avantage des enfants sur leurs parents ne s'arrête pas là. C'est aussi la façon d'apprendre qui est en jeu. Monique Linard explique en effet que les enfants bénéficient de leur grande spontanéité devant l'ordinateur. Là où un adulte procédera par déductions, c'est-à-dire en essayant de se rattacher à des certitudes pour en déduire le comportement à adopter devant la machine, un enfant préférera l'induction. Autrement dit, il ne s'embarrassera pas de réflexions encombrantes. Il essaiera, par tâtonnements, et il progressera à toute vitesse.

C'est un fait, parents et enfants ne luttent pas à armes égales. Les premiers apprennent moins vite, et adoptent une démarche timorée là où les seconds, plus téméraires, se livrent à toutes les expériences possibles. Difficile, donc, d'espérer voir les plus âgés rattraper leur retard. « Certains pères se sentent humiliés, explique Monique Brachet-Lehur, tandis que d'autres en profitent pour enrichir l'échange familial. C'est évidemment la réaction à préconiser : il faut se réjouir de voir l'élève dépasser le maître. »

Monique Linard pense aussi que le Net va bouleverser la donne dans le milieu scolaire. En dépit de ses vingt-cinq années d'expérience, elle admet avoir « mis un certain temps à comprendre la violence de la perturbation engendrée par l'Internet ». En quoi réside cette perturbation ? C'est la fonction même du professeur qui doit être redéfinie. « Avec le Net, on est passé en quelques années d'une situation de pénurie d'information à un problème de gestion de la profusion. » C'est dans cet incroyable retournement que réside la vraie nouveauté. Les élèves ont à portée de main quelque chose qui ressemble au savoir universel. Imparable... Sauf que les professeurs, et les parents s'ils le peuvent, ont un rôle essentiel à jouer : ils doivent leur apprendre à faire le tri, et surtout à réfléchir avec cette information, à savoir l'exploiter. Car les enfants et les adolescents se contentent souvent, on l'a vu, de recopier ce qu'ils trouvent, sans comprendre, donc sans assimiler.

Le risque pour le prof ? Glisser insensiblement du rôle de « porteur de culture » à celui de « gare de triage », estime Xavier Darcos, ministre délégué à l'Enseignement scolaire. « Le prof travaillera désormais le flux de connaissances, davantage que le stock.

La verticalité de la culture se trouvera compromise par cette horizontalité, cet accès simultané à tous les savoirs. »

Les jeux vidéo contribuent à développer cette culture sans références, en mal de repères, de balises et de « copilote ». « L'utilisateur de jeux vidéo qui navigue dans les espaces hypermédias doit inventer ses propres règles par rapport aux règles du jeu, explique Joël de Rosnay, conseiller de la direction générale de la Cité des Sciences et de l'Industrie, auteur de *L'Homme symbiotique* [4]. Mais cette expérience routinière et souvent stérile ne l'incite pas à naviguer en d'autres lieux, vers d'autres espaces de connaissance. Il n'a choisi pour cela aucun cap, ne possède aucune boussole ou carte, ne se guide sur aucune balise ou phare. Si de tels systèmes interactifs se développent et se perfectionnent, le rôle des éducateurs, des formateurs et des développeurs de jeux sera précisément de fournir les outils nécessaires aux navigations du futur. Notre responsabilité est grande. » Et de tirer la sonnette d'alarme : « Avec l'arrivée de la télévision interactive multimédia et de ses cinq cents chaînes ou services à domicile par le fil du téléphone, sur lesquelles vont se jeter à corps perdu les navigateurs des hypermédias, de telles formations et copilotages sont plus que jamais nécessaires. Si nous laissons passer cette occasion, une génération de navigateurs se détachera du port pour voguer à la dérive dans les hyperespaces de la superficialité. »

Face à cette mutation, tous les enseignants ne réagissent pas de la même manière. « Environ un tiers des professeurs se passionnent pour ces nouvelles opportunités pédagogiques, assure Monique Linard ; les autres sont terrorisés et rétifs, ou, à tout le moins, très hésitants *. » Mais ce fut le cas, bien avant Internet, pour le magnétophone, la diapositive, ou le magnétoscope – bref, à chaque innovation technologique. Et la différence ne tiendrait pas à l'âge du pédagogue. « Plutôt à sa capacité à se remettre en cause, donc à sa confiance en lui-même. » Des propos que confirme Georges-Louis Baron, professeur de sciences de l'éducation et directeur du département Technologies nouvelles et éducation du très officiel Institut national de recherche pédagogique. Pour lui, séparer les enseignants en deux catégories, les jeunes (innovateurs) et les vieux (conservateurs) serait par trop simpliste : seule compte la motivation de l'enseignant.

Faisant référence au célèbre Lagarde et Michard, ouvrage par lequel toute une génération fut familiarisée à l'histoire littéraire française dans les années 1960, Monique Linard résume la situation actuelle : « Vous multipliez le Lagarde et Michard par un million, et vous avez la nouvelle fonction du prof. » Apprendre à trier, donc, mais aussi à mieux définir ce que l'on cherche. Puis apprendre à analyser, penser, et faire preuve d'esprit critique sur ce qu'on a trouvé. Brigitte A., qui aide régulièrement les élèves dans leurs recherches au CDI (centre de documentation et d'information), le confirme : « Même

* Voir aussi chapitre 6, « Les ratés de la cyberécole ».

quand ils ont Internet à la maison, les élèves se perdent facilement dans les données, ils ont du mal à formuler leur question, à choisir les bons mots pour effectuer leur recherche. » Voilà une tâche à laquelle les adultes doivent s'atteler. Sauf que, selon Brigitte A., environ 60 % des élèves refusent l'aide de la documentaliste. « Et ceux qui acceptent d'être guidés sont souvent dépourvus de connexion Internet à la maison. » À croire que pour les autres, qui viennent des classes aisées, se faire aider serait déshonorant.

« Ce qui est certain, assène Monique Linard, c'est qu'il y a, plus que jamais, un besoin d'autorité. Mais l'enseignant ne peut plus se contenter d'asseoir cette autorité sur la maîtrise qu'il a de sa matière. Il doit aussi avoir une fonction de guide sur une mer agitée, il doit diriger la navigation dans le savoir. Et quand il sait exercer cette fonction, les choses se passent bien. » Corollaire : impossible d'organiser une recherche sur Internet avec ses élèves sans l'avoir préparée activement. Il faut avoir déjà visité les sites proposés par les moteurs de recherche, et avoir repéré les meilleurs. Voilà donc la solution pour garder l'ascendant sur ses élèves, ou ses enfants ?

L'autorité n'est pas un problème de connaissances ou de QI

Ce n'est de toute façon qu'une partie du problème. Pour la plupart des psychologues, le débat sur l'autorité mise à mal par le multimédia est l'arbre qui cache la forêt. « L'autorité que l'on exerce sur un enfant n'a rien à voir avec son niveau de connaissances, pas plus qu'avec son QI, explique Hélène Vecchiali, psychanalyste. Peu importe qu'il connaisse mieux que ses parents le fonctionnement du magnétoscope, qu'il coure plus vite le cent mètres ou qu'il soit imbattable au ramassage des champignons. L'autorité, c'est une attitude du père : il a su ou non imposer la Loi. »

On objectera qu'une mère, un frère ou une sœur peuvent aussi exercer, dans la vie quotidienne, une telle fonction. Il reste que ce n'est pas la maîtrise d'une technique qui confère l'autorité. « Avoir des enfants meilleurs que soi n'est pas une nouveauté, confirme le psychanalyste Serge Tisseron. C'est le principe même de l'ascension sociale. Les émigrés le savent bien, qui voient leurs gosses apprendre les langues plus vite qu'eux. Ce ne sont pas des connaissances que doivent transmettre les parents, mais des valeurs. Or les parents d'aujourd'hui ne savent plus quelles valeurs transmettre, car ils ne détiennent plus les clés de la réussite. Eux-mêmes ont parfois perdu leur job, leur conjoint... Ils n'ont plus de certitudes, plus de modèle à proposer. Ils sont déboussolés. »

Trop de parents ont démissionné, consciemment ou inconsciemment. Ce qui engendre des enfants-rois, non cadrés et non canalisés, à qui l'on n'interdit plus rien, et qui contestent une autorité qu'on ne leur a de toute façon jamais appris à respecter. « Les enfants du multimédia ne sont pas différents de ceux qui les ont précédés, et ils ne le seront pas si on leur apprend à respecter la Loi et si l'on ne " parentalise " pas les outils (jeux vidéo, ordinateur...), en laissant la machine dominer l'homme », conclut Hélène Vecchiali.

Le père dépossédé de son rôle de *pater familias* ne représente plus l'ordre des choses dans une société fondée sur l'individu. Dès lors, l'éducation n'est plus que séduction et négociation, ce qui explique les difficultés grandissantes des parents et des enseignants : c'est aussi l'analyse du sociologue Louis Roussel [5]. Les décisions unilatérales des parents, critiquées comme arbitraires, ont été remplacées par des négociations égalitaires. À l'école et à la maison, le respect mutuel remplace le respect de l'autorité. On passe avec les enfants des « marchés à court terme », de type bonbons contre bonnes notes. La télévision et l'ordinateur contribuent, sans en être à l'origine, à cette disparition insidieuse du statut d'enfant, puisque c'est ce dernier qui maîtrise la nouveauté des programmes et des technologies. Même le harcèlement télévisuel dont l'enfant est l'objet lui donne de l'avance sur ses parents ! Roussel, pessimiste, conclut donc en estimant qu'il est impossible de vivre une véritable enfance dans un monde où trop d'adultes ont renoncé à jouer leur rôle de parents : les parents sont de grands enfants, et les enfants très tôt de jeunes adultes. Les parents deviennent des remparts contre la réalité, au lieu d'être des traducteurs, des passeurs, des adaptateurs. En voulant avant tout être aimés de leurs enfants, ils en deviennent dépendants, ce qui conduit à une inversion de la véritable hiérarchie des générations. Et finalement, la posture d'enfant-roi aboutit à l'invalidation de l'idée même d'enfance. « Les enfants des années 1990 se révoltent contre les pères de 1968 », constate-t-il. Il s'ensuit des demandes accrues de rigueur à l'encontre des mineurs. Pour finir, ceux « qui étaient partisans de l'enfant-roi réclament que l'on mette le prince en prison ».

L'autorité hiérarchique en entreprise est aussi mise à mal

Autre forme d'autorité que les nouvelles technologies auraient perturbée, celle qui régit le monde de l'entreprise. Car même au travail, les plus jeunes sont souvent plus à l'aise face aux innovations que leurs aînés... qui se trouvent souvent être leurs chefs. Un constat qu'a fait Andreas Agathocleous, chargé de mission à l'Agence nationale pour l'amélioration des conditions de travail (ANACT), et spécialiste des NTIC (nouvelles technologies de l'information et de la communication). « J'ai vu un chef de service en fin de carrière rédiger ses e-mails au stylo et demander à son assistante de les envoyer pour lui, à partir de son poste. » Et de conclure : « Il est évident qu'il se sentait mal à l'aise dans cette situation. Beaucoup de supérieurs hiérarchiques se sentent aujourd'hui décalés, car cette évolution des technologies est trop rapide pour leurs capacités d'apprentissage. »

Dès lors, de nombreux sociologues, observant l'expérience des start-up, ont prédit – ou imaginé – il y a quelques années l'avènement d'un nouveau type d'entreprises, où la hiérarchie serait quasiment absente. Plus qu'une prise de pouvoir des plus jeunes, il s'agissait de promouvoir une vision de l'entreprise où l'information circulerait en « libre service » dans un esprit de transparence totale. Toute une littérature a fleuri, portée par le souffle de la nouvelle économie. Le livre le plus médiatisé fut certainement *Funky Business, le talent fait danser le capital*[6], de Kjell Nordström et Jonas Ridderstrale. Quelques bonnes idées, et une promotion bien organisée : les deux auteurs du livre, professeurs de management à la Stockhom School of Economics, soignaient leur look comme des stars de rock – blouson de cuir, crâne rasé, lunettes à la mode. Ils prophétisaient la fin de l'entreprise pyramidale (c'est-à-dire très hiérarchisée) et la naissance de l'« entreprise plate ». Ce livre est entré en résonance avec le monde des start-up, qui affichaient une organisation fondée sur la responsabilité et la créativité de chacun. Le portail Internet Spray fut l'emblème de cette tendance, qui fit alors figure de vague de fond. Kjell Nordström, son grand gourou, siégeait au conseil d'administration de Spray. Pas d'horaires, mais un sauna, une salle de gym, et une décontraction revendiquée par une équipe dont la moyenne d'âge ne dépassait pas vingt-quatre ans. Son credo ? Laissez un maximum d'autonomie à vos salariés, vous obtiendrez d'eux le meilleur.

Difficile de distinguer le phénomène de mode de la tendance de fond. Reste qu'en septembre 2000, Spray était racheté par un autre portail, le géant Lycos. Fin de la plaisanterie, retour à la réalité économique ? Pour Alain d'Iribarne, directeur de recherche au CNRS et éminent théoricien du management, le modèle des start-up n'est pas généralisable. « Ce genre d'organisation n'est envisageable que dans une structure petite, hyper réactive, et qui cherche davantage l'innovation que le développement industriel. Faites grandir l'entreprise, et tout un processus de rationalisation se met en œuvre. » En clair : passer du laboratoire à idées à l'entreprise rentable nécessite forcément une forme de structuration du travail. Et une hiérarchie. En outre, remarque Andreas Agathocleous, les salariés des start-up n'étaient pas comme les autres. « C'étaient des jeunes, sans obligation familiale, qui acceptaient des horaires de travail insensés. Sans le soutien de la moindre structure syndicale. »

Pour Alain d'Iribarne, mieux vaut rester lucide face au déballage de théories sur l'entreprise déhiérarchisée. « Si vous regardez l'histoire du capitalisme, vous constatez que les périodes de changement ont toujours donné lieu à des discours utopiques en guise de justification. La vocation de ce genre de discours est surtout d'accélérer l'ouverture des marchés. Après la découverte de l'Amérique, par exemple, il était considéré comme indispensable d'investir sur le nouveau continent. Ce qui a provoqué des plongeons dignes de notre nouvelle économie ! » Bref, pour qu'un engouement naisse autour d'un secteur économique, rien de tel que d'en faire la pub, par tous les moyens, même démagogiques...

Si la nouvelle économie, comme concept à la mode, est déjà oubliée, l'autorité n'en sortira pas indemne pour autant. Mais là encore, faut-il accuser les nouveaux outils ? Le procès de l'organisation traditionnelle avait de toute façon commencé avant le boom des technologies. Les premières failles de l'entreprise très hiérarchisée étaient apparues à la fin des années 1970. « La fin de la période de croissance économique des Trente Glorieuses, avec le deuxième choc pétrolier, a fait apparaître la nécessité pour les organisations d'être plus rapides et plus flexibles face à une conjoncture plus imprévisible », explique encore Alain d'Iribarne. C'était la première attaque contre les pesanteurs hiérarchiques, une attaque particulièrement ressentie en France, où la tradition du cloisonnement est très ancrée. En outre, les technologies récentes permettent effectivement une meilleure circulation de l'information dans le milieu professionnel, ce qui implique une redéfinition des fonctions d'encadrement. Exemple ? Andreas Agathocleous cite le cas de cette salariée quinquagénaire d'une PME qui produisait des sièges automobiles : « Elle n'était jamais rentrée en contact avec les clients, les constructeurs, au cours de ses vingt ans de carrière. C'était à son responsable hiérarchique de faire le lien. Or, avec l'e-mail, les clients se sont mis à s'adresser directement à elle. Elle était obligée de répondre, quitte à trouver des informations nouvelles. Et sans avoir toujours besoin de l'aide de son chef. » Conclusion : l'encadrement est toujours nécessaire, mais cet encadrement doit changer de nature. La nouvelle mission du chef devient « de coordonner, d'évaluer, de piloter l'information, et de faire des choix ». En laissant une plus grande marge de manœuvre à ses subordonnés. Sur le plan informel, de nouvelles formes d'autonomie apparaissent.

Est-ce la fin d'une époque ? Non, mais sûrement le début de la fin. « Le patron de droit divin reste très majoritaire au sein des PME françaises », estime Alain d'Iribarne. Ce dernier met en garde contre une idéalisation des technologies d'information et de communication, en insistant sur le fait qu'elles ne font que donner des moyens, qui peuvent être utilisés de manières très diverses. Il rappelle ainsi la condition de ces nouveaux travailleurs à la chaîne que sont les salariés des centres d'appel, les fameux *call centers*. En France, leur nombre était estimé à 103 000 en 2002. Leurs supérieurs peuvent à tout instant écouter leurs conversations, et contrôler le temps d'attente du client, le temps de traitement de sa demande, etc. Autrement dit, les nouvelles technologies ne font pas que fissurer l'autorité en rendant l'information accessible à tous, elles instaurent en contrepartie de nouvelles contraintes qui pèsent sur les salariés.

Une dernière forme d'autorité, bien différente, pourrait souffrir de l'arrivée massive des nouvelles technologies : l'autorité de l'œuvre littéraire. C'est notamment la position du philosophe Alain Finkielkraut, pour qui les possibilités d'interactivité représentent une menace pour le statut du texte. Dans l'ouvrage *Internet, l'inquiétante extase* [7], Alain Finkielkraut s'inquiète de voir tant de liberté dans les mains des internautes, et notamment des plus jeunes. Explication : « On ne peut pas penser uniquement en fonction de la liberté. Il y a des choses qui se soustraient à cela. Quand vous lisez, vous vous aliénez. C'est une forme positive d'aliénation. Commencer à lire, c'est accepter une double forme d'aliénation : celle au livre et celle au goût de l'autre » (car on lit un livre sur les conseils de quelqu'un, ou du fait de sa renommée). Il faut donc parfois accepter de se soumettre à l'autorité du livre. Internet est à ses yeux le système qui balaiera cette nécessaire aliénation. Il conduit à un zapping textuel généralisé, à l'opposé de l'attitude du lecteur qui fait confiance à un auteur en passant du temps avec lui, mais aussi à la possibilité d'agir sur le texte, de le modifier, d'en devenir donc coauteur. Là où certains se réjouissent de ce « partage », Alain Finkielkraut tire la sonnette d'alarme : rentrer dans une œuvre est à l'opposé de la démarche du surf sur Internet. Lire, c'est accepter de prendre le temps de rentrer dans le cheminement de l'auteur, poète, romancier ou essayiste, de s'en remettre à lui, parce qu'on sait qu'il a quelque chose à nous apprendre.

« Le drame, c'est qu'on ne *désinvente* rien. On est libre de tout, sauf de revenir en arrière. » S'il en avait les pouvoirs, Alain Finkielkraut « désinventerait » volontiers pêle-mêle Internet, la télécommande de la télé et le scooter des mers – bruyant, polluant et égoïste ! Sa boutade sonne comme un avertissement : personne n'est consulté lorsqu'une technologie comme Internet émerge. Elle se développe, et la réflexion sur ses conséquences arrive généralement trop tard.

L'autorité de l'œuvre et de l'artiste est-elle menacée ? Internet, c'est vrai, balaie un des avantages que nous procurait le livre : être édité, c'était être consacré. Donc mériter une forme d'attention. Dès lors que tout le monde peut écrire, même dans le vide, sommes-nous condamnés à évoluer dans un univers de plus en plus cacophonique, où aucune parole n'émerge du lot pour *faire autorité* ? Si toutes les paroles se valent, aucune n'a de valeur. Et certains de prôner une interdiction « radicale » de l'Internet à l'école, pour maintenir cette relation « asymétrique » entre l'élève et l'œuvre à laquelle il est confronté. Ce genre de discours est sans doute trop iconoclaste pour être abondamment relayé par les médias, d'autant que, trop simplifié, il peut passer – à raison parfois – pour une simple réaction de conservatisme face au changement. Roger Chartier [8], le spécialiste de l'histoire du livre, rappelle ainsi que l'apparition de l'imprimerie avait suscité des foudres qui résonnent étrangement aujourd'hui. On craignait que la démocratisation de l'écrit n'entraîne l'apparition de textes médiocres, ou carrément nuisibles. Ainsi, à la charnière des XVe et XVIe siècles, le dominicain Filipo di Strata avait-il déclaré à Venise que l'imprimerie corromprait « les textes, mis en circulation dans des éditions hâtives et fautives [...], les esprits, en diffusant des textes immoraux et hétérodoxes [...] et le savoir lui-même, avili du seul fait de sa divulgation auprès des ignorants ». Une diatribe qu'il avait résumée par la formule : « La plume est une vierge et l'imprimerie une putain. » Tout se passe aujourd'hui comme si la putain avait miraculeusement retrouvé sa virginité et laissé l'écrit électronique faire le trottoir à sa place. En attendant que ce dernier se structure à son tour pour gagner ses lettres de noblesse.

C'est un fait : les adultes sont rarement en mesure de rivaliser avec les plus jeunes face aux nouveaux outils technologiques. Mais ne nous y trompons pas : les nouvelles technologies ne signent pas l'arrêt de mort de l'autorité. Si crise de l'autorité il y a, ses causes sont certainement antérieures. Surtout, à mesure que l'usage des nouvelles technologies s'imposera, les disparités entre générations s'estomperont. Il n'est que de voir les statistiques du ministère de l'Éducation nationale : dans dix ans, la moitié du corps enseignant aura été renouvelée. Et les « bambins » qui cherchent aujourd'hui la faille face à un prof perdu dans l'univers informatique seront pour certains passés de l'autre côté du bureau... Eux n'auront pas peur d'affronter Internet devant leur classe.

8.

C'est Molière qu'on assassine

La génération Internet saura-t-elle encore écrire le français ?

Minionne allon voar si la roz
Ki ce mat1 avé décloz
Sa rob 2 pourpre O soleil...

Ce n'est plus tout à fait du français. Ce n'est pas de l'espéranto non plus. Ni ce qu'on appelait autrefois du « petit nègre ». Mais c'est le langage de nos enfants, celui qu'on parle dans les cours d'école – ou plutôt qu'on y écrit – lorsqu'on envoie des SMS (short message service) sur son téléphone portable...

Pourquoi remplacer « qui » par « ki » ou « de » par « 2 » ? Pour le plaisir de provoquer l'Académie française ? Pour commettre un sacrilège en mutilant les rimes de l'éternel Ronsard ? Non, vous n'y êtes pas. Les ados abrègent parce que cela va plus vite, tout simplement. Après tout, c'est nous qui leur avons appris à vivre à 100 à l'heure, comment le leur reprocher ? Écrire « qui », c'est imprimer trois lettres sur l'écran, et frapper six fois sur les touches (deux fois pour le Q, deux fois pour le U, trois fois pour le I). « Ki », lui, économise deux impulsions, soit un petit tiers de l'effort. *Idem* s'ils écrivent « moa » au lieu de « moi », qui compte pourtant le même nombre de lettres : le i demande trois frappes, contre une seule pour le a.

Quant aux mots d'anglais que l'on retrouve aussi dans les mini-textes transmis par téléphone ou par e-mail, ils ont la même vertu : la concision. « Bye » sera toujours plus rapide qu'« au revoir », B4 (before) qu'« avant », « lol » (loughing out loud) que « je suis mort de rire », ou « ASAP » (as soon as possible) que « dès que possible ». Car les Anglo-Saxons, en plus, ont le sens du sigle. Bien pratique lorsqu'on envoie des messages qui ne peuvent dépasser 460 caractères. Nos voisins n'ont pourtant plus le monopole des abréviations, la langue de Molière les découvre peu à peu : RV pour Rendez-vous, A + pour À la prochaine, NRV pour Énervé ou R29 pour Rien de neuf *.

Les puristes ont beau hurler, ce sport est de plus en plus pratiqué. Le succès des SMS a surpris jusqu'aux opérateurs téléphoniques. Personne n'avait prévu que la moitié des lycéens s'échangeraient au moins un SMS par jour en 2001 [1]. Ni qu'en 2002, six milliards de ces messages seraient envoyés en France, c'est-à-dire le double de l'année précédente ! À tel point qu'au cours de la première heure de l'année 2003, à l'occa-

* Voir d'autres exemples dans le « Mini-glossaire SMS à l'usage des néophytes », en annexe 2.

sion des vœux de nouvelle année, 14 millions de SMS ont été envoyés sur les seuls réseaux Orange et SFR. Le marketing n'a pas lancé le phénomène, il s'est contenté de le rattraper. Et les opérateurs d'encourager leurs jeunes abonnés à cette inventivité langagière. « Parlez-vous texto ? » demandait SFR dans sa campagne de publicité au milieu de l'année 2001. Texto est le nom que la filiale de Cegetel a donné à ses SMS, tandis qu'Itinéris les a appelés mini-messages. Pour bien se faire comprendre, il en affichait carrément des exemples faciles à « traduire » sur les Abribus : « Pourkoi tan 2N ? » « T'A L'R NRV »... McDonald's a même surfé sur le phénomène en offrant avec ses menus des « Dicos SMS ». Idéal pour attirer les lycéens dans ses restaurants.

Lire des SMS sur son portable est à la portée de tous, même des académiciens les plus réfractaires : il suffit de s'arrêter quelques instants sur les mots, ou de les prononcer à voix haute, pour traduire en bon français ce langage phonétique. Mais participer sur son clavier d'ordinateur à une conversation dans un *chat room* demande davantage d'entraînement. Si vous n'avez jamais pratiqué, voici un extrait de conversation assez représentatif (en clair : languissant et interminable, au moins pour le non-initié) de ce qu'on trouve, à toute heure du jour, dans ces salons virtuels * :

* Relevé le 16 octobre 2001 sur Multimania, dans un salon pour les adolescents.

< mossieur_yo > arf
Trunk_88 a rejoint le canal
< PeterLoisel > crack si c est loin...
<crackoye > peter > de chez toua...
< mossieur_yo > bah si deçu
< crackoye > : P
____Linoa___ a rejoint le canal
< mossieur_yo > re linoa
< crackoye > re lino$
< PeterLoisel > de chez moi, 3 h 30 de train
< ____Linoa___> re all
mortell2 a rejoint le canal
< crackoye > peter > t'es po au canada toi ?
< ____Linoa___> je re
____Linoa___ a quitté le canal
visiteur_2805 a rejoint le canal
miss008 a quitté le canal
El_Gato_Lopez a rejoint le canal
< crackoye > ===>a rien pigé...
< visiteur_2805 > re fosse manip
< mortell2 > salu toule monde
Trunk_88 a quitté le canal
visiteur_2806 a rejoint le canal
< visiteur_2805 > sex bomb
< PeterLoisel > y a du monde d un coup...
< crackoye > peter > *vent*
< visiteur_2805 > ba ouai on es 8 super
< mossieur_yo > pfffffffffffffffffffffffffffffffff..
si deçu.. >mossieur_yo > 05 super
< mossieur_yo > youplaboum

< crackoye > l o l
visiteur_2806 a quitté le canal
< mossieur_yo > a merde on est 7
< crackoye > peter > ms *vent kan mm*
< PeterLoisel > super ouais...
The_BaSsMaN a rejoint le canal
< mossieur_yo > ooooooooooooh pas glop !
< El_Gato_Lopez > cest vide
< mossieur_yo > aaah on est re 8
< mossieur_yo > merci kel
ophelie94 a rejoint le canal
< visiteur_2805 > pffff komen je v fair pour mes mail moa
< El_Gato_Lopez > hello ophelie
< mossieur_yo > 05 comme tlm
< visiteur_2805 > non 9
< PeterLoisel > crack je suis rentrée du canada. je fais mes etudes a geneve.
< mossieur_yo > 05 les mails sont pas encore empoisonné t'inkiete< PeterLoisel > (scuse j avais pas vu la question) < visiteur_2805 > mr yo < ca suffi di donc tu me cherche ? ? ?
< El_Gato_Lopez > peter > tres de geneve
< crackoye > peter > oki g tt compris alors
< mossieur_yo > 05 > naaaaaaaaaaaaaaaaaaan
< crackoye > re kel
< ophelie94 > salut a tous
< visiteur_2805 > yo > jesper je voudrai pa mourir a cose dun mail < mortell2 > ya personne ici sauf un connard de peterloisel la meme bande que bob

< crackoye > yo > emmerde po les pov ziteurs
< mossieur_yo > mortell > tu te calme ?
< visiteur_2805 > yo < tu ma porte chance ca remarche < crackoye > mortell > super !
< visiteur_2805 > je tador kiss

On est loin des salons de Madame de Sévigné. Le béotien qui se connecte à un site de *chat* pour la première fois et tombe sur ce genre de conversation se demande généralement si son ordinateur ne donne pas des signes de fatigue, ou si le site Internet qu'il consulte n'a pas été victime d'un « bug » malencontreux. Le visiteur néophyte a d'autant plus de mal à réfléchir à ce qu'il lit que ces lignes de caractères obscurs apparaissent à toute vitesse, à la queue leu leu, sur l'écran, aussitôt délogées par d'autres lignes tout aussi déroutantes. Et les quelques mots familiers qui surnagent ne suffisent pas à restituer le sens global de l'échange.

Le chat speak *en trois leçons*

Pour comprendre ces conversations absconses, il faut détenir au moins trois clefs. D'abord, savoir que les participants sont identifiés par des pseudonymes : peter loisel, crackoye, Ophélie 94, mossieur Lopez... Chaque prise de parole est automatiquement précédée par le pseudo de celui qui va intervenir. De temps à autre, des sortes de didascalies électroniques

(« *XXX a rejoint le canal* ») surgissent pour prévenir, dans un style neutre et impersonnel, des entrées et sorties des personnages sur le plateau. Comme au théâtre.

Deuxième clef, les conversations des participants sont entremêlées. Certains messages s'adressent à tout le monde, d'autres à certaines personnes en particulier (comme cette conversation entre « visiteur 2805 » et « mossieur-yo » qui évite de justesse la rixe verbale – « ca suffi di donc tu me cherche ? ? ? » – mais se termine, heureusement, par une réconciliation émouvante : « je tador kiss »). D'où l'absence de continuité apparente. Comprendre une ligne n'aide pas à déchiffrer la suivante puisque des dizaines de conversations peuvent se superposer sur le même écran. Autrement dit, plusieurs pièces de théâtre s'écrivent en même temps, en direct.

La dernière clef est évidemment celle de la langue employée : le *chat speak*, comme l'ont baptisée les Américains. La conversation *via* écrans interposés mêle le langage raccourci (je tador ; a cose ; jesper ; je v fair), les mots anglo-saxons (kiss) et les fautes d'orthographe (absences d'accents, d'apostrophes, de s à la 2e personne du singulier). Avec souvent, en prime, la prononciation québécoise (t'es po au Canada), puisque beaucoup de participants, dans les *chat rooms* francophones, habitent la belle province.

Un « langage en jean » ?

Oublions le vide sidéral des conversations (le seul thème qui tienne tout le monde en haleine est le décompte des entrants et des sortants sur le forum). Observons seulement la forme. Première constatation : pour celui qui n'a pas grandi dedans, « parler » ce nouvel idiome ne s'improvise pas. Car s'ils ne se disent presque rien, les chatteurs se le disent vite. Quiconque voudrait donner son avis de façon construite, en y consacrant plusieurs lignes, mettrait trop de temps à le rédiger. Et ses propos apparaîtraient à l'écran trop tard. Plus personne ne s'y intéresserait. Prendrait-on d'ailleurs le temps nécessaire pour lire un avis, s'il s'étalait sur plusieurs phrases ? D'autres interventions viendraient le déloger dans les secondes qui suivent sa mise en ligne.

Deuxième remarque, la politesse a fait long feu. Entre ces borborygmes et les formules respectueuses dont on nous a appris à remplir nos courriers, il y a un monde. Ici, le protocole est plus qu'inutile : il serait ridicule. Et cette remarque dépasse le simple cadre des *chats* ou des SMS pour ados : les e-mails échangés dans le cadre professionnel font déjà l'impasse sur les « Je vous prie d'agréer... » pour se contenter du plus cavalier « cordialement ». De plus, le tutoiement y est souvent de rigueur. Pour reprendre l'expression du sociologue Philippe Breton [3], tous les pratiquants de la correspondance électronique s'adonnent au « langage en jean's ».

D'où peut venir cette attitude décomplexée vis-à-vis de la langue ? Elle découle du statut privé des échanges électroniques, estime Thierry Leterre, un professeur à l'Institut d'études politiques de Paris qui s'est intéressé au sujet. Auparavant, l'écrit avait vocation à être universel. On s'adressait au monde dans son ensemble. D'où la profusion de protocoles et de règles – grammaticales, orthographiques, ou de savoir-vivre. L'acte d'écrire, du code civil à la dissertation, correspondait à une mise sur la place publique du discours. Tandis que l'e-mail, les SMS, ou même le *chat* redonnent droit de cité à l'écrit des billets doux et des listes de courses. D'où le caractère « flexible » de l'orthographe, selon l'expression de Thierry Leterre. Au fond, l'orthographe n'a de raison d'être que dans la mesure où le texte est public. S'il devient confidentiel, plus rien ne justifie ce carcan de règles complexes.

Pour les spécialistes, ce nouveau langage s'inscrit dans un registre de langue inédit, un hybride à mi-chemin entre l'écrit et l'oral. Rachel Panckhurst [4], maître de conférences en linguistique à l'université Paul-Valéry-Montpellier III, a effectué une recherche pour tenter de cerner la part d'écrit et la part d'oralité dans cette « oralité écrite ». Son objectif était de savoir enfin de quel côté classer le courriel, comme on dit désormais. Au moyen de logiciels d'analyse linguistique, la chercheuse a dépouillé le contenu de 1 285 courriers électroniques. Et les résultats sont malheureusement formels : l'e-langue se trouve... exactement au milieu !

Pourtant, la richesse lexicale des messages analysés est très nette. La langue électronique contient beaucoup de noms (entre 41 et 44 % des mots, selon les logiciels utilisés) et son vocabulaire contient 75 % de « formes distinctes », ce qui devrait faire pencher la balance du côté de l'écrit, dont la variété est une des caractéristiques propres. Mais ce n'est pas si simple. Car la nouvelle langue souffre d'un déficit en verbes : ils ne représentent que 11,7 % des termes contenus dans les messages analysés par Rachel Panckhurst, un taux extrêmement faible en comparaison des autres formes d'écrit (les textes littéraires, journalistiques, techniques, juridiques ou commerciaux affichent entre 24,5 % et 28,8 % de verbes). De plus, la diversité de ces verbes est réduite, ce qui fait, cette fois, pencher la balance du côté de l'oralité. Conclusion : les technologies suscitent des comportements langagiers nouveaux et difficilement classables.

Moins exigeant que la lettre ou le coup de téléphone

Si l'on crée un langage nouveau, c'est aussi parce que, dans le cadre des échanges privés, on cherche à exprimer des choses nouvelles, qui ne trouvaient pas jusqu'alors de moyen d'expression. Autrefois, on n'envoyait que rarement une lettre lorsqu'on n'avait rien d'autre à dire que « coucou, tu vas bien ? moi ça va ». La lettre suppose qu'on veuille transmettre des informations importantes, délicates, ou symboliques (nouvel an, anniversaire, vacances...). Quant au téléphone, on ne l'utilise le plus souvent que lorsqu'on a quelque chose à dire ou à demander (encore qu'avec le portable, les conversations se limitant à un « t'es où ? » et « tu fais quoi ? » se multiplient). Ce type d'échange purement « gratuit » ne pouvait donc relever que de la rencontre physique fortuite, dans un couloir ou une cour de récréation. Et ne pouvait, par définition, exister entre personnes physiquement éloignées. Le courriel a tout changé.

Pour la sociologue Pascale Weil, l'écrit électronique a aussi permis l'apparition d'une nouvelle catégorie littéraire : le « murmure intime ». Parler de soi par des détails infimes qui n'auraient pas mérité de figurer sur une lettre manuscrite, tant celle-ci était plus lourde, officielle, contraignante. Ou que l'on aurait évacués, dans un moment de fougue, sur une feuille blanche... pour mieux la jeter à la corbeille le lendemain matin. À la différence du téléphone, le destinataire est totalement absent au moment où l'on s'exprime ; il n'est pas là pour intimider. L'outil est d'une simplicité telle qu'on se livre facilement.

Cette propension à parler de soi dans les courriels est confirmée par Jos Tontlinger et Michel Piéront, deux psychanalystes belges qui se sont livrés à des expériences plutôt novatrices. Comme certains de leurs patients étaient dans l'obligation de quitter la région où ils exerçaient, les thérapeutes avaient le choix entre abandonner leurs analyses au milieu du gué ou trouver un moyen pour continuer d'« échanger ». Comment remplacer le divan sur lequel les patients s'allongent pour mieux se confier ? Par quel moyen poursuivre à distance un « dialogue » aussi libre, informel et décontracté ? L'e-mail s'est imposé. Évidemment, la plupart de leurs confrères se sont élevés contre cette méthode très peu orthodoxe : « Ce sont les adorateurs du père, ceux qui se refusent à évoluer, qui nous critiquent, objecte Michel Piéront. Ils oublient que Freud lui-même avait utilisé la correspondance pour analyser un petit garçon ! » Certes, mais le fameux cas du « petit Hans », auquel il se réfère, renvoie à une « cure » expérimentale et indirecte, menée en fait en face-à-face par le père de l'enfant, qui lui-même prenait ses directives auprès du maître viennois. Et Freud fondait son analyse sur le transfert, ce lien affectif immédiat qui s'instaure entre un patient et le psy, ce qui rendait par construction difficile tout travail par correspondance.

Au total, même si elle a nécessité de grandes précautions dans son application et la mise en place de quelques garde-fous – notamment l'obligation de garder un contact physique régulier avec le patient –, l'expérience, selon ses promoteurs, s'est révélée fructueuse. L'analyse par correspondance électronique donnerait même des résultats thérapeutiques plus rapides que le divan ! « Dans une analyse classique, il faut au moins un an pour cerner un patient, estime Jos Tontlinger. Ici, quelques mois suffisent. » La raison ? L'isolement de l'analysé au moment où il se confie lui donne le sentiment de ne se parler qu'à lui-même : « Si vous devez avoir une discussion délicate avec quelqu'un, explique Michel Piéront, vous préférez le téléphone car il permet de ne pas se voir dans les yeux. L'e-mail ajoute encore à cette distance : il est encore plus facile de s'épancher. » Mais s'il s'agit de psychothérapie, est-ce encore de l'analyse ?

De nouveaux outils pour transmettre l'émotion

Pour le linguiste Jacques Anis, cette écriture plus proche de soi nécessite davantage d'expressivité. L'écrit classique génère une frustration ; les utilisateurs des outils électroniques trouvent des moyens nouveaux pour transcrire leurs émotions ou leur état d'esprit. Ainsi pour dire, par exemple, qu'ils sont en train de plaisanter et qu'il ne faut pas prendre au premier degré ce qu'ils écrivent. À l'oral, un coup d'œil ou une intonation suffisent à faire passer le message. Mais dans une lettre, à moins d'être un grand styliste capable d'écrire « entre les lignes », il faut être explicite, se découvrir, ce qui casse le jeu. La langue virtuelle permet de retrouver la connivence de l'échange physique grâce aux fameux « smileys ». Ces dessins qu'on appelle en bon français des « émoticons » et en québécois des « binettes » (c'est plus joli) sont de simples associations de signes de ponctuation qui permettent de schématiser un visage expressif. Leur sens apparaît dès que l'on penche la tête à 90 degrés sur la gauche. Du très usité « :-) », qui signifie « je rigole », aux trouvailles plus farfelues, comme « @ :-{ (« je reviens de chez le coiffeur »), voire ridiculement inutiles, comme la figure du trompettiste Dizzy Gillespie soufflant dans sa trompette, représentée par le smiley « :-8p », l'imagination des ados s'est engouffrée dans ce nouveau mode de communication, avant tout ludique. Mais qui répond à un besoin réel.

Lequel ? Celui de « recréer la matérialité et la corporalité absentes dans ce qui n'est que de la "conversation écrite" ». Pour Florence Mourlhon-Dallies, linguiste à l'université Paris III, et Jean-Yves Colin, maître de conférences au Laboratoire informatique du Havre, on peut étudier les smileys au même titre qu'un ensemble d'éléments qui, dans un texte électronique, ne relèvent pas de l'échange lui-même, mais de sa mise en perspective. C'est ce qu'ils appellent, par référence au théâtre, les « didascalies électroniques [5] ». Elles sont exprimées avec des mots – par exemple « je plaisante... » – ou avec des signes (mise entre astérisques d'un mot pour insister sur ce dernier), et répondent donc au besoin de « matérialiser » un texte, c'est-à-dire de lui donner davantage de présence. Dans leur étude, Florence Mourlhon-Dallies et Jean-Yves Colin font remarquer que l'internaute, comme l'auteur de théâtre qui précise ses idées pour une mise en scène qu'il ne contrôlera pas, cherche à rendre plus explicite la vision de ce qu'il écrit : « Le texte lui échappe, mis en orbite dans un univers virtuel, sans ancrage dans le concret, ouvert à toutes les interprétations. » C'est pourquoi ces didascalies « à caractère compensatoire » se multiplient.

Plus personnelle, plus libre, et moins formatée, la langue utilisée aujourd'hui dans le cyberespace, et dont les lycéens sont friands, n'en finit pas d'inventer et de balayer les règles anciennes. L'oral, qui fait irruption dans l'écrit, ne le menace pas mais le renouvelle. « L'écrit est réhabilité grâce à l'essor d'Internet », estime Rachel Panckhurst avant de relativiser : « Toutefois, cet écrit ne répond plus aux critères d'antan. » Mais si les vieux critères sont balayés, que valent les nouveaux ? Difficile de se réjouir béatement quand un système solide et éprouvé est mis à mal en quelques années par l'irruption des technologies.

Ceux qui ne se formalisent pas de cette « charmante créativité » dont témoignent les ados – estimant que ce n'est, au fond, qu'un jeu qui, comme les anneaux dans le nez ou les codes vestimentaires, n'a qu'un temps – ne peuvent pour autant éluder les questions que posent les technologies sur l'avenir de l'écrit. Beaucoup doutent que la rédaction de textes « classiques », dans le respect de normes communes à tous, avec une construction linéaire, soit encore à la portée de gamins qui, dès la maternelle, auront utilisé le PC et le téléphone mobile. Pour les générations passées, celles qui ont subi les dictées de l'école primaire, c'est certain : les mots réduits par écrit à leur forme orale auront toujours quelque chose en moins. La finesse, la précision, et même la beauté semblent incompatibles avec le nouveau langage des lycéens. Vont-ils, eux, s'en contenter ? L'acte de lecture ne sera probablement pas épargné non plus. Sauront-ils lire les textes anciens ? Existe-t-il un risque de rupture culturelle, l'ère électronique marquant en quelque sorte l'an 1 de leurs références textuelles ?

Autrement dit, que restera-t-il, dans vingt ou trente ans, de l'écrit tel que nous le connaissons ? Un de ses attributs – au moins – risque d'être remis en cause par les nouveaux supports : ce que Roland Barthes appelle, dans un article de 1973 sur la théorie du texte, la *sécurité*. Le texte, explique Roland Barthes, rassemble « des fonctions de sauvegarde : d'une part, la stabilité, la permanence de l'inscription, destinée à corriger la fragilité et l'imprécision de la mémoire ; et d'autre part la légalité de la lettre, trace irrécusable, indélébile [...] Le texte est une arme contre le temps, l'oubli, et contre les roueries de la parole qui, si facilement, se reprend, s'altère, se renie ». Le texte de Barthes aurait-il, lui, vieilli en à peine trente ans ?

Barthes précisait en effet : « Cette conception du texte (conception classique, institutionnelle, courante) est évidemment liée à une métaphysique, celle de la vérité. » Or, avec l'e-écriture, les mots, même sous leur forme écrite, ne sont plus garantis par le sceau de l'authenticité. Ils sont immatériels, et ne laissent pas de trace imprimée (sauf si votre correspondant décide d'imprimer vos dires, mais cela ne vient pas de vous). Écrire n'engage donc plus autant, en apparence en tout cas ; on peut désormais (ou on croit pouvoir) professer des « paroles en l'air » sous une forme non orale... L'histoire de David H., cet étudiant d'HEC qui a critiqué dans un e-mail adressé à toute son école un cabinet de conseil qui ne lui avait pas proposé un entretien d'embauche au moment qui l'arrangeait, en est un contre-exemple quasiment unique. Dans un mail privé, il avait ensuite tenu des propos machistes à l'encontre d'une de ses camarades qui l'avait remis à sa place. Ses remarques, relayées par des milliers de personnes, à commencer par la jeune fille insultée, ont fait le tour du monde. Et ses propos « oraux » – jetés négligemment par mail – le suivent encore aujourd'hui... Dans l'univers virtuel, on ne se soucie pas de la trace laissée par ses écrits. Ce chatteur se présente comme un jeune cadre épanoui : comment le croire ? Qui dit qu'il n'est pas un usurpateur ? Quant à cet émouvant courrier électronique d'un réfugié africain s'adressant à vous spécialement pour solliciter votre aide, n'est-il pas troublant qu'il ait fait le tour du monde en quelques jours ? Sans parler des phénomènes de rumeurs, auxquels le web a offert un espace de propagation inespéré. Traçabilité impossible, vitesse d'expansion inégalable, les ingrédients sont réunis pour quitter l'univers de la « sécurité » et entrer dans celui du flou.

« Avec la communication dans sa forme électronique apparaît une sorte d'*homo ludens*, explique Pascale Weil. La communication devient un jeu, où les gens ne cherchent plus vraiment à avoir une information véridique. » On entre alors dans la communication pour la communication, où l'on se contente de propos « un peu vrais ». Comme le montre l'extrait de *chat* reproduit plus haut, l'essentiel est d'échanger, peu importe ce qu'on se dit.

Ou, pis, on va chercher à exprimer, dans cet univers virtuel et totalement libre, tout ce qu'on aurait rêvé d'être, et que, précisément, on n'est pas. Jos Tontlinger et Michel Piéront, les deux thérapeutes qui utilisent l'e-mail, en ont fait l'expérience, et c'est pourquoi ils considèrent comme impératif de garder un contact réel avec les patients. Avec cette méthode, « l'analysant manque d'un contrôle dans le réel », reconnaît Michel Piéront. « Certains patients peuvent alors confondre leur être avec leur imaginaire »... et perdre toute maîtrise de leur discours.

Quand on est psychanalyste, et donc capable de repérer rapidement les dérapages, le risque de prendre pour argent comptant un tissu de délires est *a priori* sous contrôle. Mais *quid* des salons de *chat* où les ados déblatèrent sans garde-fous ? En fait, les jeunes utilisateurs se disent parfaitement conscients des risques encourus. Il est vrai que la plupart des sites multiplient les mises en gardes directes : « Ne donnez jamais votre adresse à quiconque », « N'allez jamais seul(e) à un rendez-vous », etc. Au bout du compte, le doute fait partie du jeu. Comme l'a reconnu une adolescente de quatorze ans de Besançon que nous avons interrogée après l'avoir « rencontrée » sur un salon de *chat* : « les mythos ? Bien sûr qu'il y en a. Mais on apprend à les détecter : ils finissent par se contredire »...

Heureusement, les détraqués mentaux ne courent pas les rues, ou les « tuyaux ». Sauf exception, le risque qu'ils représentent relève plus du fantasme que de la réalité. Pour autant, l'impression de « flou » reste indéniable, car l'outil lui-même facilite les interventions de chacun dans le texte. À partir d'un premier e-mail, des échanges, des jeux de réponses, des dialogues, ou même des envois multiples à des personnes tierces vont se succéder, si bien que le message final – les messages finaux, reçus par plusieurs personnes – rendra difficile de « sourcer » les propos des uns et des autres. Le texte n'est plus, comme autrefois, une forme linéaire par laquelle une personne unique exprime et développe sa pensée, mais une imbrication de prises de position diverses. Fabienne Cusin-Berche [6], maître de conférences en linguistique à l'université Paris-Sud, relève cette difficulté, en signalant « l'absence de visibilité, voire de lisibilité d'une situation d'énonciation complexe à laquelle on n'est pas habitué ».

Cette nouveauté dépasse le simple échange de courriers : on peut prédire, avec Roger Chartier, ce directeur d'études à l'École des hautes études en sciences sociales et spécialiste de l'histoire du livre que nous avons déjà évoqué, que la forme du livre elle-même est appelée à évoluer : « Avec le texte électronique, le lecteur peut devenir coauteur [...]. La distinction, fortement visible dans le livre imprimé, entre l'écriture et la lecture, entre l'auteur du texte et le lecteur du livre, s'efface au profit d'une réalité autre : celle où le lecteur devient un des acteurs d'une écriture à plusieurs voix ou, à tout le moins, se trouve en position de constituer un texte nouveau à partir de fragments librement découpés et assemblés. » Ici réside peut-être la véritable révolution de l'écrit. Et si l'on suit Roger Chartier, il importe, plutôt que de s'en réjouir ou de s'en plaindre, de « rendre perceptibles le statut et la provenance des discours et, ainsi, de leur attribuer une plus ou moins forte autorité selon la modalité de leur " publication " ».

Voilà qui nous éloigne un peu plus de l'écrit sur papier. Le texte électronique n'est plus obligatoirement l'émanation directe de la pensée d'une personne, qui construit son discours et en assume les conséquences devant les autres. Plusieurs personnes peuvent être imbriquées dans un même texte. Cette nouveauté, qui offre des perspectives intéressantes (notamment la possibilité de construire une pensée à plusieurs, en dépassant le travail d'un cerveau isolé), jette tout de même une certaine confusion sur le discours : qui parle ? Et, d'autre part, la possibilité d'écrire dans un cadre immatériel et parfois anonyme semble délivrer de l'obligation de vérité, de sincérité. La grande force de l'écrit, celle d'offrir une garantie, un lest au discours, se trouve balayée.

Le bon français et le langage SMS ne se contaminent pas

Enfin, de même qu'il est moins impératif d'assumer ses propos, la nécessité de respecter une orthodoxie dans la forme s'effondre. Internet donne-t-il le coup de grâce à l'orthographe, déjà menacée par diverses propositions officielles tendant à la simplifier ? L'orthographe est-elle définitivement démodée ? Selon un sondage réalisé en 2001 par le CSA pour le magazine *La Vie*, 66 % des Français jugent que l'utilisation du Net va « affecter l'orthographe et la langue française ». Peut-on espérer que ceux qui auront, pendant toute leur adolescence, pris des libertés avec les règles de la dictée soient encore capables de la respecter ?

Les ados des années 2000 se veulent rassurants : ils affirment remplacer « ki » par « qui » dès qu'ils reprennent le stylo. Mais l'argument est insuffisant. Et surtout, il est encore invérifiable. Xavier Darcos, déjà cité, estime, lui, que l'on risque de « textologuer » très rapidement : « On voit déjà apparaître, sur les copies, des abréviations. Une langue est quelque chose de vivant, elle subit une entropie extrêmement forte. Peu à peu, on ne saura plus ce qu'est la forme pure [7]. » Jacques Anis, pourtant, objecte : pour lui, les ados ne confondront jamais dictée et langage SMS. De même qu'un enfant sait très bien qu'il ne doit pas parler à sa mère de la même façon qu'à un copain de classe, « le support et la personne à qui l'on s'adresse déterminent la manière de s'exprimer ». On leur apprend d'ailleurs, à l'école, qu'il existe trois catégories de langage : le langage « soutenu », le langage « courant », et le langage « familier ». Le langage SMS pourrait constituer une quatrième catégorie : le langage « de tribu ». Car les jeunes écrivent le SMS comme ils parleraient l'anglais : ce langage n'appauvrit pas leur langue, il en constitue une autre, bien distincte. Le « bon français » et le langage SMS ne se contamineraient pas.

La perturbation ne serait donc pas aussi dangereuse qu'on le croit. Et pour deux autres raisons au moins. La première est d'ordre pratique. Les nouvelles façons d'orthographier un mot – ce que les spécialistes, après Jacques Anis, appellent les « néographies » – ne peuvent pas se développer à l'infini. Jacques Anis, dans l'ouvrage *Internet, communication et langue française*, explique pourquoi : « L'usage des néographies [...] perturbe les routines d'écriture et de lecture. En conséquence, les néographies doivent toucher des mots fréquents ou des familles entières pour devenir elles-mêmes routinières et ne pas ralentir la scription et éventuellement se banaliser dans le groupe. » Qui plus est, on écrit toujours pour un destinataire. Et s'il peut être plus simple pour celui qui prend la parole de bafouer les règles de l'orthographe, la lecture n'en devient que plus difficile pour l'autre. Il se crée donc automatiquement un équilibre, un juste milieu. L'irruption de l'électronique dans l'univers de l'écrit ne peut pas se traduire par une orthographe aléatoire. La règle, même dans ce contexte, garde son utilité.

Ce sont donc de nouvelles règles qui apparaissent – non des fautes de français. Des familles de mots (ki, ke, koi) sont modifiées, mais toujours de la même manière. L'essentiel est de recréer une nouvelle communauté linguistique, de respecter les mêmes codes. Les perturbations orthographiques marquent l'appartenance à une tribu. Plutôt que de chercher à détruire définitivement les règles, les chatteurs veulent s'en créer de nouvelles, pour appartenir à la même communauté. Hillary Bays, auteur d'une thèse à l'École des hautes études en sciences sociales [8], le confirme. La volonté d'écrire vite n'explique pas à elle seule ce mépris de l'orthographe, le « *chat speak* » est avant tout un phénomène sociologique : « On cherche, par ce moyen, à appartenir à la même caste que les autres. » La micro-société des adolescents avait déjà ses codes oraux qu'elle renouvelait au fur et à mesure que les adultes s'en emparaient ; elle s'empresse d'en créer de nouveaux pour parler en ligne. L'anthropologue Bernard Traimond, auteur de *Une cause nationale : l'orthographe française,* ne dit pas autre chose : « L'orthographe est aussi un moyen d'établir des connivences, que ce soit avec le pouvoir ou avec quelqu'un. La forme écrite est toujours fonction du destinataire qu'elle vise. ».

Certains se réjouiront donc de voir l'écrit retrouver la spontanéité qu'il avait perdue à force d'être « instrumentalisé » par un pouvoir politique traditionnellement trop centralisateur. Quant à ceux qui s'inquiètent de voir Ronsard réécrit dans cette langue barbare, qu'ils se rassurent : peut-être lira-t-on un jour « la rose, ki ce matin... », mais jamais, au grand jamais, on ne lira « ky ce matin ». Il y a tout de même des règles à respecter !

9.

L'ordinateur est-il sexiste ?

Le multimédia va-t-il accroître les inégalités entre filles et garçons ?

« Quand je m'aventure dans un magasin d'informatique, c'est comme si j'entrais dans un sex-shop. » Muriel Leclère, quarante-trois ans, vit avec un « fondu » d'ordinateur. Ce dernier passe ses week-ends à monter des PC pour les copains ou à réparer les consoles des petits voisins. À deux ou trois reprises, c'est Muriel qui est allée chercher la pièce manquante au bout de la rue, chez le distributeur, un autre mordu d'informatique qui, lui, en a fait son métier. « Il n'y a jamais de femmes dans son magasin. Ou alors, elles sont gênées, maladroites, pressées d'en finir. » Et les clientes vraiment « pro » – celles qui se lancent dans une comparaison impromptue des mérites respectifs de la X-box et de la Gamecube, ou de la dernière imprimante Toshiba et son homologue Compaq – passent, plus encore que les autres, pour des illuminées.

L'ordinateur serait donc une chasse gardée masculine ? « Des expériences ont été menées avec des enfants de quatre à six ans, explique Justine Cassell, chercheuse et enseignante au Medialab de Boston, au sein du MIT (Massachusetts Institute of Technology). Il leur était demandé de répartir une série de jouets entre des filles et des garçons. Or tous, garçons ou filles, attribuaient l'ordinateur aux garçons et la dînette aux filles. » À en juger par cette seule expérience, le fossé ne serait pas près de se combler.

Les petits génies de l'informatique, les Bill Gates et les Steve Jobs, ne se conjuguent pas non plus au féminin. Les filles possèdent des ordinateurs mais, apparemment, il ne leur viendrait pas à l'idée d'ouvrir le capot pour ajouter une barrette de mémoire. Pour elles, le micro est un outil, pas un objet de curiosité. Exactement comme l'automobile : elles sont presque aussi nombreuses que les hommes à en conduire une, mais elles n'aiment pas la laver ou fouiner dans le moteur.

Caroline Delecourt, quinze ans, une jolie brunette aux yeux pétillants d'intelligence, ferait presque figure d'exception. Cette escrimeuse, plutôt bonne élève, passe au moins deux heures par jour (jusqu'à cinq le samedi ou le dimanche) sur son ordinateur, exclusivement devant les jeux vidéo. Il est vrai qu'elle habite à Ponthierry, en Seine-et-Marne, loin de ses copines ou des cinémas. Elle n'a pas de téléphone portable parce que « le signal ne passe pas bien ici ». En tête de son hit-parade personnel, trois jeux de stratégie : les Sims,

Championship Manager, et Medal of Honour. Le dernier cité est un jeu de guerre : on peut y reconstituer, par exemple, le débarquement en Normandie avec les troupes alliées. Caroline est très fière d'être arrivée au bout de ce jeu avant ses deux frères, qui ont, elle le reconnaît, « moins le temps de jouer en semaine » depuis qu'ils sont étudiants. Ils se retrouvent souvent tous les trois pour une partie de Championship Manager, qui simule les championnats de football ; chaque joueur tient le rôle d'un patron de club et se voit assigner des objectifs et un budget. Il doit alors composer son équipe, décider de ses achats ou reventes de joueurs, et les résultats des matches, calculés par l'ordinateur, viennent sanctionner sa stratégie. Le jeu est réactualisé chaque année et l'on y retrouve les Beckam, Zidane ou Ronaldo au même titre que des joueurs de ligue 2.

Mais le jeu que préfère Caroline, celui qu'elle pratique sans se lasser depuis deux ans, ce sont les Sims. Avec ce jeu, elle tient entre les mains le destin d'une famille. Mariages, réussite scolaire ou professionnelle, construction ou aménagement de la maison, rien ne manque. Elle fabrique le héros *ex nihilo*, avec ses qualités et ses défauts – souvent à son image – et lui inspire des décisions qui se répercutent sur la famille, son budget, son devenir. Ici comme dans les jeux d'action, on progresse par essais-erreurs successifs, et la maîtrise du jeu est directement proportionnelle au temps passé. « Je connais tous les codes, je suis imbattable pour faire progresser le père ou la mère dans leur job », explique l'adolescente. L'apparition de ce jeu de stratégie, à mille lieues des jeux d'action type « shoot them up » (« tue-les tous »), que préfèrent les garçons, a fait grimper en flèche le temps passé par le sexe féminin sur l'ordinateur dans le monde entier. Avec 6,5 millions d'unités écoulées, c'est aussi le jeu le plus vendu dans le monde. Et depuis le début de l'année 2003, les Sims existent aussi en ligne : des milliers d'abonnés se rencontrent désormais à travers leurs identités imaginaires.

Caroline est donc une pionnière. « Alors que la télévision avait joué, au cours des trente dernières années, un rôle unificateur entre les sexes, l'usage des écrans digitaux a accru les écarts entre les garçons et les filles », explique Dominique Pasquier, spécialiste des médias au CNRS et auteur d'une étude de référence sur « Les jeunes et l'écran » menée au cours des quatre dernières années du XXe siècle [1]. Et de juger paradoxal que, dans une époque où l'on prône, plus que jamais, la réduction des inégalités, « les technologies informatisées apparaissent comme majoritairement masculines et soient le lieu d'un nouveau clivage entre les sexes ».

Avec l'ordinateur, elles écrivent, ils jouent

Cette étude, la plus importante jamais menée en France sur le sujet, est formelle. D'abord, le beau sexe, même s'il commence à y venir, joue moins. Les filles de 6-17 ans sont moins équipées que les garçons en Game

Boy (38 % contre 47 %) et en consoles de jeux vidéo (47 % contre 66 %). Elles ne sont que 52 % à les utiliser, contre 78 % chez les garçons. Et surtout leur fréquence et leur temps d'utilisation sont nettement moins élevés : 48 % des filles pratiquent le jeu vidéo moins d'une fois par semaine, quand 69 % des garçons s'y adonnent plusieurs fois par semaine ou tous les jours. Les séances sont de surcroît moins longues chez les filles : elles sont 54 % à se limiter à une demi-heure par jour, quand 64 % des garçons y consacrent entre une et deux heures. Les jeux vidéo ne sont pas non plus pour elles un grand sujet de conversation avec leurs amis (5 %, contre 36 % chez les garçons). Elles lisent moins les magazines spécialisés (22 % contre 56 %). Enfin, elles ne sont que 6 % à consacrer une partie de leur argent de poche à acheter des jeux, contre un tiers des garçons.

Mais même chez les Delecourt, ce n'est pas Caroline qui répare l'ordinateur ou télécharge les nouveaux logiciels. Elle laisse ces tâches à ses frères. En matière d'informatique, seules 19 % des adolescentes se considèrent comme l'expert de la famille, contre 33 % des garçons. Dans presque tous les autres cas, c'est le père ou le frère qui domine. Un tiers des garçons et des filles estiment que leur père est celui qui maîtrise le mieux l'ordinateur ; la mère n'est citée que dans 10 % des cas chez les garçons, 16 % chez les filles. Les jeux vidéo sont, plus encore, le territoire de conquête des garçons : 55 % des garçons estiment être une personne « ressource » auprès de leurs amis (c'est-à-dire la personne qui répond aux questions qu'ils se posent), contre 21 % seulement des filles.

Si elles jouent moins, les filles utilisent davantage leur ordinateur pour écrire (71 % contre 58 % chez les garçons). Elles dessinent aussi un peu plus (47 % contre 44 %). En revanche, pour effectuer des recherches ou trouver des renseignements sur un CD-Rom, les garçons sont assidus. Ces derniers parleraient d'ailleurs plus souvent d'ordinateur avec leur père, tandis que les filles parleraient plus souvent de télévision avec leur mère.

Aux États-Unis, les statistiques officielles montrent que les femmes utilisent Internet autant que les hommes et, en France, le rattrapage a commencé. Les féministes américaines y ont donc vu un instrument de nivellement face à l'usage de l'ordinateur. Erreur ! Les deux sexes n'utilisent pas le réseau de la même façon. Ce qui intéresse le plus les filles sur le web ? Parler, bien sûr. Faire des connaissances, nouer des liens, trouver des amis. Elles passent des heures sur les *chat rooms*, ces salons virtuels où l'on cause avec les doigts. Anna Polonsky, treize ans, est une brillante écolière de Nogent-sur-Marne (elle a un an d'avance). C'est son père qui l'a encouragée à utiliser l'ordinateur, et qui le partage avec elle. Elle l'utilise depuis l'âge de sept ans, une heure trente à deux heures par jour. Quand son frère et sa belle-sœur ont eu un bébé, c'est elle qui a récupéré les photos par e-mail pour les montrer à la famille. Elle affiche une impressionnante collection de CD-Rom – pour jouer au metteur en scène avec Steven Spielberg, trouver de la documentation pour enrichir ses devoirs, faire vivre des tamagotchi, résoudre des énigmes, etc. Mais ce qui lui plaît le plus, ce sont les *chat rooms*. Au début, elle raffolait de ceux de Caramail et de Kazibao, puis elle a élargi son spectre. Son pseudo ? Elle en change régulièrement, mais elle aime les noms en « ette », comme Cerisette. Elle connaît par cœur le « règlement » du web (les pseudos grossiers interdits, les discussions à caractère sexuel aussi) et n'ignore rien de ses coutumes : les smileys, les abréviations, l'écriture en majuscules lorsqu'on veut crier. Ses parents lui font confiance. Elle a des correspondants réguliers – Nicnac, Wirg, et quelques copines – et passe au moins une demi-heure par jour à discuter avec eux. De quoi ? De tout et de rien, voire de rien du tout. Mais elle ne manquerait pour rien au monde ces rendez-vous.

Les garçons, surtout à cet âge, se rendent aussi sur les forums et les *chat rooms*, mais ils sont moins « accros » à cette activité. Ils passent davantage de temps à explorer le web ou à jouer en réseau.

Le portable, lui, est d'abord un instrument féminin

Mais les filles reprennent l'avantage lorsqu'il s'agit de l'autre outil révolutionnaire de communication : le téléphone portable. Sans surprise, les éternelles bavardes sont championnes lorsqu'il s'agit de décrocher le combiné : selon l'étude du CNRS déjà citée, 50 % d'entre elles téléphonent plusieurs fois par semaine, voire tous les jours, sur leur portable, contre 39 % des garçons. Leur but ? Raconter, se confier, parler avec des ami(e)s, et accessoirement avec la famille.

L'étude est formelle : dans les cours de récré, sur les trottoirs ou dans leur chambre, elles sont obligées de se faire violence pour rester dans les limites de leur forfait ou de leur carte. Certaines d'entre elles se qualifient même de véritable « standard téléphonique ». De quoi parlent-elles donc pendant des heures ? Toujours selon l'étude : de leurs problèmes avec leur mère, des émissions de télé qu'elles regardent et des garçons, évidemment. Entre filles et entre garçons, la durée des conversations et leur contenu n'ont pas grand-chose de commun. Les garçons tirent sur leur forfait essentiellement pour fixer des rendez-vous (62 %), puis discuter des devoirs et bavarder (*ex aequo* à 50 %), tandis que les filles veulent avant tout bavarder (76 %, contre 54 et 55 % pour les deux autres utilisations). Les garçons appellent plus brièvement, et pour dire quelque chose de précis (une information utile... ou totalement inutile, du type « Tu me reçois ? » « OK, 5 sur 5 », comme à l'époque des radio amateurs), et les filles pour entamer un échange. Ces attitudes reproduisent celles des adultes, car les femmes, sur les postes fixes, téléphonent deux fois plus que les hommes.

Comment expliquer les différences de pratiques ? Pourquoi garçons et filles ne sont-ils pas égaux devant le téléphone, l'ordinateur et les jeux vidéo ? Certains ont avancé, mais sans preuve décisive, des différences biologiques : les garçons auraient de meilleures aptitudes spatiales ; or, lorsqu'on joue sur un écran, la coordination spatiale est primordiale. Mais pour Justine Cassell, c'est plutôt l'éducation qui est en cause : « Les garçons et les filles ne sont pas élevés de la même manière. On ne leur offre pas les mêmes jouets. On demande aux filles d'être les communicantes de la famille, d'entretenir les rapports sociaux. On prépare les filles à prendre soin d'elles-mêmes, et les garçons à démonter les objets, par exemple. »

« Il est inutile de nier les différences entre les sexes, estime la chercheuse Dominique Pasquier. Pour les filles, les relations humaines sont primordiales ; elles les préfèrent, et de très loin, à toute interface avec une machine. C'est pourquoi elles sont prêtes à passer deux heures au téléphone ou à chatter sur leur ordinateur »... mais pas à s'exciter sur un joystick. La sphère médiatique des filles s'articule autour du lien et de l'émotionnel, quand les garçons montrent « un investissement massif et quasi libidinal dans le dialogue avec la machine comme source de projection de l'ego ». En clair, les filles ne se laissent pas subjuguer par la dimension technique des jeux, tandis que les garçons s'investissent jusqu'à vouloir comprendre la boîte noire.

La psychanalyste Hélène Vecchiali complète l'explication en avançant des différences sensorielles : « Les garçons sont plus visuels, les filles plus auditives. » Il suffisait d'écouter, en janvier 2002, les commentaires à la sortie d'un spectacle sur le big bang à la Cité des sciences de la Villette pour s'en convaincre : les hommes avaient admiré la beauté des planètes ou des couleurs, les femmes avaient été fascinées par la voix off – celle de Pierre Arditi...

La démarche essais-erreurs convient mieux aux garçons

Autre explication de cette différence entre garçons et filles face aux jeux électroniques, la démarche par essais et erreurs – qui, seule, permet de devenir un caïd de Tomb Raider ou de Rayman – conviendrait mieux aux garçons qu'aux filles, parce qu'ils craignent moins de se tromper. Les filles seraient traditionnellement – culturellement ? – moins sûres d'elles. Et comme elles seraient prêtes à y consacrer moins de temps – alors que pour être bon, il faut jouer longtemps – elles se disqualifieraient toutes seules.

« Les filles ont une compétence à la narrativité de soi qui s'intègre mieux à certaines pratiques, comme le téléphone ou le journal intime, complète Dominique Pasquier. Or le jeu vidéo offre peu de possibilités de ce point de vue [2]. » Mais les choses changent, on l'a vu, avec le lancement de jeux comme les Sims, dont elles représentent déjà 40 % des pratiquants. Le jour où il existera un jeu vidéo « Buffy contre les vampires », une série télévisée plébiscitée par les filles, la parité sera sûrement respectée... et les filles risquent de reprendre la main dès que la parole sera introduite dans les jeux !

Internet fait aussi évoluer les mentalités : tant que l'ordinateur ne servait qu'à programmer, voire à jouer, il attirait peu les filles. Avec les *chats* et les e-mails, on peut, grâce à sa machine, exprimer des émotions, créer des relations ou les entretenir. Les groupes de discussion permettent d'exploiter le goût féminin pour la correspondance. « L'e-mail, explique Pierre-Alain Mercier, coauteur de *La Société digitale* [3] et chercheur à l'Iris, est utilisé par les femmes comme un retour au courrier, car si elles téléphonent plus que les hommes, elles écrivent aussi davantage. Tandis que pour les hommes, le mail est un peu le téléphone idéal : on n'a pas à supporter la tchatche de l'autre ; on s'envoie des blagues, on reprend le contact ou on le maintient sans trop d'effort ; c'est l'équivalent de la grande claque dans le dos. »

Faut-il relier cet écart de pratiques au traditionnel retard féminin en matière de technologie ? Les femmes technicien ou ingénieur sont encore minoritaires, tout comme celles qui bricolent la machine à laver ou règlent le magnétoscope. « Quand un nouvel outil est inventé, quel qu'il soit, il est " technique " pendant quelque temps, explique Dominique Pasquier. Au début de la télé, c'étaient les hommes qui effectuaient tous les réglages de base. Les femmes osaient à peine augmenter le son. Le fait de s'exciter avec une machine est typiquement masculin. Chez les femmes, c'est plutôt dans la conversation qu'on trouve la compulsion. » Une interprétation que partage encore Pierre-Alain Mercier [4] : « La dimension technique, qui vaut pour toutes les technologies de la communication, va dans le sens des hommes : la première fonction de l'ordinateur, pour la majorité masculine, a été d'apprendre à s'en servir. Lorsque disparaît la difficulté, l'outil se féminise. Les femmes sont généralement plus pragmatiques. Ce qu'elles attendent d'un outil ? Que ça marche, que ce soit simple, et que ce soit utile. »

Pour intéresser les filles, on invente des jeux moins binaires

Les féministes américaines ne voient pas les choses du même œil. Elles se sont affolées de ces différences de pratiques, incapables d'attendre passivement le nivellement annoncé des pratiques. Si les filles n'aiment pas les jeux vidéo, ont-elles expliqué en substance, elles seront moins familiarisées avec l'ordinateur et donc l'utiliseront moins plus tard. Et comme la maîtrise des systèmes d'information constitue aujourd'hui une compétence clé, elles se feront toujours doubler, dans leur vie professionnelle, par les hommes. Le Girl's Game Movement, qui compte dans ses rangs plusieurs chercheuses du MIT, a donc mené un intense lobbying, pendant les années 90, pour obliger l'industrie du multimédia à inventer des scénarios mieux adaptés aux goûts féminins. Sa démarche a été accueillie à bras ouverts, et pour cause : les industriels étaient ravis qu'on les aide à toucher enfin l'autre moitié de la population, un énorme marché inexploré puisqu'il ne représentait que 20 % de leurs ventes.

Les premiers jeux dits féminins partaient d'expériences « estampillées féminines » – rouge à lèvres, poupées et vernis à ongles – pour amener les joueuses à des problématiques plus élaborées. Mais le problème était sans doute moins d'inventer des jeux *féminins* que de *bons* jeux, c'est-à-dire des jeux plaisants pour tous, et pas seulement pour les adolescents en pleine crise de puberté. « La plupart des gens préfèrent construire des choses – des piles de briques ou des relations, peu importe – que de les dégommer, note Heidi Dangelmaier, qui a travaillé pendant deux ans sur le concept de « jeux de filles » pour Sega [5]. Et d'expliquer qu'au début, les consoles de jeux étaient neutres. Mais les goûts des jeunes développeurs – toujours des hommes – qui travaillent dans cette industrie ont imposé un type de jeux qui exige des consoles des réactions rapides et une capacité de stockage faible. La mémoire des consoles a donc été sacrifiée pour privilégier la vitesse, ce qui, aujourd'hui, interdit le développement, sur consoles, de jeux plus constructifs ou stratégiques.

Cependant l'année 2002 a redonné espoir aux féministes qui soutiennent cette thèse en France : la pratique des jeux vidéo chez les filles a augmenté de cinq points en moyenne chez les moins de dix ans, grâce aux Sims, comme on l'a vu plus haut, mais aussi aux héros des jeux d'aventures dits mixtes : Zelda chez Nintendo, Jack & Dexter sur la PlayStation. En revanche, les Barbies version électronique ne rencontrent pas un franc succès. Féminiser, oui, mais pas trop !

Un second groupe de féministes (américaines, celles-là) a adopté une position plus tranchée : pour elles, ce ne sont pas les jeux qui doivent s'adapter aux filles mais les filles qui doivent s'adapter aux jeux. Pas d'autre solution pour s'affirmer que d'apprendre à affronter la violence et à se battre avec les mêmes armes que les garçons. Inutile de fabriquer des jeux qui s'appuient « sur les émotions et les relations » : ils aggraveront encore les écarts entre hommes et femmes. On retrouve un leitmotiv familier : les femmes se laisseront toujours dominer par les hommes si elles n'adoptent pas leur attitude violente et dominatrice.

La Française Dominique Pasquier, qui, on l'a vu, s'inscrit en faux par rapport à toutes les féministes américaines, estime que la relative désaffection des filles pour les jeux vidéo – alors qu'elles lisent davantage, par exemple – n'a rien d'une catastrophe. « Affirmer que l'ordinateur est meilleur que le livre parce qu'il est nouveau serait idéologique et normatif, explique-t-elle. Les féministes veulent à tout prix, surtout aux États-Unis, " rattraper les hommes " sur les jeux vidéo, comme si les " médias masculins " étaient meilleurs que les médias plus féminins. Mais cela reste à démontrer ! » Après tout, les femmes s'intéressent moins aux tondeuses à gazon ou aux voitures de sport : qui a dit que c'était grave ?

On peut savoir si l'auteur d'un e-mail est fille ou garçon

Les filles, on le sait, utilisent davantage l'ordinateur pour communiquer. Mais elles ne communiquent pas de la même façon. Les e-mails aussi ont un sexe ! Même lorsqu'on se cache sous le pseudo de Brutus alors qu'on ressemble à la Belle Hélène, on ne trompe pas longtemps un psychologue. Susan Herring, professeur en sciences de l'information à l'université d'Indiana, se dit ainsi capable, à la lecture de quelques lignes, d'identifier l'auteur d'un mail. Son secret ? Les deux sexes n'utilisent pas les mêmes mots ni les mêmes types de phrases. Par exemple, les points de suspension à outrance sont un tic typiquement féminin (« il est chou... tu ne peux pas imaginer... »). *Idem* pour les points d'exclamation (« C'est trop beau : vraiment, j'y crois pas ! ! ! »). Très féminine aussi, la répétition de lettres pour insister sur un mot (« je suis fatiguéééééééééée, tu ne peux pas savoir... »). Ou les expressions qui insistent sur un engagement émotionnel : lol (loughing out loud), ha ha, ho ho... Les effusions ne leur font pas peur, de même que les adverbes (terriblement, vraiment, atrocement...). Les femmes ont aussi un penchant affirmé pour les « émoticons » (ou smileys) qui permettent, mieux que de longues phrases, d'exprimer un ressenti : le sourire :-) ou la tristesse :- (arrivent, de très loin, en tête de leurs préférences.

Un seul smiley est davantage utilisé par les hommes : le coup d'œil ;-). Pas de surprise, c'est comme dans la vie ! La gent masculine affiche par ailleurs, dans ses mails, un faible pour les interjections, les jurons et, de manière générale, un langage plus agressif. Ils ont tendance à pro-agir (lancer des sujets de conversation par exemple) et les femmes à réagir (aux contributions des autres, pour les infirmer ou les enrichir). Les messages des femmes sont souvent plus brefs que ceux des hommes, puisqu'ils sont destinés à relancer ou entretenir la conversation. Plusieurs études de psychologues ou de sociologues américains [6] ont montré que les écrits féminins incluaient davantage d'assertions à débattre, d'excuses, de questions, d'encouragements, tandis que le registre masculin se composait plus souvent d'affirmations péremptoires, d'orientations autoritaires du débat, de défis, d'autosatisfaction ou d'humour. On ne se refait pas.

Les écrits perpétuent donc l'attitude « orale » des deux sexes. Pourtant, dans les entreprises, l'utilisation de l'e-mail est de plus en plus souvent considérée comme une chance pour les femmes, voire un instrument de promotion interne. En effet, il gomme les effets de manche qui sont généralement l'apanage des hommes lorsqu'ils veulent convaincre en public, cette « tchatche » qui impressionne dans les réunions à défaut d'apporter des idées plus riches. L'échange d'e-mails, qui permet de faire passer des idées que l'on n'aurait pas développées dans une lettre ou une note (plus formelles), ni oralement dans des réunions faute d'une assurance suffisante, permettrait donc à la hiérarchie – le plus souvent évidemment masculine – de se faire une idée plus juste de la valeur de ses cadres féminins, ou, en tout cas, de « ré-équilibrer » l'opinion portée sur la minorité féminine. L'ordinateur deviendra peut-être un jour le meilleur allié du beau sexe !

10.

Les drogués de l'ordinateur

Internet et les jeux vidéo engendrent-ils une dépendance ?

Jérôme, la nuit, ne dort pas : il surfe. Pas en rêve, sur les vagues de l'Atlantique : tout éveillé, sur son ordinateur. Pendant ce temps, dans la chambre voisine, Carol, sa femme, tente de trouver le sommeil dans le lit désert. Leur fille, Sarah, huit mois, respire paisiblement dans sa chambre, celle où trônait l'ordinateur avant qu'elle ne vienne au monde. Jérôme s'est sacrifié pour le bébé : il a transféré son PC dans un cagibi. À l'époque où Sarah prenait des biberons en pleine nuit, son père avait un prétexte idéal pour rester debout jusqu'à quatre heures du matin. Maintenant, il prétend qu'il n'arrive plus à retrouver son rythme normal. Mais Carol peine à le réveiller, le matin, pour partir à la banque. Combien de temps pourra-t-il vivre en dormant trois heures par nuit ? Une semaine où elle s'était absentée de la maison pour aller chez sa mère avec Sarah, Jérôme est parti travailler, un matin, sans avoir dormi du tout. C'est un collègue qui l'a dénoncé.

Carol et Jérôme ont vingt-sept et vingt-huit ans ; ils vivent ensemble depuis deux ans et demi. Il est cadre au Crédit Lyonnais, elle s'occupe de la communication d'une banque concurrente. Ils ont découvert le Net en même temps, au début de l'année 1999. Mais la jeune maman ne passe que quelques minutes par jour devant l'écran – pour chercher un renseignement, un numéro de téléphone sur les pages blanches, ou les paroles d'une chanson – tandis que son mari y reste scotché sept ou huit heures. L'installation du câble, qui permet de surfer sans limite pour un prix forfaitaire, a presque coupé le cordon entre eux : une tension sourde s'est installée, même lorsqu'ils parlent du bébé. Ils ne partent plus en week-end à Bruges ou à Londres, comme autrefois. Le soir, quand Jérôme se rue chez lui, c'est pour ne pas rater un rendez-vous fixé sur le Net avec des amis coréens.

Carol s'est d'abord demandé ce qui pouvait le passionner à ce point. Les sites roses ? Même pas, elle a vérifié. Jérôme ne drague pas, ne baigne pas dans des trafics louches, ne mise pas d'argent à la Bourse. Il joue en réseau. Son jeu favori est Counter-Strike, un scénario tellement bien conçu qu'il peut transformer, en quelques jours, n'importe quel débutant en inconditionnel. Vous vous glissez dans la peau d'un cyberflic, et vous passez vos nuits virtuelles à ratisser les rues et les terrains vagues pour attraper des terroristes. Ce jeu l'a aspiré en quelques semaines.

Un soir, Carol a entendu son compagnon lâcher à son frère, au téléphone : « C'est fabuleux, tu devrais essayer, ça vaut un ecsta... et en moins dangereux pour la santé. »

Voire ! À ce stade, les « *hard core gamers* » (joueurs invétérés) sont des malades. Leur passion n'est pas inoffensive : elle n'a rien de commun avec la collection de timbres-poste ou la folie du jardinage. C'est une « toxicomanie sans drogue » qui les détruit peu à peu.

Quand on dit à Jérôme qu'il se shoote au Net, il prend un air exaspéré. Mais Carol est allée au centre Marmottan pour rencontrer un spécialiste de la toxicomanie. « Il n'y a qu'une solution, lui a avoué le médecin-psychiatre. Convaincre votre mari de venir me voir. » C'est-à-dire commencer par lui faire admettre qu'il est malade. Or les « accros » au multimédia s'y refusent, soit parce qu'ils n'ont pas conscience de l'être (ils croient pouvoir décrocher à tout moment), soit parce qu'ils n'en ont que trop conscience (ils ont alors honte d'en parler).

Ce mal porte un nom : l'IAD (*Internet addictive disorder*). Il toucherait des millions de personnes aux États-Unis. En 1999, une évaluation américaine prétendait que 6 % des internautes étaient victimes d'IAD [1]. Soit 3 % de la population outre-Atlantique ! Mais ces chiffres sont très surévalués, à en croire les spécialistes français.

Un syndrome très proche de l'alcoolisme

En France justement, pays plus récemment et moins profondément converti à l'Internet, seuls quelques médecins précurseurs se sont intéressés à cette pathologie. Il est vrai que les avis divergent sur le nombre de malades : sur 10 millions de joueurs, ils seraient 200 000 à développer une dépendance réelle, mais on ne recenserait que quelques centaines de cas dramatiques, d'où le relatif désintérêt, pour ne pas dire le scepticisme ou l'ironie, des professionnels de la santé. Un des experts les plus reconnus sur le sujet, Dan Véléa, médecin assistant des hôpitaux à Marmottan et responsable du site Toxicomanie à la Fédération française de psychiatrie, estime avoir soigné cette année une quinzaine de vrais malades. Rien à voir avec les drogués traditionnels.

De l'autre côté de l'Atlantique, le syndrome est pris très au sérieux. La première étude sur le sujet a été publiée en 1994 par le psychologue Matthias Rauterberg, suivi par Maressa Orzack, qui a créé dès 1996 un service hospitalier pour drogués des nouvelles technologies. Côté français, outre Dan Véléa, qui fut l'un des premiers à s'intéresser à cette « toxicomanie high tech », Valérie Simon, ancienne élève de DEA en psychopathologie à l'université de Toulouse, a mené en 1999 sous la houlette de son directeur de recherche Henri Sztulman la première étude qualitative sur l'addiction [2] aux jeux vidéo à partir d'un échantillon de vingt-sept individus. Enfin, un interne en psychiatrie de l'hôpital de Nantes, Jacky Gautier, a conduit en 2001 une étude quantitative sur cinq cents surfeurs intensifs. Tous ces spécialistes sont inquiets, mais reconnaissent que l'on n'a pas assisté, depuis deux ans, à l'« explosion » que prédisaient les Cassandre américains, qui voyaient déjà se profiler la « grande toxicomanie du XXIe siècle ».

Si les médecins sont partagés sur l'étendue de l'épidémie, la gravité des symptômes n'en laisse aucun indifférent. Tous ont recueilli, ou lu dans leurs revues professionnelles, des témoignages de souffrance. Les premiers symptômes passent souvent inaperçus : le surfeur se précipite, cinquante fois par jour, et d'abord au réveil, sur son ordinateur, pour voir s'il a reçu un mail ou, s'il participe à un jeu, reprendre la partie interrompue. Puis il se transforme en monomaniaque : il ne s'intéresse plus qu'à ses activités sur le réseau et sacrifie la guitare, le bricolage ou le footing dont il raffolait. Il devient moins sociable : il refuse de plus en plus souvent de sortir ou de dîner chez des amis. Il n'a d'ailleurs plus de vrais amis, sinon ceux qu'il rencontre en ligne. Il se replie sur lui-même, niant l'évidence, refusant de se confier à sa famille. Cet isolement progressif est l'un des signes les plus flagrants de la progression du mal. L'accro néglige son entourage au profit de son paradis virtuel.

« La dépendance s'installe peu à peu, de manière indolore », explique Dan Véléa. En fait, cette passion dévorante ressemble à toutes les autres – le jeu, la drogue, le sexe. Les contenus de l'ordinateur remplaceraient donc le produit, et le surf, la seringue ? « La maladie est aussi très proche de l'alcoolisme », estime Michel Lejoyeux, professeur en psychiatrie à l'hopital Louis-Mourier, à Colombes. Le schéma est donc classique. Au début, surfer, comme boire, est un plaisir. Puis le plaisir se change en une impérieuse nécessité. Même s'il sent que se connecter n'est pas bon pour lui, le malade ne peut plus s'en empêcher. Il ne se contrôle plus. Seule la déconnexion obligée – la panne de l'ordinateur – peut l'empêcher de passer à l'acte.

Contrairement à l'alcoolisme, qui frappe à tous les âges et dans tous les milieux, il existerait un profil type du cyberjunkie : c'est un homme âgé de vingt à trente-cinq ans, citadin, appartenant à une catégorie socio-professionnelle élevée. Normal : à cinquante ou soixante ans, on a plus de mal à franchir la barrière technologique, et dans les classes défavorisées, on n'a pas forcément le budget pour s'équiper d'un ordinateur et d'un forfait illimité.

Si l'enthousiasme massif des enfants et des adolescents pour les jeux ou le Net n'abaisse pas la moyenne d'âge, c'est parce que les garçons de moins de dix-huit ans n'entrent pas dans les statistiques. Et pour cause : ils ne sont pas considérés comme des malades. « Le pic de pratique, pour ces jeux, s'établit vers quatorze ans ; ensuite il décroît naturellement », explique Dominique Pasquier, du CNRS. Pourquoi ? Parce que les ados mâles délaissent les souris le jour où ils découvrent les « vraies » filles – et vivent avec elles des expériences bien plus jubilatoires que leurs contacts virtuels avec Lara Croft... C'est le cas de Joe Laronche, dix-sept ans, un petit génie de l'informatique, qui vit à Paris et passe, durant l'année scolaire, l'essentiel de son temps libre sur l'ordinateur ; il a créé plusieurs sites Internet, pour lui, ses parents et des copains. Mais à peine arrive-t-il à Fermanville, un petit village maritime du Cotentin, au début du mois de juillet, qu'il oublie totalement l'ordinateur pour passer journées et soirées à la plage ou dans les blockhaus avec les jeunes de son âge jusqu'à la fin du mois d'août. Il change de loisirs avec la saison. Une attitude qu'un alcoolique ou un gros fumeur seraient bien en peine d'imiter.

Les femmes sont très minoritaires parmi les accros, non seulement en France, où elles sont moins nombreuses à être connectées que les hommes, mais aussi aux États-Unis, où elles représentent 51 % de la population des surfeurs. En effet, le sexe faible se laisse traditionnellement moins facilement entraîner dans la toxicomanie : si l'on trouve des femmes alcooliques ou droguées, elles sont moins nombreuses que les hommes. Mais l'écart s'accentue ici en raison de leur méfiance vis-à-vis de la technologie.

De même, les Français seront toujours – ou, à tout le moins, pour quelques années encore – moins fragiles vis-à-vis du Net que les Américains : « Nous sommes protégés par notre rapport aux livres, à la parole, par le type de contacts humains que nous privilégions, par notre lenteur aussi », assure Dan Véléa. Le jeu en ligne, potentiellement plus addictif que le jeu isolé, est néanmoins en forte croissance dans l'Hexagone. Les salles de jeux en réseau se multiplient, et le jeu collectif, même s'il ne constitue pas un vrai marché aujourd'hui, attire de plus en plus de visiteurs sur les sites dédiés.

Télécopulateurs, junkies du jeu et acheteurs compulsifs

En France comme ailleurs, il existe plusieurs catégories d'accros au Net. Dan Véléa en recense trois : les joueurs pathologiques, les acheteurs compulsifs et les adeptes de la sexualité assistée par ordinateur. Tous, dit-il, « sont incapables de vivre sans l'échange continu de signaux entre leur cerveau et l'ordinateur ».

Les joueurs techno se distinguent à peine des obsédés de la roulette ou du poker. Le goût du jeu ou la décharge d'adrénaline liée à l'« impulsion » n'ont plus grand-chose de commun avec le plaisir du surf. Il existe des centaines de jeux en réseau sur Internet, qu'ils préfèrent généralement aux jeux sur consoles, parce qu'ils permettent de se mesurer, en ligne et à toute heure, à de multiples partenaires. Sur les consoles, on joue seul, contre l'ordinateur, ou avec d'autres personnes présentes physiquement, ce qui limite les possibilités. En réseau, les possibilités sont infinies. Ces jeux sont donc plus addictifs. Certains, comme Le Deuxième Monde, qui a longtemps fait le succès du site de Canal +, ne proposent pourtant pas de faire la guerre ou de détruire des ennemis avec des pistolets laser mais de se bâtir un personnage dans le cadre d'une démocratie inventée de toutes pièces, une transposition virtuelle de la ville de Paris. Dans ce type de jeu, très courant aux États-Unis, les « aficionados » habitent un cadre de vie prédéfini, communiquent entre eux dans ce cadre, et lui consacrent tellement de temps qu'il finit par conditionner leur vie réelle – au point que les psychiatres parlent de « déréalisation ». Accessoirement, les planètes virtuelles génèrent des richesses bien réelles : selon Edward Castronova, professeur d'économie à Fullerton et auteur d'un rapport sur l'univers d'Everquest (le jeu en ligne le plus en vogue actuellement, qui consiste à tuer des monstres et à s'emparer de leurs objets), chaque joueur enrichirait le PNB de 2 260 dollars ! Comme des stars du football, les participants prennent de la valeur lorsqu'ils cumulent les niveaux d'expérience. Cette économie souterraine peut être mesurée : en effet, il existe un marché parallèle des champions sur un site d'enchères qui crée des équivalents monétaires avec le monde réel. Certains joueurs, qui désignent Norrath (la planète sur laquelle se déroule Everquest) comme leur résidence principale, gagnent leur vie en revendant les personnages qu'ils ont développés patiemment en jouant.

La deuxième catégorie de cyberdrogués regroupe les acheteurs « compulsifs », pour reprendre l'anglicisme en vigueur dans le milieu médical. Leur maladie ? Ils souffrent d'une irrésistible envie d'acheter, qui les pousse à s'offrir à peu près n'importe quoi, l'acte marchand étant devenu plus important que la possession de l'objet. Là encore, il existe, dans le monde réel, des consommateurs maladifs, mais Internet aggrave leur cas puisqu'il leur permet d'acheter à toute heure et participer sans se déplacer à des enchères... Dans les mondes virtuels, il existe aussi des galeries commerciales repérables grâce à des publicités à tous les coins de rue. Et on y paie ses achats avec de l'argent bien réel.

Dernière catégorie, les accros du sexe en ligne. Pour les adeptes de la « télécopulation », Internet est magique : il efface les frontières entre masturbation et rapport sexuel. Les sites roses remplacent les peep-shows, les webcams (ces petites caméras qui permettent de se filmer devant son ordinateur) les rendez-vous dans les jardins publics, et s'il est plus difficile de parler sur Internet que par téléphone, les conversations tapées du bout des doigts ont aussi leur charme (voir le chapitre « Je t'M, moa non plu »). Frédéric, vingt-quatre ans, étudiant, qui partage un trois-pièces à Montmartre avec deux copains de la fac de droit, est devenu en quelques mois un de ces accros : il passe huit heures par jour sur le Net, dont deux au moins sur les sites porno. Partageur, il donne ses meilleures adresses d'« Emmanuelle on line » aux copains, qui n'en font pas usage et commencent à s'inquiéter pour lui. Il attend avec impatience les fameuses combinaisons qui permettront de simuler le contact physique entre deux correspondants distants de milliers de kilomètres.

Il existe d'autres types de comportements de dépendance, et d'autres familles de shootés à la souris. D'abord, les boursicoteurs fous : leur nombre est en chute libre depuis le krach de la « nouvelle économie », en mars 2000. Aujourd'hui, les seuls pour qui ce sport peut confiner à la maladie sont les day-traders. Ces spécialistes de l'achat et de la revente d'actions jouent à tout instant sur les fluctuations minimes des cours. Fabrice, trente-trois ans, s'est ainsi shooté au day-trading pendant près de six mois, entre novembre 1999 et mars 2000. Rédacteur occasionnel pour un grand magazine économique, il a cessé d'écrire ses articles pour se consacrer à sa passion, d'autant plus gratifiante qu'elle était, au début, systématiquement gagnante. Il ne décrochait pas de l'écran, et des cours qui y défilaient, de 9 heures à 17 h 30 (les heures d'ouverture de la Bourse en France). Il se lavait les dents devant l'écran, déjeunait devant l'écran, hésitant à sortir acheter un litre de lait ou une baguette de pain tant il craignait de rater un moment important. Le soir, après 22 heures, il se branchait sur le Nasdaq, la Bourse américaine des valeurs technologiques, et poursuivait son petit jeu d'aller-retour. Rien ne l'aurait convaincu d'arrêter, ni les migraines qui l'assaillaient, ni les appels de ses amis inquiets de son isolement : « Certains voulaient juste profiter de l'argent que je gagnais tous les jours », dit-il. Mais il reconnaît : « Je ne pouvais pas me passer d'ordinateur. Couper la connexion, c'était m'amputer. » Finalement, le krach l'a obligé à se « couper un bras » c'est-à-dire, en langage boursier, à vendre ses actions à prix cassés et à comptabiliser ses pertes. Puis à retrouver son métier originel. Un sevrage drastique. Au total, Fabrice a perdu 45 000 euros sur les 100 000 investis entre novembre et janvier. Cet argent était le fruit de la vente d'un appartement de ses parents, une partie de son héritage avant l'heure.

Enfin, il y a les accros des forums de discussion. Gabriele Farke, une Allemande de quarante-cinq ans, en fait partie : cette repentie a écrit des livres sur son expérience et aide désormais ses semblables à s'en sortir. Son histoire est celle d'une femme d'abord ravie de trouver, en ligne, des gens qui la comprennent. Puis qui se laisse prendre peu à peu dans l'engrenage de la dépendance. « Je surfais de deux à cinq heures par jour. J'avais perdu toute notion du temps. Je négligeais ma fille. » Sa facture de téléphone explose à 800 euros par mois. Elle se met à chatter aussi au bureau, et son travail en pâtit. Elle finit par perdre son poste de conseillère scientifique à l'université. C'est sa fille qui, en la traitant de « droguée du Net », lui fera prendre conscience de son état. Gabriele s'en sortira finalement grâce à des sites américains spécialisés : « Mais j'ai dû réapprendre à vivre, à marcher dans la rue, à parler aux gens. » Depuis, elle anime le premier groupe allemand d'entraide pour les cyberdépendants. Ils sont nombreux outre-Rhin : en deux ans, plus de 10 000 personnes l'ont contactée. *Via* le Net, bien sûr.

Certains surfeurs fous ne sont pourtant ni des obsédés du *chat* ou du sexe, ni des joueurs fous. Mais ils surfent sans but pendant des heures, apparemment fascinés par les infos qu'ils glanent. « L'ennui, c'est qu'ils ne les utilisent pas et n'en retirent rien », explique Michel Hauttefeuille, médecin au centre Marmottan. À en croire l'étude du psychiatre nantais Jacky Gautier, menée en 2001 sur 500 surfeurs français intensifs, 26 % des accros du Net sont des chatteurs intensifs, 10 % des junkies du jeu, 5 % des shootés aux sites porno, 21 % de simples scotchés des moteurs de recherche et 14 % des intoxiqués des sites informatiques.

Gabriele, comme Jérôme, n'était ni droguée ni alcoolique avant de découvrir le web. La dimension fascinante de l'Internet, le sentiment de pouvoir, de performance et de plaisir qu'il procure, sont tels qu'il peut en effet accrocher des personnes qui ne souffraient jusqu'alors d'aucune fragilité affective. Mais ce n'est pas le cas de l'immense majorité des « accros ». Les médecins sont catégoriques : la plupart affichaient déjà, auparavant, un comportement pathologique : ils étaient héroïnomanes, utilisateurs de stimulants divers, joueurs fous, obsédés sexuels... La cyberaddiction est alors, comme disent les psychiatres, un « syndrome opportuniste » qui se greffe sur des problèmes préexistants. « Je diagnostique fréquemment une problématique polyaddictive, c'est-à-dire regroupant plusieurs dépendances à la fois, estime Dan Véléa. Le Net sert d'échangeur pour mieux assouvir, dans le monde virtuel, un comportement de dépendance. »

Les candidats à l'overdose de technologie sont souvent des gens mal dans leur peau, souffrant de problèmes psychologiques, peu insérés dans des cercles amicaux, et satisfaits d'établir grâce au réseau des contacts avec des gens qui s'intéressent à eux – ou, à tout le moins, qui partagent les mêmes rêves ou les mêmes problèmes. Débordés par la réalité, ils se réfugient dans ce monde qu'ils se sont eux-mêmes construit et qu'ils maîtrisent. Sur les *chats*, chacun peut s'inventer une personnalité tout en gardant l'anonymat, voire changer de sexe. Pas de contraintes, pas de confrontation physique aux autres : la liberté absolue, au moins en apparence. Le cyberespace est bien alors une « hallucination consensuelle vécue en toute légalité par des dizaines de millions d'opérateurs », selon l'expression de l'auteur de science-fiction William Gibson [3]. Mais en trouvant cette échappatoire dans le monde virtuel, les junkies du Net aggravent leurs problèmes relationnels dans le monde réel : ils n'osent plus téléphoner, n'ont plus d'amis en chair et en os, et accentuent leur isolement. Désinvestis de la réalité, ils se coupent peu à peu de leurs activités socio-professionnelles. La plupart perdent leur job au bout de quelques mois.

Le monde virtuel représente forcément une force d'attraction pour les jeunes confrontés à une réalité pas toujours rose. Les adolescents à problèmes, ceux qui peinent à se faire des amis et fuient les activités collectives, sont évidemment les plus exposés à ce risque. Les jeunes gens de quatorze ou quinze ans qui passent deux ou trois heures par jour – parfois huit pendant les vacances ! – sur le Net ou devant des jeux vidéo ne sont pas pour autant des accros : on l'a vu, tout dépend de ce qu'ils vivent par ailleurs, de leurs résultats scolaires, de leurs relations avec les autres... Dominique Pasquier, cette chercheuse du CNRS auteur de l'étude sur « Les jeunes et l'écran » affirme, on l'a déjà mentionné, qu'ils diminuent leur consommation de virtuel au moment même où ils découvrent « pour de vrai » l'autre sexe. Les parents n'ont donc pas de raison de s'affoler, sauf si leur enfant présente un profil psychologique difficile, auquel cas le Net, loin de l'aider à guérir, risque d'aggraver ses problèmes. En revanche, la période de dix-huit à vingt-deux ans est particulièrement cruciale. Pour tous les psychologues, c'est un âge difficile au cours duquel, si des problèmes relationnels se développent, le Net peut devenir un lieu idéal pour faire face à son anxiété ou à sa dépression. La Toile joue alors le rôle de monde de substitution. Et il peut s'agir alors d'une vraie dépendance.

Comment mesurer la dépendance ?

Mais comment mesurer une dépendance, qu'il s'agisse des *chats*, des jeux en ligne ou des jeux vidéo ?

Le nombre d'heures passées à pratiquer est un bon indicateur, mais il n'est ni suffisant ni infaillible : on peut passer dix heures par jour en compagnie de sa machine sans être « accro » et, inversement, vivre en état de dépendance maladive alors qu'on ne sacrifie à l'écran « que » ses soirées. 15 % des surfeurs intensifs interrogés par Jacky Gautier se connectent tout de même plus de quarante heures par semaine. La plupart d'entre eux gardent certes une vie sociale normale. Mais pour combien de temps ? « C'est une addiction silencieuse, invisible, qui ne marginalise pas rapidement », explique Dan Véléa. Les intéressés demeurent longtemps « asymptomatiques » : les signes de leur détresse passent inaperçus de leur entourage. Pourtant la souffrance est bien présente, et les dégâts socio-professionnels finissent par se manifester. « La plupart des joueurs en réseau que je côtoyais étaient étudiants, et les trois quarts ont planté leurs études », soupire un repenti. Son témoignage n'a pas de valeur scientifique, mais il est troublant. Dan Véléa décrit le cas d'un jeune homme de vingt-deux ans, qui vit chez ses parents, lesquels ont accepté qu'il devienne peu à peu, sous leurs yeux, « un véritable légume » : « Ils préfèrent le savoir devant sa console, dans la chambre voisine, qu'en train de se shooter dans des raves parties, soupire-t-il. Ils lui achètent tous les jeux qu'il veut. Je leur ai demandé s'ils se rendaient compte qu'ils encourageaient une forme de narcodépendance, exactement comme s'ils allaient lui acheter ses sachets de came ou ses bouteilles. » Il conclut : « Le danger, avec cette maladie, c'est qu'elle est bien acceptée socialement. Elle n'est pas honteuse, comme l'alcoolisme. Et elle paraît moins grave que d'autres problèmes psychiques ; les parents d'un enfant schizophrène qui abuse des jeux vidéo préfèrent toujours croire qu'il est accro à l'ordinateur. »

Le psychologue américain Yvan Golberg a créé il y a quelques années un site sur lequel il avait librement adapté au Net les critères de la « dépendance » traditionnelle ; il diagnostiquait ainsi l'« *Internet addiction disorder* ». Dans son esprit, il s'agissait d'une parodie. Mais il a été submergé d'appels et, depuis, de nombreux thérapeutes l'ont imité. Kimberly Young, médecin et auteur de *Caugh in the Net* (« Pris dans la Toile »), a ainsi ouvert un site où elle propose un autodiagnostic de l'IAD [4].

En la matière, une seule règle fait loi : la passion s'arrête là où commence la souffrance. Tant que l'excès n'est pas une obligation, il n'y a pas cyberdépendance, juste un passe-temps chronophage. « Si vous vous connectez dix heures par jour – pour votre job par exemple – et que tout se passe bien, continuez ! », rassure Michel Lejoyeux. Valérie Simon, elle, distingue les « accros » des simples « dépendants » en établissant un parallèle avec les fumeurs : « Ceux qui sont capables de supporter huit heures d'avion sans cigarette ne sont pas de vrais accros : ces derniers sont incapables de prendre l'avion sans tenter d'aller fumer dans les toilettes, sachant très bien qu'ils vont déclencher le détecteur de fumée. »

Kimberly Young prétend aussi soigner en ligne. Un comble. « Autant traiter des alcooliques dans un bar ! », ironise Michel Lejoyeux qui ne cache pas sa préférence pour le face-à-face traditionnel avec le malade. Aux États-Unis, à côté des psys en ligne que certains considèrent aussi comme des charlatans, des cliniques proposent désormais de véritables cures de désintoxication. C'est le cas de la fameuse clinique Menninger, un hôpital psychiatrique installé à Topeka, dans le Kansas, qui a reçu des stars du show business victimes de ces « toxicomanies sans drogue ». En France, les hôpitaux Marmottan à Paris ou Louis-Mourier à Colombes reçoivent les malades en consultation, mais ne proposent pas de cures de désintoxication. Les candidats au sevrage se réfugient donc dans des cliniques privées de la banlieue ouest. Là-bas, ils échangent la souris ou le joystick contre le Prozac.

11.

Du lèche-vitrines au *one-clic shopping*

Quels seront les comportements économiques des adultes de demain ?

Ana Soulier, douze ans, et son frère Fred, quatorze ans, ont dérobé la carte bancaire de leur mère dans son sac à main. Ana rêvait d'une paire de Nike personnalisées. Sur le site américain de la marque d'équipements sportifs, on peut en effet « décorer » ses baskets selon ses goûts : on choisit les couleurs, la pointure ou la largeur, mais on peut aussi faire inscrire un message sur la chaussure. Ana rêvait de faire tatouer sur les siennes le nom des héros de la série Friends. C'était possible, car tout est possible sur le Net... mais seulement pour les petits Américains. Le site de Nike refuse d'expédier les produits hors des États-Unis. Déçus, les deux explorateurs se sont rabattus sur le site de la SNCF, et ont sagement commandé quatre billets Paris-La Baule en n'oubliant pas de faire jouer les réductions d'usage. Mme Soulier s'est fait rembourser ces billets inutiles deux mois plus tard, mais elle a eu des sueurs froides : ses enfants auraient aussi bien pu commander quatre aller-retour pour l'Outback australien sur le site d'Air France.

Selon une étude réalisée par NetValue, un des cabinets qui fait autorité dans le secteur de l'Internet, 55 % des gens qui ont acheté en ligne avec un « protocole sécurisé » ont moins de trente-cinq ans, et les seuls étudiants représentent à eux seuls 24 % du total. Autant dire que le commerce en ligne est appelé à se développer inexorablement avec la montée en puissance des nouvelles générations. « Le Net est un hyper géant où l'on remplit son chariot tout en restant assis sur son lit », explique Fred. Son père et sa mère commandent régulièrement des BD et des CD sur les sites de la Fnac, d'Amazon France ou d'Alapage. Dommage pour lui que chez nous le prix des livres soit bloqué, car trouver le meilleur prix est tellement amusant... « Il suffit de faire appel à un comparateur de prix ! Pas besoin de passer son samedi à courir les magasins, attirer l'attention des vendeurs ou faire la queue aux caisses : en dix minutes, l'affaire est faite, presque dans le sac. » Les publicités qui polluent le Net ? « Je ne les vois même pas, je les écarte machinalement. J'aimerais bien faire la même chose avec la télé ! » Avec l'arrivée de toute une génération de petits Fred, les commerçants « en dur » ont de quoi se faire des cheveux blancs : la nouvelle économie pourrait bien renaître de ses cendres.

« Nouvelle économie » ? Désormais, il est convenu de faire précéder ces mots de « feu ». De la même manière que l'engouement était généralisé il y a deux ans, il est de bon ton de dire aujourd'hui qu'on n'y a jamais cru. Derrière ce revirement général, une réalité : l'effondrement de milliers de start-up dans le monde. En France aussi : au tribunal de commerce de Paris, le nombre de sociétés en difficulté a augmenté de 30 % entre le dernier trimestre 2001 et le premier trimestre 2002. Et une start-up malade ne l'est pas à moitié : le passif moyen des start-up arrivant au tribunal pour une procédure collective était, en 2001, supérieur de 146 % au passif d'une société « classique » de même taille. Leurs actionnaires ont été échaudés. Au point que toute entreprise qui touche, de près ou de loin, au « numérique » a désormais un mal fou à trouver de l'argent – y compris s'il s'agit de jeux vidéo, dont la vogue ne cesse de grandir !

L'erreur serait de jeter le bébé avec l'eau du bain – autrement dit, de conclure que le commerce électronique a vécu, et que les générations à venir n'utiliseront pas le web pour acheter. Ce serait même une double erreur. Un feu de paille, l'e-commerce ? Au contraire, il ne cesse de croître : entre septembre 2001 et mars 2002, le volume d'achats en ligne a augmenté, en Europe, de 170 % ! L'étude qui a établi ce chiffre, réalisée par le cabinet d'études GFK dans six pays d'Europe (France, Allemagne, Grande-Bretagne, Espagne, Pays-Bas et Belgique), montre aussi que les internautes auraient dépensé en ligne 11,5 milliards d'euros au cours des six premiers mois de l'année 2002, contre 4,2 milliards au cours des six mois précédents. Une autre étude publiée par l'Acsel (Association pour le commerce et les services en ligne), qui regroupe douze acteurs majeurs du commerce en ligne en France – soit 70 à 80 % du secteur selon eux –, ne fait que confirmer cette tendance : sur l'ensemble de l'année 2002, le nombre de transactions a progressé de 47 % par rapport à 2001, pour dépasser dix millions. Et le chiffre d'affaires a suivi, augmentant de 64 % au dernier trimestre par rapport au quatrième trimestre 2001. Faire ses achats de Noël en ligne est en train de passer dans les mœurs.

Tout ne se vend pas en ligne

D'un côté, les start-up tombent comme des mouches. De l'autre, le commerce en ligne affiche des résultats encourageants dans une conjoncture morose. La conclusion ? On ne peut pas vendre n'importe quoi en ligne ! Contrairement à ce qu'avaient pensé les fondateurs de boo.com ou CarBoulevard.com, aller chercher des vêtements ou une voiture derrière un écran d'ordinateur n'a aucun intérêt pour le citoyen moyen. En revanche, acheter des voyages, des produits culturels ou de l'informatique peut se faire en mode virtuel.

Les voyages, d'abord : avec un volume d'affaires de 775 millions d'euros en 2001 (sur un total de 1,45 milliard d'euros), le secteur du tourisme représente presque la moitié du commerce en ligne en France. La SNCF est d'ailleurs la véritable locomotive du Net marchand. Son portail voyages-sncf.com a réalisé en 2002 un volume d'affaires supérieur de 65 % à celui de 2001 ! Quel autre secteur a pu se targuer d'une telle croissance pendant cette année morose ? À la fin de 2002, le site dégageait même un bénéfice net de 1,3 million d'euros ! La SNCF réalisait alors 5,7 % de ses ventes de billets grandes lignes par Internet, contre 4,3 % en 2001. Elle prévoit d'atteindre 10 % en 2005. Et elle aurait tort de se priver puisque cette activité-là, au moins, est rentable... De son côté, Lastminute.com, qui s'est spécialisé dans les réservations de dernière minute (d'avion, mais aussi de spectacle ou de restaurant), a affiché à la mi-2002 ses premiers résultats positifs. Pendant ce temps, les compagnies aériennes « low cost » venues d'outre-Manche comme Ryanair ou EasyJet proposent des prix défiant toute concurrence (Paris-Nice à partir de 25 euros chez EasyJet). Parmi le bataillon de mesures prises pour casser les prix, il y a bien sûr la dématérialisation du billet d'avion, désormais réservé en ligne. Et les experts sont unanimes : l'achat de voyages *via* le Net va continuer de croître. Selon CSFB-Forrester, il devrait passer de 14 % à 23 % aux États-Unis d'ici 2005, et de 3 % à 5 % chez nous.

Vendre un billet de train ou d'avion : ce n'est pas l'objet qui compte mais bien le service auquel il permet d'accéder. C'est peut-être ce qui fait aussi le succès des biens culturels en ligne : on n'a pas, en général, le besoin irrésistible de palper un livre ou un disque avant de l'acheter. La dimension matérielle est secondaire. Selon NetValue, au cours du mois d'août 2002, parmi les cinq sites d'e-commerce les plus visités en France, quatre vendaient des produits culturels : Amazon.fr (1er), Fnac.com (3e), Alapage-.com (4e) et cdiscount.com (5e). Enfin, le matériel informatique (appareils et logiciels) se vend très bien en ligne. Surcouf.com, le site de la grande surface informatique, réalise 10 % du chiffre d'affaires global de l'entreprise, malgré sa jeunesse. Le site n'a vu le jour qu'en mai 2001, mais il entre déjà dans le Top 10 des sites de e-commerce les plus visités.

Difficile de ne pas voir là un type de consommation appelé à se développer, d'autant que les jeunes sont, on l'a vu, particulièrement enclins à commander en ligne.

Surtout, l'évolution à la hausse des achats sur Internet est d'autant plus probable que les freins traditionnels sont appelés à s'estomper. Le premier d'entre eux, la peur de la transaction, diminue. Certes, l'observatoire Carte bleue du commerce électronique a montré, dans une étude de janvier 2002, que le manque de sécurité restait un frein important à l'achat pour 95 % des internautes. Mais on peut faire partie de ces 95 % de sondés tout en étant serein à titre personnel : le nombre de cyberacheteurs a progressé de 23 % en 2002, pour culminer à 3,1 millions de personnes, soit 16 % des internautes. Et d'après les statistiques du cabinet d'études GFK, l'indice de confiance ne cesse d'augmenter (il a progressé de 16 % sur les six derniers mois connus, en 2002). La tendance devrait se prolonger, pour une raison simple : la transaction en ligne, grâce au « protocole SSL », est effectivement très bien sécurisée. Intercepter un numéro de carte bancaire en ligne nécessite un équipement informatique sophistiqué. Il y a moins de risque à payer en ligne qu'à donner sa carte bancaire à un restaurateur (qui peut en recopier le numéro) ou à réserver une place de théâtre par téléphone, et les internautes en prennent conscience. En outre, en cas d'utilisation frauduleuse de sa carte, un internaute a la loi avec lui : il peut contester l'achat. Tant qu'il n'a pas tapé son code confidentiel, rien ne prouve qu'il en ait été l'auteur. Et ce sont les cybercommerçants qui trinquent, car ils doivent le rembourser s'ils ne peuvent pas prouver qu'il a vraiment reçu la marchandise ou profité du service correspondant.

Autre évolution dont se réjouissent les entreprises de e-commerce : les nouveaux modes de connexion à Internet, le haut débit en tête. Selon NetValue, ce dernier est passé de 9,1 % des connexions en France en novembre 2001 à 14,9 % en août 2002. Début 2003, il représentait 2 millions d'abonnés. Or il présente un double avantage pour les marchands en ligne : le surf est beaucoup plus confortable, car plus rapide, et il est illimité. Moyennant un paiement mensuel forfaitaire, les internautes peuvent surfer autant qu'ils veulent.

Dans le même temps, les forfaits « illimités » se multiplient, même à bas débit. Pour Gérard Ladoux, secrétaire général de l'Acsel, c'est une évolution fondamentale, car « l'illimité rend l'internaute beaucoup plus détendu devant son écran ». Effectivement, imagine-t-on une grande surface où les clients devraient payer, en plus de leur Caddie, une somme proportionnelle au temps qu'ils ont passé dans le magasin ? Désormais, l'acheteur en ligne peut flâner dans les rayons de son magasin virtuel, sans culpabilité, en prenant le temps de faire ses achats. Bien sûr, la corrélation entre haut débit et consommation n'a pas encore été établie statistiquement, mais certains signes ne trompent pas. Le directeur d'une société de vente de produits de consommation courante sur Internet a ainsi constaté que 80 % de ses nouveaux clients déclaraient avoir une connexion à haut débit, alors que les nouveaux internautes ne choisissent pas à 80 % le haut débit. Les adeptes de ce type de connexion sont de toute évidence plus facilement tentés par l'achat en ligne.

Après les projections délirantes qui fleurissaient à l'époque de la bulle spéculative de la Net économie, les pronostics deviennent plus prudents et plus lucides. Non, le Net ne va pas remplacer le commerce réel. Ils marchent d'ailleurs main dans la main, comme le montre l'exemple de Surcouf, la chaîne de grands magasins de l'informatique : le site Surcouf .com dope les ventes en magasin, et inversement. En effet, après avoir acheté leur micro-ordinateur dans la boutique, les clients l'améliorent et l'enrichissent en achetant des accessoires en ligne. Et découvrent, ce faisant, les nouveaux ordinateurs plus sophistiqués qu'ils iront un jour acheter en magasin...

À défaut d'une nouvelle économie, nous allons probablement découvrir une nouvelle consommation. Sûrement pas pour acheter un éclair au chocolat ou un tailleur Chanel. Mais pour un billet d'avion, un voyage, un disque ou un logiciel, tous ces produits que l'on peut plus facilement acheter sans les essayer, il est tentant, lorsqu'on n'aime pas flâner dans les magasins, de se faire livrer chez soi. Attention cependant : urbains, aisés et souvent jeunes, les internautes ne sont pas – ou pas encore – Monsieur-tout-le-monde, loin s'en faut, et seulement un tiers des foyers sont connectés en France.

Les consommateurs de demain seront plus exigeants

Le Net transforme les comportements d'achat, mais ce n'est pas son seul effet sur la génération montante. Il donne aux enfants et aux adolescents de nouvelles habitudes : celles de consommateurs plus avertis, mieux informés et, peut-être, plus exigeants. C'est en tout cas ce que prétend Don Tapscott, consultant et « penseur » américain de la révolution Internet, qui a étudié de près les comportements des Américains de cinq à vingt-cinq ans (ceux qu'on appelle là-bas la génération Y). Il a interrogé, en ligne, plus de trois cents adolescents. Son étude [1] fait référence. Ses conclusions ? Les enfants du multimédia ne ressemblent guère aux consommateurs des décennies précédentes.

D'abord, selon lui, ces technophiles veulent avoir le choix. Pour les retenir sur un site ou dans un magasin, il faut leur proposer de multiples possibilités. Pas question de prendre le premier article venu, celui que le vendeur met en avant, sauf quand on entre dans le magasin – virtuel ou réél – avec une idée très précise de ce qu'on cherche.

Ensuite, ils veulent comparer les prix. Normal : lorsqu'on a grandi dans un monde où, derrière l'écran, presque tout est gratuit, payer est déjà douloureux, alors payer cher... On en veut « pour son argent », ou au moins avoir le sentiment de ne pas débourser un centime de trop. Les comparateurs de prix, comme Kelkoo ou BravoNestor, aident les internautes à trouver rapidement l'article qu'ils cherchent au prix le plus bas, s'il s'agit d'un objet standardisé. Car, à en croire Tapscott, même lorsqu'ils achètent des ampoules, ils exigent une information précise sur des critères comme la consommation d'énergie ou la nocivité pour l'environnement. Logique : après des années de zapping sur des dizaines de chaînes de TV et des mois d'hyperzapping sur les milliers de sites du web, ils baignent dans une atmosphère de « liberté » et, en tout cas, de profusion. Ils veulent non seulement avoir le choix, mais justifier ce choix. Les adolescents internetisés ne sont pas pour autant zappeurs dans tous les domaines : ils restent en général fidèles à leurs marques fétiches, celle de leurs céréales et de leurs biscuits du petit déjeuner.

Troisième caractéristique relevée par le sociologue américain, l'accès aux produits doit être pour eux facile et rapide, dans un magasin comme à l'écran. Cela ne les empêchera pas de passer des heures à essayer de dénicher, aux Puces ou dans les brocantes, le polo « vintage » ou la redingote grand-père du siècle dernier; mais les produits standard doivent, eux, être facilement accessibles. En effet, sur le réseau des réseaux, il est impossible de tout explorer, de parcourir l'infinité des possibles. On donne donc la priorité aux sites les plus rapides. Ou plutôt on élimine ceux qui vous font attendre plus de dix secondes avant d'afficher une page, tout comme les magasins qui compliquent la présentation ou cachent l'essentiel dans leur arrière-boutique.

Les adolescents qui ont découvert Internet et les jeux vidéo dès le jardin d'enfants veulent aussi, estime Tapscott, du sur-mesure. Car ils vivent, en ligne, dans un environnement flexible, transformable à merci, sur lequel ils disposent d'un vrai pouvoir d'influence. Sur le Net, ils peuvent toujours trouver mieux, et modifier l'environnement pour qu'il s'adapte à leurs préférences et à leurs goûts. Les jeux vidéo leur ont appris à « customiser » leur propre voiture, c'est-à-dire à se fabriquer une voiture sur mesure pour participer aux compétitions. L'information en ligne, elle aussi, est devenue sur mesure : chacun peut recevoir les nouvelles qu'il souhaite en fonction de ses centres d'intérêt, selon la périodicité qui l'arrange. De même pour les petites annonces d'emploi ou de stages : ceux qui s'inscrivent sur un site d'offres d'emploi décrivent une fois pour toutes leur profil et ce qu'ils recherchent, et ne reçoivent ensuite que les propositions de job qui les intéressent. Parce qu'ils sont habitués à instiller leurs connaissances et leurs informations personnelles dans les produits, la personnalisation du bien ou du service est désormais, pour eux, une évidence *.

En tant que consommateurs, les adolescents étudiés par Tapscott sont aussi moins fragiles que leurs aînés, car ils ont la maîtrise de la machine : pour refuser une offre, il suffit de changer de page ! Pas question de se faire « fourguer » un produit dont on n'a pas envie parce qu'on n'ose pas dire non au vendeur qui s'est occupé de vous pendant une heure. Reste tout de même à savoir s'ils auront la même exigence dans le monde réel : c'est toute la question du « transfert », qui, pour l'heure, n'a pas fait à notre connaissance l'objet de travaux sérieux. Et les psys que nous avons interrogés à ce sujet sont partagés. Mais, en tout cas, l'enfant renfermé sur lui-même, dont les problèmes de communication sont aggravés par l'ordinateur qui lui fournit un monde alternatif satisfaisant, sera plus

* Voir aussi, sur ce thème, le chapitre 1 : « La machine à fabriquer des zombies ».

handicapé que jamais pour obtenir ce qu'il veut dans un magasin.

Les 15-25 ans voudraient aussi pouvoir se tromper et changer d'avis sans être pénalisés. La progression dans un jeu vidéo dépend largement, on l'a vu, de la faculté qu'a le joueur de maîtriser un processus d'essais-erreurs ; il ne trouve la bonne solution qu'en éliminant peu à peu les mauvaises. De même, sur Internet, l'utilisateur se voit offrir, à tout moment, la possibilité de rectifier ses erreurs ou de recréer la situation antérieure d'un simple clic. Les jeunes exigeraient donc de pouvoir se corriger en toutes circonstances, et changer d'avis aussi souvent qu'ils le souhaitent.

Autre différence supposée avec leurs aînés, les nouveaux consommateurs de l'ère Internet ne seraient pas des spectateurs ou des lecteurs passifs mais des utilisateurs. Ils veulent essayer avant d'acheter. Ils sont tellement habitués à la gratuité que certaines marques en arriveront à proposer de tester leurs produits sans engagement d'achat ; si les qualités du produit ou du service – efficacité, rapidité, ergonomie, design, simplicité d'utilisation... – sont assez convaincantes, ils l'achèteront ensuite définitivement.

Dernière particularité identifiée par Tapscott, la nouvelle génération plébiscite les achats utiles. Contrairement aux baby-boomers – les quinquas et les quadras d'aujourd'hui, qui ont vécu au jour le jour la révolution technologique et se sont laissé abuser par des gadgets sans vraie valeur ajoutée –, les ados de la « génération Y » sont peu impressionnables. L'ordinateur leur est aussi familier que la télé ou la machine à laver la vaisselle. Installer un nouveau logiciel de dessin est aussi facile et naturel, pour la plupart d'entre eux, que de prendre du papier et des crayons de couleur. Inutile, donc, d'espérer leur en mettre plein la vue avec des mots compliqués et des promesses invérifiables – ou en tout cas, pas dans ce domaine : ce qui les intéresse, c'est le concret, les avantages immédiats et palpables d'un produit. Ils jugent les performances d'une nouvelle technologie, pas la technologie elle-même. Il est vrai que dans d'autres domaines, les vêtements en tête, ils se laisseront plus facilement abuser par un fort contenu en marketing !

La fin des prophéties hasardeuses

La montée en puissance du shopping en ligne – ou de la préparation en virtuel des achats réels – va nécessairement transformer les pratiques de vente et de distribution. Jusqu'en 2000 environ, on a imaginé que les achats « non impliquants » (produits courants, petits montants) se feraient en ligne quand les achats « impliquants » (canapés, automobiles...) continueraient d'avoir lieu dans les magasins. On constatait alors, en effet, que la plupart des consommateurs américains s'informaient, comparaient les modèles de voiture et les prix sur le Net avant d'aller négocier et signer le contrat dans un garage « en dur ». « Problème de confiance », estimaient les spécialistes. Puis on a découvert que les comportements n'étaient pas si lisibles : si un adolescent a envie de s'acheter un blouson de cuir, il peut au contraire en essayer quelques-uns dans les magasins traditionnels afin de choisir son modèle préféré, avant de chercher à retrouver le même modèle en ligne – ou un modèle très proche, en définissant ses critères de choix auprès du comparateur de prix.

En 1997, les experts estimaient même que le marché électronique, pour tous les produits courants, deviendrait un marché de matières premières – comme celui du cacao ou du nickel – évoluant au gré du prix et des quantités demandées, en fonction de la disponibilité des produits. Pour l'heure, l'avenir ne leur a pas donné raison. Le commerce en ligne se développe, mais il ne remplacera jamais totalement le commerce en dur : les magasins, les rues et les galeries marchandes restent un lieu de promenade agréable ; les soldes sur Internet ne donnent pas le même plaisir que le lèche-vitrines entre copines. Bien sûr, on l'a vu plus haut, tout le monde ou presque réservera un jour son voyage en ligne, du moins lorsqu'il s'agira d'un voyage banalisé. Mais, une nouvelle fois, il est probable que les familles continueront d'acheter la plaquette de beurre ou le kilo de mandarines chez l'épicier du coin, et n'essaieront pas de trouver sur le web la table basse qui ornera le salon ou le papier peint qui décorera la chambre du bébé.

Don Tapscott prévoyait, en 1998, que les segmentations entre commerce de détail, commerce de gros, services financiers, éducation ou industrie disparaîtraient peu à peu. Que lorsque des millions de jeunes feraient leur marché quotidien sur le Net, achetant des disques directement à l'artiste en payant avec leur porte-monnaie électronique (la facture étant présentée à la fin du mois non par une banque mais par le fournisseur d'accès à Internet, par exemple), toutes les entreprises deviendraient des détaillants. Et d'en déduire les conséquences, sur les marchés, des nouveaux comportements des consommateurs. « Les maisons de disques, les détaillants et les radios ont intérêt à s'adapter, parce que c'est sur le Net que ces jeunes vont se procurer des disques et des clips vidéo, chercher des informations sur un groupe ou se repasser à loisir leur chanson préférée. » Tapscott, comme la plupart des experts, misait aussi sur une « réintermédiation des services » : les agents, courtiers, avocats, grossistes, vendeurs devaient tous être victimes de l'économie numérique, puisque Internet abolit les intermédiaires. Mais certains, poursuivait-il, pouvaient sauver leur peau en devenant des « réintermédiaires » offrant des prestations de services en ligne : analyse de l'information, ventes de produits, réunions de consommateurs, organisation de vacances sur mesure ou de sessions de travail pour les internautes, formation continue sur le Net...

Ces prophéties ne se sont pas réalisées, alors que plus de la moitié de la population américaine surfe déjà sur le Net. Il est probable que cette évolution se poursuivra, mais on peut être certain que le scénario décrit par Tapscott ne se réalisera pas à 100 % : jamais les maisons de disques n'ont été aussi puissantes qu'aujourd'hui, et les boutiques de location de vidéocassettes et de DVD continuent de prospérer. Néanmoins, un certain nombre d'intermédiaires et de prestataires de service, les agences de voyage en tête, souffrent déjà de la concurrence du Net.

Autre changement culturel généralement prédit, ces jeunes gens habitués à disposer de tout sans sortir de chez eux n'aimeront guère les déplacements professionnels. C'est donc le travail qui devra venir à eux : ils voudront des bureaux mobiles, des voitures « tout numérique » et du télétravail, ce serpent de mer dont on parle depuis vingt ans sans l'avoir encore vu montrer vraiment le bout de son nez, sauf dans des circonstances exceptionnelles. En revanche, les sorties seront réservées au « relationnel-plaisir » : rencontres amicales, voyages de découverte, sport, etc. La génération Y serait tellement habituée à avoir la planète tout entière pour champ d'action que sa perception des distances serait différente de la nôtre : prendre l'avion pour aller passer une soirée à Barcelone lui paraîtra tout naturel si elle en a le pouvoir d'achat, mais elle refusera, sauf obligation réelle, de passer trois heures par jour, en voiture, dans les embouteillages pour aller rejoindre son ordinateur au bureau !

Si la génération Y continue de lire des livres, dans l'avion ou dans son lit, comment les lira-t-elle ? Sur papier, en tournant des pages, ou sur une tablette électronique ? De même que les agendas classiques, du Filofax à ses suiveurs, ont subi quelques revers à cause du Palm Pilot et des PC de poche, les éditeurs ont connu – pendant quelques mois seulement – des sueurs froides avec l'arrivée des livres électroniques. On a prophétisé la mort du bon vieux bouquin : il devait être supplanté par un écran plat, portable, rechargeable. Une jeune société française, Cytale, créée en 1998 avec le soutien de Jacques Attali, puis le renfort de l'écrivain Erik Orsenna, était même sur les rangs avec son Cybook, opposée à quelques consœurs américaines, comme Gemstar eBook avec son « Rocket eBook », commercialisé dès 1998. L'avantage de ces produits ? Ils permettaient de télécharger à loisir des dizaines de livres, donc d'emmener avec soi, dans une tablette à peine plus grande ou plus lourde qu'un livre normal, une véritable bibliothèque. Et de la recharger à chaque fois que c'était nécessaire en se connectant à Internet. Pratique pour les grands voyageurs et les professions qui exigent en permanence une lourde documentation. Las, Cytale a fait faillite en 2002 après avoir vendu un gros millier de Cybook, et les Américains peinent toujours à imposer leur tablette.

Car, curieusement, les avantages du livre électronique ne semblent convaincre ni les jeunes ni les moins jeunes, ces hommes d'affaires qui constituent la première cible. Le livre paraît indétrônable, tant son ergonomie est optimale, et tant il provoque de sensations. « Les lecteurs tirent profit et plaisir des contraintes imposées par le papier, explique Michel Alberganti, journaliste au *Monde*. L'empilement des pages confère au livre un volume, au point même qu'il en a adopté le nom. La mémoire humaine exploite d'ailleurs cette troisième dimension pour retrouver un passage déjà lu. Enfin, l'épaisseur du livre matérialise également le nombre de pages qu'il contient, son début, son milieu et sa fin. (...) La tablette à page unique frustre le lecteur [2]. » Et de voir dans l'e-book un « objet de musée, tombé en désuétude avant même d'avoir vécu, sorte de cul-de-sac de l'évolution ». Le livre – si pratique à glisser dans une poche ou un sac à main, à sortir n'importe où et en toutes circonstances –, ce livre feuilleté, annoté, corné voire mutilé, prêté ou donné sans regret, serait une invention qui défie le temps, et la génération mutimédia ne pourrait pas s'en passer.

Peut-être. Mais les paris sont encore ouverts. Car s'il est probable que le livre électronique dans sa version actuelle ne fasse pas le poids par rapport à son ancêtre de deux mille ans d'âge, la société américaine E ink pense avoir inventé – et commercialisera en 2005 – le « livre ultime ». Il ne s'agit plus là de substituer un écran à un livre mais d'inventer vraiment sa version électronique. Le nouveau (et dernier) livre aurait l'allure d'un vrai bouquin, grâce à des pages constituées d'écrans flexibles de 0,3 mm d'épaisseur. On choisirait de télécharger un ouvrage, qui occuperait temporairement ses deux cents pages, mais sa mémoire en contiendrait des centaines voire des milliers, avec toutes les annotations du lecteur dans les marges. À suivre...

Nouveaux clients-nouveaux vendeurs : une relation plus étroite

Le contenu des paniers, virtuels et réels, des « nouvelles ménagères » se dessinerait donc. Reste à savoir comment leur vendre ces produits ; de quelle manière toucher ces consommateurs plus avertis et plus exigeants ? Depuis cinq ans, le marketing relationnel se développe, et Internet accentue cette tendance. De quoi s'agit-il ? Les spécialistes du marketing s'intéressent davantage à la relation établie avec le client qu'à la vente immédiate de prestations. Dans le secteur bancaire par exemple, ils établissent le profil financier de l'intéressé, et grâce aux croisements de données, savent mesurer le risque qu'ils prennent en lui prêtant de l'argent. Internet permet également une personnalisation des contacts qui renforce la relation individuelle établie avec chaque client. Alors que six cents millions de conversations privées ont lieu chaque jour sur le Net, les entreprises ne cherchent plus, comme avec la publicité télévisée, à faire passer des messages universels, mais à adresser le bon message à la bonne personne au bon moment (exemple : identifier l'acheteur potentiel d'une voiture à la fréquence de ses visites sur certains sites, et lui envoyer une publicité pour une voiture de leur marque).

D'autant que la publicité classique, dans le monde interactif, ne fonctionne pas, ou en tout cas pas aussi massivement que prévu. Très vite, les marques ont constaté qu'elle était, dans le pire des cas, perçue comme une violation de l'espace intime des internautes, et dans le meilleur des cas, totalement invisible, sauf lorsqu'elle intéressait directement l'acheteur potentiel (exemple : une pub pour une automobile est totalement « transparente », sauf lorsqu'on s'apprête à remplacer la sienne). Pourquoi ? À la télévision ou dans la presse, la publicité a une présence effective. Même si la personne baisse le son ou tourne la page, la publicité est là, elle existe à ses yeux. Sur le Net, elle n'est pas « là » si on ne va pas à sa rencontre, si on ne clique pas dessus. Elle n'existe que si on en sollicite la présence. Comment provoquer cette envie chez l'internaute ? Seule possibilité : lui donner un contenu riche en informations (par exemple, des photos d'un nouveau film, des compléments par rapport à ce qu'on peut récolter à la télévision, des jeux-concours interactifs) et, en tout état de cause, un caractère ludique et motivant. Il faut tirer parti de la force d'Internet, son interactivité : elle permet à tout client potentiel de connaître les réponses aux seules questions qu'il se pose, d'étudier des produits à partir des critères qui l'intéressent et seulement ceux-là. La marque peut même en déduire ce qu'elle doit lui proposer : par exemple, l'acheteur d'un ordinateur qui se renseigne sur la possibilité de lui adjoindre des disquettes 3 pouces ½ ou de brancher des prises USB pour connecter tel ou tel accessoire se verra proposer spontanément les accessoires en question ou un lecteur de disquette supplémentaire, ou encore un coupon de réduction pour l'achat de ces objets.

En fait, la seule manière de toucher ces technophiles consiste à s'insérer dans leur logique. Publicis a ainsi eu l'idée de vendre aux marques de l'espace publicitaire dans les jeux vidéo. Les panneaux qui apparaissent dans le décor d'une course de Formule 1 peuvent donc porter le nom de vraies marques. Et les joueurs adorent, puisque le réalisme du jeu se trouve renforcé. Les jeux financés par les sponsors pourraient même coûter moins cher !

En attendant, un problème demeure entier : qui empêchera les batifolages d'Ana et Fred aux frais de papa et maman sur le réseau ? Certes, des entreprises américaines ont mis en place des chartes de déontologie et demandent désormais l'approbation parentale en matière d'achats, d'accès aux informations ou de participation à des concours. Mais n'importe qui peut commander, en ligne, des produits interdits, des médicaments non disponibles en France ou les ingrédients permettant de fabriquer la dernière drogue à la mode. En fait, rien n'empêche *a priori* un enfant d'accéder à un site étranger non réglementé. Ni d'utiliser la carte Amex de ses parents pour acheter des champignons hallucinogènes !

12.

Koa 29 docteur ?

Téléphone portable, ordinateur, console : quels risques pour la santé ?

Plus ils téléphonent, moins ils fument ! Absurde ? Pas si sûr. Des chercheurs britanniques qui étudient le comportement des ados ont émis cette hypothèse. À l'origine, un constat : en Grande-Bretagne, la consommation de tabac chez les moins de vingt-quatre ans a fléchi (le pourcentage de « teenagers » de quinze ans fumeurs est passé de 30 % à 23 % entre 1996 et 1999, selon le *British Medical Journal*) tandis que l'équipement en téléphones portables explosait (70 % des 15-17 ans sont désormais équipés). Le lien de cause à effet, en supposant qu'il ne s'agisse pas de ce que les statisticiens appellent une fausse corrélation, serait d'ordre comportemental et financier. D'abord, pour se donner un air adulte, le téléphone portable est plus efficace que la cigarette. Ensuite, les adolescents n'ont pas toujours les moyens de financer à la fois leurs communications et leurs paquets de cigarettes. CQFD.

Hourra ? Après des décennies de campagnes de sensibilisation aux résultats mitigés, on serait en passe d'obtenir les effets tant attendus grâce à une mode nouvelle ? Peu importe la méthode tant que les poumons des ados en sortent moins goudronnés ? À voir... Car à défaut d'un cancer des voies respiratoires, c'est peut-être une tumeur au cerveau qu'ils sont en train de se préparer. « Peut-être. » Car comme l'a écrit France Télécom avec une prudence éhontée sur son site Internet, l'« innocuité » des téléphones portables n'est pas prouvée. Vous avez bien lu : innocuité. La citation complète relevée sur le site France Télécom [1] vaut son pesant d'hypocrisie : « Si aucun effet sanitaire n'a été scientifiquement démontré en dessous de ces valeurs limites, des questions subsistent car aucune étude n'est en mesure de prouver l'innocuité totale de quelque facteur que ce soit lié aux ondes radio électriques, et donc de garantir un “ risque zéro ”. De même l'eau est-elle dangereuse ? Non si l'on en boit modérément, oui, si l'on s'y noie ! » Incroyable mais vrai...

Si l'innocuité n'est pas prouvée, la dangerosité des portables, elle, fait l'objet de controverses scientifiques sans fin. D'autant qu'il n'y a pas que les risques de tumeurs cancéreuses. Les centaines de recherches menées aux quatre coins de l'Occident aboutissent à des résultats contradictoires. Certains effets, comme on va le voir plus loin, sont pourtant déjà démontrés.

Les technologies nouvelles se sont répandues trop vite pour qu'on ait pu en mesurer posément les éventuels dangers pour la santé. Et les questions se bousculent aujourd'hui. En première ligne sur le banc des accusés (présumées innocentes, mais pour combien de temps encore ?), les ondes électromagnétiques utilisées pour les communications par téléphone portable. Nous y reviendrons longuement à la fin de ce chapitre. Juste derrière, les risques que feraient courir à nos pupilles les écrans d'ordinateur ou de console. Puis les pathologies nouvelles liées à la position du corps face à l'ordinateur, pour lesquelles les médecins du travail commencent tout juste à tirer la sonnette d'alarme. Et, enfin, l'augmentation sensible du stress lié aux pratiques du monde numérique. La joyeuse ère technologique est-elle en train de nous préparer des lendemains qui déchantent ? Revue de détail.

Prouvé : l'ordinateur ne menace pas les yeux

L'ordinateur fait peur aux adultes. Il y a ceux qui portent des lunettes spéciales et vous regardent derrière des verres teintés de rose, ceux dont l'écran de PC se cache derrière un filtre antireflet, et il y a tous les autres, qui se demandent s'ils devraient en faire autant. Des millions de salariés qui, tous les jours, passent des heures devant leur écran d'ordinateur et ne savent pas si leurs yeux en sortiront indemnes. Des gamins accros à la console, saturés d'images qui flashent. Dangereux, les écrans ? Beaucoup d'utilisateurs en sont convaincus. Et à la moindre rougeur autour des paupières, les parents des inconditionnels du jeu vidéo ou d'Internet accusent l'ordinateur – comme leurs parents, il y a trente ans, accusaient la télévision : leurs rejetons la regardaient toujours de trop près ou trop longtemps. Une chose est sûre : ceux-là ne sont pas devenus aveugles, et ne souffrent pas plus que les anciens de presbytie ou de décollement de la rétine. Alors, *quid* de l'ordinateur, qu'on « colle » d'encore plus près, et souvent plus longtemps ? Pas de panique : on sait désormais qu'il ne peut être responsable d'aucune pathologie oculaire.

Première certitude, donc, les rayonnements émis par les écrans sont inoffensifs. Les rayons X ne s'échappent pas du tube cathodique, et les rayons lumineux, de l'ultraviolet à l'infrarouge, sont émis à des doses si faibles que tout danger est écarté. De même, les champs électriques et électromagnétiques sont hors de cause. Le consensus scientifique est désormais total. Pour François Cail, chercheur au département « Homme et travail » du très officiel Institut national de recherche et de sécurité (INRS), travailler un mois devant son ordinateur équivaut à s'exposer au soleil pendant une minute ! Pas d'ondes tueuses, donc.

Ce qui ne veut pas dire que l'effet sur les yeux soit nul. Tous les spécialistes recommandent la vigilance. Car si on ne peut pas développer une maladie à cause de l'ordinateur, on peut quand même en souffrir. Selon une étude menée en 1994 par l'American Optometric Association, 14 % de la population active aux

États-Unis présenterait des troubles oculaires liés au travail sur écran. Picotements, sensations de « gravier dans les yeux » et maux de tête ne sont pas les signes de l'apparition d'une pathologie mais doivent tout de même être pris au sérieux. Le travail sur écran fait en effet subir à l'œil une gymnastique qui le fatigue. D'abord, la focalisation change. On regarde son écran, puis une feuille de papier plus proche de soi, puis on consulte un tableau accroché au mur... « L'accommodation se fait grâce à un muscle qui, comme tout muscle, a besoin de repos », explique Georges Perdriel, expert auprès de l'Association française de l'éclairage, qui étudie ces questions depuis... quarante ans. « Il faut donc offrir des récréations à ses yeux, c'est-à-dire regarder à l'infini. » Combien de pauses ? Impossible de fixer une norme : tout dépend du système oculaire de chacun. « Dix minutes toutes les deux heures est une moyenne », précise tout de même l'expert.

Second impératif, veiller à ne pas être ébloui. De toutes les erreurs fréquemment commises, la pire consiste à placer un éclairage derrière ou devant l'ordinateur. Dans le premier cas, le contraste lumineux est trop fort entre l'écran et la lumière qui se trouve dans sa direction ; dans le second, les reflets gênent la lecture. D'où la nécessité d'éclairer la pièce perpendiculairement à l'écran. La fenêtre doit donc se trouver à droite ou à gauche, mais pas dans l'axe formé par l'ordinateur et son utilisateur. Pour Michel Dupéry, médecin, ergonome et initiateur d'une étude sur l'éclairage dans le milieu professionnel, il importe aussi de travailler avec un « contraste positif ». C'est-à-dire éviter à tout prix les lettres claires sur fond sombre, car la pupille se dilate et devient plus vulnérable. Enfin, les petits caractères sont déconseillés, car ils exigent aussi un effort oculaire. Les médecins les plus prudents recommandent aussi, pour les jeux vidéo, un éloignement minimal de cinq fois la diagonale de l'écran.

Les écrans plats des ordinateurs de bureau sont ceux qui fournissent le confort maximal. L'ordinateur portable, lui, est plus fatigant. « Les salariés qui ont un long travail à effectuer ont intérêt à transférer leurs données sur un ordinateur de bureau », conseille Michel Dupéry. Qu'on se rassure, pourtant : « Personne, affirme Georges Perdriel, n'a jamais perdu en acuité visuelle à cause d'un écran d'ordinateur. » En revanche, l'apparition de troubles peut être le révélateur d'un problème oculaire jusqu'alors passé inaperçu.

Prouvé : le micro provoque des troubles musculo-squelettiques

On a aussi beaucoup parlé, dans les années 1992-1993, des crises d'épilepsie que provoqueraient les jeux vidéo. Les médias avaient attisé le feu en relatant – souvent de façon peu objective – des cas réels et impressionnants. Un bulletin de l'Ordre des médecins a fait le point sur le sujet, et démontré que ces crises ne pouvaient survenir que chez des épileptiques « photosensibles », c'est-à-dire ayant une sensibilité particulière à la lumière, soit environ 5 % d'entre eux (2 000 à 4 000 personnes sont potentiellement concernées en France). La Commission de sécurité a donc émis un avis demandant notamment aux fabricants de jeux vidéo d'avertir dans une notice du risque de crise d'épilepsie qui existe lors de l'utilisation de ces jeux pour toute personne déjà identifiée comme photosensible.

En fait, et comme toujours, le danger n'est pas celui qu'on croit. Si les yeux sont hors de (vrai) danger – quelques pauses suffisant pour les mettre à l'abri –, les muscles et, dans une moindre mesure, les tendons risquent, eux, de souffrir de nos nouveaux comportements. Une menace récemment mise au jour guette les accros de l'ordinateur et de la console : les TMS (troubles musculo-squelettiques). Pour l'instant, ils ne touchent pas les enfants, pas même les *gamers* de légende : ceux qui, au Japon par exemple, sont capables de tirer seize coups à la seconde, c'est-à-dire d'appuyer seize fois sur le bouton de leur boîtier avec leur pouce en une seconde !

La médecine du travail a recensé 13 385 cas de ces nouvelles maladies en France en 2000, et ce chiffre ne reflète qu'une infime partie de la réalité. Explication de Michel Aptel, responsable du laboratoire de TMS à l'Institut national de recherche et de sécurité (INRS) : « Savoir combien de personnes sont touchées par les TMS est pour l'heure impossible, car toutes ne font pas appel à la médecine du travail. Mais les estimations les plus courantes font état de 50 000 à 100 000 personnes. » Pis, le nombre de cas répertoriés augmente en moyenne de 20 % par an ! En 1989, seulement 970 cas étaient recensés. Faut-il y voir, comme la dépression ou le mal de dos au siècle dernier, la future maladie du XXIe siècle ? Ce qui est certain, c'est que les TMS sont désormais la première cause de maladies professionnelles indemnisées en France. Alors qu'elles n'existaient pas il y a quinze ans !

L'ordinateur n'est pourtant pas le seul responsable. À l'origine des troubles musculo-squelettiques, deux types de facteurs : les gestes effectués et l'environnement psychologique et social dans lequel évolue l'intéressé. « De nombreuses études scientifiques nous ont permis d'établir que le stress et le mal-être favorisent l'apparition des TMS », explique Michel Aptel. Quant aux gestes incriminés, c'est surtout leur répétition qui est en cause. Des métiers comme la découpe de viande sont beaucoup plus exposés que le travail devant un PC. « Mais une maladie qui ne touche que 3 ou 4 % des gens dans un secteur qui emploie des millions de personnes peut faire des dégâts considérables », objecte Michel Aptel. Effectivement, les 13 385 cas de l'année 2000 ont occasionné 2,2 millions de jours d'arrêt de travail, soit une moyenne de 166 jours par malade !

La première des pathologies de ce type – qui représenterait selon Michel Aptel environ la moitié des cas en ce qui concerne le travail sur écran – est le syndrome du canal carpien. En cause, la position de la main qui, en manipulant la souris, soumet le nerf médian du poignet à une pression trop forte. Identifiable par un engourdissement et des picotements dans la main qui finissent par être très douloureux (au point qu'écrire sur un clavier devient impossible), le syndrome du canal carpien s'explique par tous les gestes répétitifs de la main, notamment le travail au clavier et la pression de l'index sur le bouton gauche de la souris. L'une des méthodes « artisanales » qui révèlent un probable syndrome du canal carpien est le « signe de Tinel » : une frappe légère du médecin sur le nerf médian, au niveau du poignet, entraîne des picotements dans un ou plusieurs doigts de la main. À ce stade, la maladie peut déjà nécessiter une intervention chirurgicale. Au rayon très fourni des TMS, on retiendra aussi les problèmes d'épaule – un quart des cas – et les tendinites, au coude notamment.

Comment éviter que la génération numérique ne soit massivement victime de ce syndrome qui fait déjà des ravages chez ses aînés ? Faut-il équiper tous les ordinateurs d'un clavier en deux parties ? « Pourquoi pas », répond Michel Aptel. Choisir une souris plus ergonomique, ou qui permette de cliquer avec le pouce ? La réponse du chercheur est identique, presque une réponse de Normand. Il se justifie : « Prévenir les TMS est très délicat, car il ne faut jamais négliger le facteur psycho-sociologique. Il faut d'abord que l'individu se sente à l'aise dans son environnement. » Dans tous les cas, les spécialistes recommandent donc de faire des pauses, bouger, avoir un fauteuil confortable, garder le buste droit, ne pas tenir la souris trop serrée et taper légèrement sur les touches. Pour Daniel Lazennec, ergothérapeute qui travaille à la conception de bureaux mieux adaptés à la morphologie humaine, « rien n'est pire que l'immobilité. À l'époque de la machine à écrire, on se levait pour aller chercher des documents dans l'armoire. Désormais, tout se fait sans bouger. C'est une catastrophe pour le corps humain. »

Le pire des maux informatiques ? Le stress !

Mais *la* maladie de l'ère informatique pourrait bien être la moins visible : le stress, qui fait de plus en plus de ravages dans les milieux professionnels. D'après une étude publiée par *Liaisons sociales Magazine* en septembre 2000, 73 % des salariés ressentent du stress dans leur travail, et 11 % ont déjà eu un ou plusieurs arrêts de travail liés au stress. Certes, le stress a bien d'autres causes : surcharge de travail, exigence de performance, peur du lendemain quand les licenciements sont désormais monnaie courante. Mais l'ordinateur génère également du stress, parce qu'il oblige à de nouveaux apprentissages qui s'effectuent le plus souvent sous la pression. Et aussi parce que chacun croule désormais sous les données. Les e-mails, censés nous faciliter la vie, sont aussi venus nous la polluer :

la moyenne, en France, est de vingt et un messages reçus par personne et par jour. Et elle ne pourra qu'augmenter : selon la société International Data Corp, le nombre d'e-mails échangés quotidiennement dans le monde était de 10 milliards en 2001... et la prévision pour 2005 est de 35 milliards ! Difficile, dans ce domaine, de chiffrer précisément l'ampleur des dégâts. Aux États-Unis, les arrêts de travail liés au stress représenteraient entre 200 et 300 millions de journées de travail. En France, 40 % des actifs interrogés par l'institut Eurotechnopolis en 1999 ont avoué consommer des excitants pour tenir le coup, et 6 % des médicaments contre le stress.

L'ordinateur n'est pas sans conséquences sur notre santé, mais au moins, les dangers semblent cernés. La science propose des réponses au mal de dos, à la fatigue oculaire ou au syndrome du canal carpien et parfois au stress. La situation du téléphone portable est bien différente : le royaume des ondes électromagnétiques se situe encore aux frontières de l'occulte. Et c'est ce qui fait la virulence du débat sur son éventuelle dangerosité. Faut-il prendre au sérieux les empêcheurs d'émettre en rond qui prédisent, dans un avenir proche, une explosion du nombre de tumeurs au cerveau et autres maladies peu réjouissantes ? A-t-on, dans ce domaine, la moindre certitude ?

Une seule évidence absolue : au volant, le portable est dangereux. Les ondes, dans ce cas précis, ne sont pas en cause. C'est l'inattention due à la conversation qui est pointée du doigt. Autrement dit, le « kit mains libres » n'y change pas grand-chose. Une expérience menée en Suisse a établi qu'avec de tels kits (quel que soit le modèle), la vitesse moyenne des conducteurs diminuait tout de même de 12 %. Paradoxalement, les spécialistes de la sécurité routière ne s'en réjouissent pas : c'est parce que le conducteur n'est plus aussi concentré sur la route qu'il ralentit. On considère que téléphoner au volant multiplie par deux le risque d'avoir un accident. C'est un risque équivalent à celui que fait courir un taux d'alcoolémie de 0,5 gramme par litre, le seuil limite dans la législation française.

Pas de portable au volant, donc. D'autant que, si la dangerosité des ondes émises par nos téléphones n'est pas avérée, une (autre) chose est certaine : plus la puissance de rayonnement est élevée, plus les risques pour la santé sont grands. Or une voiture constitue une parfaite « cage de Faraday », c'est-à-dire un piège à ondes : celles-ci se réfléchissent sur les parois et augmentent ainsi le rayonnement dans l'habitacle – et donc sur les passagers. Sauf si un système de téléphone « mains libres » a été posé : dans ce cas, l'antenne étant extérieure, les passagers sont au contraire protégés par la voiture. Une étude menée au Japon, à la Tohoku University de Sendai, a établi un danger du même type dans les wagons des trains de banlieue : lorsqu'une trentaine de passagers téléphonent en même temps – un scénario plausible aux heures de pointe –, l'ensemble des voyageurs se retrouverait soumis à un rayonnement comparable à celui d'un four à micro-ondes !

La comparaison est inquiétante, et pourtant réaliste : la communication par téléphone portable se fait au moyen de « micro-ondes », de 900 et 1 800 mégahertz (MHz), des fréquences pas très éloignées des 2 400 MHz du four à micro-ondes... dont on sait qu'il tue tout organisme vivant placé à l'intérieur. Heureusement, les puissances d'émission n'ont rien à voir. Autrement dit, si le nombre d'oscillations à la seconde est comparable, l'intensité du rayonnement est sans commune mesure. C'est même, explique Jean-Pierre Lentin, journaliste scientifique spécialiste de la question des ondes électromagnétiques et auteur d'un livre passionnant[2], « ce qu'on maîtrise le mieux » : les normes de sécurité imposées aux fabricants de téléphone sont suffisamment restrictives pour que les tissus humains ne soient pratiquement pas échauffés. Pendant longtemps, l'essentiel des craintes se concentrait sur la question des « effets thermiques » des micro-ondes : notre cerveau est-il échauffé par la présence à quelques centimètres de lui d'un mini – émetteur de micro-ondes ? La réponse est désormais, avec certitude, négative.

Même les moins alarmistes veulent protéger les enfants

De là à en conclure que tout va pour le mieux dans le meilleur des mondes possibles, il y a un pas. Que personne ne franchit. Car toutes les interrogations portent aujourd'hui sur les effets athermiques des ondes. En clair, les cellules du cerveau pourraient bien être perturbées sans que cela se traduise par un échauffement. Le doute est suffisamment présent pour que les rapports officiels évoquent le principe de précaution et préconisent unanimement de ne pas trop exposer les enfants aux téléphones portables. Ainsi, le rapport de Denis Zmirou, professeur de la faculté de médecine de Nancy et praticien hospitalier, seul rapport français officiel sur le sujet, remis en janvier 2001 à la Direction générale de la Santé et souvent considéré comme un des moins alarmistes, invite-t-il dans ses conclusions les parents qui jugent utile d'équiper leur enfant d'un mobile « à veiller à ce qu'il en fasse un usage mesuré ». On y lit même qu'une recommandation dans ce sens devrait figurer sur toutes les notices d'utilisation des appareils vendus.

Des recommandations bien timorées par rapport à celles du rapport remis au parlement européen en mars 2001, intitulé « Effets physiologiques et environnementaux des rayonnements électromagnétiques non ionisants ». La toute première recommandation de ce document, réalisé par le département de physique de l'université de Warwick, en Grande-Bretagne, et l'institut de biophysique de Neuss-Holzheim, en Allemagne, est sans ambiguïté : « Il conviendrait de vivement déconseiller l'utilisation prolongée de téléphones mobiles par les enfants – particulièrement les préadolescents – en dehors des situations d'urgence, compte tenu de la vulnérabilité accrue de ces sujets à tout effet indésirable potentiel sur la santé. » Le monde des affaires est également mis en garde : « L'industrie des téléphones mobiles devrait s'abstenir de promouvoir l'utilisation prolongée des téléphones mobiles par les enfants en recourant à des tactiques publicitaires qui exploitent la pression des camarades, ainsi que d'autres stratégies auxquelles les jeunes sont sensibles. »

Pourquoi une telle prudence autour des enfants ? Parce qu'ils constituent une population plus vulnérable face à d'éventuels effets nocifs des micro-ondes. Le premier argument est tout simplement arithmétique : si ces ondes devaient s'avérer néfastes, ceux qui cumuleraient le plus d'années d'exposition seraient les plus menacés. Autant commencer le plus tard possible, donc. Beaucoup plus inquiétant, les enfants semblent absorber plus de rayonnements que les adultes. Les scientifiques ont mis au point le TAS (taux d'absorption spécifique) ou, en anglais, SAR (*specific absorption rate*). Il mesure non pas le rayonnement en lui-même, mais la quantité de rayonnement que reçoivent effectivement les tissus humains. Or il semble que les enfants absorbent plus de rayonnements que les adultes. Le Dr Ohm Gandhi, un scientifique américain qui fait référence en la matière, a ainsi établi en 1996 que le TAS, dans des conditions où il s'élevait à 7,84 MW/kg pour un adulte, atteignait 19,77 MW/kg pour un enfant de dix ans, et 33,12 MW/kg pour un de cinq ans !

Comment expliquer que les enfants soient plus vulnérables ? D'abord, le faisceau d'ondes émis par le portable pénètre plus profondément leur tête, d'une part parce qu'elle est plus petite, ce qui situe en moyenne les cellules du cerveau plus près du téléphone que chez un adulte. Mais aussi parce que la barrière osseuse qui enveloppe la tête est plus fine chez les enfants. En outre, ils se distinguent des adultes par une plus grande activité de reproduction cellulaire, du fait de la croissance. Or la reproduction cellulaire est l'un des moments pendant lesquels l'ADN est le plus facilement altérable. Si, comme certaines études semblent le montrer, les ondes de téléphone portable produisent des dommages sur l'ADN, alors les enfants sont aux premières loges. C'est la même raison qui pousse les scientifiques à mettre en garde contre les rayonnements proches d'un embryon ou des testicules (zones de forte activité de reproduction cellulaire).

On l'aura compris : si ces ondes sont néfastes, alors les enfants sont en grand danger. Tout est donc dans le « si ». Que peut-on déduire des nombreuses études effectuées pour mesurer l'éventuelle nocivité du portable ? Quels sont les risques les plus fréquemment évoqués ? A-t-on prouvé quoi que ce soit ? Oui et non. Un certain nombre d'expériences ont fait état de résultats inquiétants. Mais bien souvent, des voix se sont élevées pour critiquer leur méthodologie. Ou encore pour reproduire le protocole expérimental en aboutissant à des résultats différents. Le tout sur un fond de suspicion quasi systématique, car c'est souvent l'industrie du téléphone qui finance les études qui – ô surprise ! – s'avèrent les plus rassurantes. Cette grande confusion explique le *statu quo* actuel.

Sur le front considéré par beaucoup comme le plus préoccupant, celui des éventuels dommages sur l'ADN, l'inquiétude est légitime. En 1993, une équipe de biologistes belges a exposé des cellules sanguines humaines à des champs électromagnétiques de 2 450 MHz (le portable émet, lui, à 900 et 1 800 MHz), mais à des puissances cent fois supérieures à celles émises à côté de notre oreille quand nous téléphonons. Le résultat final a établi des lésions chromosomiques des lymphocytes (une famille de globules blancs). Cela ne suffit pas à conclure définitivement à la dangerosité du portable, car si la fréquence des ondes était proche de celle que nous percevons, la puissance en revanche n'était en rien comparable, on l'a dit, à celle à laquelle nous sommes exposés.

L'expérience qui fit le plus de bruit dans ce domaine fut menée aux États-Unis, en 1994, par les professeurs Henry Lai et N. P. Singh, de l'université de Washington. Ceux-ci soumirent des rats à des ondes d'une fréquence de 2 450 MHz, puis comparèrent l'état de leur ADN à celui d'un lot de rats témoins. Ils avaient mis au point une technique permettant de repérer les brins d'ADN endommagés par le fait que ceux-ci n'étaient pas neutres électriquement, et par conséquent migraient, une fois soumis à un champ (en vertu du principe selon lequel les charges de même nom se repoussent, tandis que celles qui s'opposent s'attirent). Leurs conclusions furent peu réjouissantes, puisque les rats soumis aux radiations présentaient entre 20 et 30 % de cassures supplémentaires par rapport aux animaux témoins.

L'étude du Pr Lai illustre bien la difficulté d'arriver à une conclusion qui fasse autorité. Car les objections apparaissent vite. Objections méthodologiques, d'abord : les conditions de laboratoire présentent toujours des biais qui rendent l'extrapolation difficile. Ainsi, le Dr George Carlo, qui s'est illustré en tirant la sonnette d'alarme alors qu'il était financé par l'industrie du téléphone (et donc censé apaiser les esprits), reproche-t-il tout de même à cette expérience la trop grande promiscuité entre les rats sacrifiés pour l'expérimentation et ceux destinés à l'être ultérieurement, qui peut induire pour ces derniers, à cause de l'odeur des rats morts, des effets anxiogènes, « capables d'induire des modifications physiologiques chez l'animal ». De la même manière, les deux chercheurs n'avaient pas noté, pour chaque animal analysé, le temps écoulé entre son décès et le moment de l'analyse de ses cellules. Or lorsque la vie quitte un organisme, une dégénération spontanée de l'ADN se produit, qui augmente avec le temps. Difficile donc de mesurer quelle part le simple facteur « dégénérescence de l'organisme » pouvait occuper dans ces résultats troublants.

Les études les plus rassurantes sont financées par les opérateurs

Les autres objections apparurent à la publication d'une étude semblable aboutissant à des conclusions beaucoup plus rassurantes... mais il s'agissait d'une recherche financée par Motorola. Comme le révèle Jean-Pierre Lentin dans son ouvrage, l'un des deux travaux commandés par Motorola donna des résultats équivalents à ceux publiés par Lai et Singh. Mais selon le scientifique qui en était l'auteur, l'entreprise lui aurait demandé de ne pas publier ses résultats, et, face à son refus, aurait supprimé ses crédits. Motorola donne évidemment une autre version des faits, expliquant qu'une « clarification » était nécessaire... Et pourtant, les choses sont assez claires, comme l'explique Jean-Pierre Lentin : « À la même époque, une fuite révèle à la presse un mémorandum interne de Motorola qui expose un véritable plan de guerre médiatique [...] afin de neutraliser les retombées de " l'affaire Henry Lai ". » Reste que plusieurs laboratoires ont reproduit l'expérience depuis, sans jamais obtenir les conclusions de Lai et Singh. Quant à Lai, il s'est vu lui aussi supprimer ses crédits de recherche. Difficile, dans ces conditions, de travailler à la légitimation de son expérience.

Une autre expérience, ultérieure, est venue inquiéter la communauté scientifique. Les Dr Ray Tice et Graham Hook, en Caroline du Nord, ont mis au point un protocole particulièrement minutieux et, chose rare, ont exposé leurs éprouvettes aux rayonnements de vrais téléphones portables diffusant le message de voix enregistrées (car le signal transmis est susceptible d'avoir un impact sur l'expérience). Ils ont constaté que les chromosomes du sang humain étaient endommagés par ces émissions. L'expérience fut effectuée à trois reprises, et donna toujours des résultats identiques. Un bémol cependant : les puissances d'émission étaient supérieures à celles que nous recevons. Mais, comme l'explique George Carlo, la norme de sécurité reconnue (1,6 watt par kilo) avait été fixée en partant du principe qu'aucun effet néfaste n'était constaté sous le seuil de 40 watts par kilo. On avait divisé ce chiffre par 25, pour maintenir une marge de sécurité, et retenu la valeur de 1,6 watt par kilo. Or Tice et Hook obtenaient d'inquiétants résultats en exposant le sang humain à des rayonnements de 5 et 10 watts par kilo. Ce qui, en appliquant le même facteur de sécurité, devrait désormais placer le maximum autorisé à 0,2 ou 0,4. Des valeurs souvent dépassées par nos téléphones !

Le risque de cancer n'est pas loin : Tice et Hook ont procédé à un test dit « des micronoyaux ». Ce dérèglement consiste en l'apparition de plusieurs petits noyaux dans une cellule, au lieu d'un seul. Or la corrélation entre micronoyaux et cancers est avancée par certains. Selon Jean-Pierre Lentin, les médecins envoyés en Ukraine après la catastrophe de Tchernobyl utilisèrent cette méthode pour diagnostiquer des cancers dans la population. Ce risque est par ailleurs celui qui préoccupe le plus l'opinion publique, sans doute à cause des procès intentés, aux États-Unis, par des malades à leur opérateur téléphonique, procès largement relayés par les médias.

Qu'en est-il exactement du risque de cancer ? En mai 1997, la publication d'une étude australienne fit grand bruit... au grand dam de son financeur, opérateur de téléphonie mobile australien qui avait tout fait pour en minimiser la portée. Des souris avaient été modifiées génétiquement, de façon à ce qu'elles développent plus facilement des lymphomes. On exposa cent une d'entre elles, pendant dix-huit mois, à raison de deux séances de trente minutes par jour, à des quantités de rayonnements comparables à celles reçues par l'utilisateur d'un portable. En comparant le nombre de lymphomes apparus à ceux d'un groupe témoin, les chercheurs constatèrent que le rayonnement avait multiplié le nombre de tumeurs par 2,4. Mais une expérience réalisée sur des souris transgéniques peut-elle conduire à des conclusions sur l'homme ?

Pour estimer le risque de cancer, rien ne vaut, on l'aura compris, une étude statistique sur les humains – une étude épidémiologique –, à cette réserve près qu'elle se fait *a posteriori* : elle implique d'attendre l'apparition des maladies pour tirer des conclusions, ce qui est quelque peu gênant. De plus, dans ce domaine, il n'est pas facile de trouver des échantillons vraiment représentatifs. On retiendra toutefois une étude suédoise du centre Orebro Medical assez paradoxale : en analysant le cas de deux cent trente-trois patients atteints de tumeurs au cerveau, les chercheurs établirent qu'il n'y avait pas, globalement, de lien entre tumeurs et utilisation du portable. Pourtant, ces tumeurs étaient plus fréquentes du côté où le patient avait l'habitude de mettre son téléphone portable : le risque était 2,4 fois plus élevé de contracter un cancer dans la région du cerveau proche de l'appareil. Un chiffre à la fois inquiétant et difficilement exploitable : on ne peut pas exclure que le hasard en soit la cause. La même équipe entreprit alors de recommencer son enquête, cette fois-ci en séparant tumeurs bénignes et malignes, et avec un échantillon de quatre cent soixante-six patients. Et conclut catégoriquement que l'usage du téléphone portable était un facteur de risque pour le cancer du cerveau. Mais là aussi, la validité statistique de l'enquête a souvent été mise en cause. L'équipe travaille actuellement à un approfondissement de ses données.

Autre point inquiétant, assez peu connu, l'effet des ondes sur la « barrière hémato-méningée », appelée aussi barrière sang-cerveau. Il s'agit d'un système de défense propre au cerveau qui empêche certaines substances toxiques véhiculées par le sang d'atteindre la tête. Ce mécanisme pointu n'est pas sans lien avec la protection contre le cancer, puisqu'il permet de bloquer, entre autres, le passage de substances cancérigènes dans le sang. En 1997, l'équipe du Dr Stalford, de l'université de Stockholm, après avoir soumis des rats à des micro-ondes à 915 MHz, a constaté chez ces derniers un recul de la barrière hémato-méningée. D'autres recherches ont abouti à des résultats différents... mais une expérience allemande *in vitro* les a ensuite revalidés. Le doute est donc présent. Les militaires eux-mêmes s'interrogent sur cette question, puisqu'il n'est pas exclu que le « syndrome de la guerre du Golfe », dont souffrent certains anciens combattants, relève de la même causalité : les soldats d'aujourd'hui sont soumis à des ondes multiples dues notamment aux engins de l'armée (radars, téléguidage de missiles, télécommunications).

On le voit, les sujets d'inquiétude ne manquent pas. Mais aucun consensus n'émerge. Il faut dire que les conditions d'expérimentation peinent à reproduire la réalité. En particulier, il est très difficile de savoir précisément combien de rayonnements un animal a reçus au cours d'une expérience : les ondes ne se répartissent pas de façon uniforme dans l'espace. D'où, pour les hommes, la fabrication pour les expérimentations de « fantômes », mannequins remplis de gel et de sondes, afin de mesurer, à différents endroits de l'organisme, le rayonnement effectivement perçu. En outre, tout porte à croire que les industriels sont particulièrement cyniques dans ce domaine. On ne compte plus les « affaires louches », celles au cours desquelles des scientifiques ont perdu leurs crédits issus d'opérateurs de téléphonie ou de fabricants de téléphone, ou les résultats arrangés pour ne pas trop inquiéter.

Les antennes de téléphonie accroissent-elles les risques de cancer?

Malheureusement pour les industriels, le vent pourrait bien être en train de tourner. Car la fronde s'organise. L'ennemi public est identifié : il s'agit des antennes de téléphonie. Celles-ci véhiculent bien entendu le même type d'ondes que nos téléphones. Mais, n'étant pas collées à notre cerveau, on les a trop longtemps considérées comme inoffensives. Or la peur est de plus en plus manifeste. Chez Priartem, association nationale qui se bat contre l'implantation aléatoire de ces antennes, les plaintes se multiplient. Marc Cendrier, responsable de l'antenne parisienne, est catégorique : « Nous allons au-devant d'une pandémie, une catastrophe à l'échelle planétaire. La première qui sera d'origine technologique. » Les raisons de s'inquiéter ne manquent pas. En premier lieu, il flotte autour de ces quelque 36 000 antennes une odeur de secret peu propice à la confiance. Les opérateurs se gardent bien d'en publier la carte d'implantation. Et, pour les associations qui protestent, chercher à les détecter n'est pas une mince affaire : toutes ne sont pas installées sur des mâts visibles. Il s'agit de petits parallélépipèdes discrets, posés un peu partout sur les toits des immeubles. Ou, comme sur la basilique de Fourvière (Lyon), dans une croix fabriquée pour l'occasion [3] !

Surtout, trop de cas inquiétants sont apparus. Les locataires d'appartements situés à côté de telles antennes, s'ils n'ont pas un émetteur collé à la tempe, sont en revanche exposés toute l'année, 24 heures sur 24. Et des malaises apparaissent. Migraines, fatigue excessive, irritabilité ou apathie, les troubles sont divers. Pour les opérateurs, ces symptômes ont une bonne explication : la psychose, au sens commun du terme. Effectivement, il ne faut pas sous-estimer la capacité de chacun de tomber malade par peur de l'être ! Le 26 novembre 2001, André Aschieri [4], alors député apparenté Vert des Alpes-Maritimes, faisait ainsi écho, sur France Inter, de cas de personnes se plaignant de mal dormir depuis l'implantation d'une antenne à côté de chez elles... alors que ladite antenne n'était pas encore branchée !

Mais cette réponse pourrait bien être l'arbre qui cache la forêt. Exemple, cette mère de famille que nous avons interviewée, et dont le fils de onze ans s'est mis à souffrir de migraines et d'insomnies lorsqu'il a emménagé dans un appartement où sa chambre était située sous une antenne. Lorsqu'on objecte à cette mère que son fils a pu tomber malade par peur de l'être, sa réponse est catégorique : « Nous avons découvert l'existence de cette antenne bien après l'apparition des symptômes. Cela faisait déjà un certain temps qu'il était léthargique, sans énergie. » Plus étonnant, elle a fait mesurer par un expert le champ présent dans son appartement. L'expert en question, envoyé par l'opérateur téléphonique, a conclu à une valeur de trois fois inférieure à celle qu'il avait lui-même mesurée au même endroit deux ans plus tôt. « Il ne savait pas que j'avais eu dans les mains son rapport datant d'il y a deux ans. Il m'a même soutenu n'être jamais venu sur ces lieux. » Une conjonction d'anomalies pour le moins troublante.

Surtout, la situation dans certains sites commence à être véritablement inquiétante. C'est le cas, en banlieue parisienne, de la petite ville de Saint-Cyr-l'École. Car ce sont bien des cas de cancers qui sont, cette fois-ci, signalés. Deux enfants scolarisés dans la même école sont décédés, en 1996 et 1998, de la même pathologie, un cancer rare, qui surviendrait en moyenne quatre-vingts fois par an dans notre pays. Or quatre antennes de téléphone portable, installées deux par deux en 1992 et en 1997, trônent juste en face de cette école. Les enfants sont donc soumis au rayonnement depuis longtemps. On comprend que dans cette ville, les habitants se soient battus – longuement, mais avec succès – contre Bouygues Telecom pour empêcher l'implantation de six nouvelles antennes. Néanmoins, lorsque la mairie a voulu démanteler celles qui étaient situées face à l'école, elle a dû mener deux procès, qu'elle a perdus.

Car la législation protège les opérateurs. Depuis l'adoption, en mai 2001, d'un décret reprenant les recommandations européennes, ils sont à l'abri. Malgré les recommandations des rapports (notamment le rapport Zmirou, déjà cité) de ne pas installer d'antennes à proximité des écoles, des hôpitaux et des maisons de retraite. Mais si les normes désormais en vigueur sont européennes, il est possible d'être plus restrictif : c'est ce qu'ont fait tous nos voisins. Le texte européen n'était qu'une recommandation, et en aucun cas une directive (le parlement européen ne l'a pas voté). La plupart des pays se sont bien gardés de le faire passer dans leur droit national, tant ses préconisations sont laxistes. Seule l'Espagne a fait comme la France... à ceci près que le gouvernement espagnol a depuis amendé le décret, et fait démonter deux mille antennes. Il est vrai que les scandales se sont multipliés, notamment à Valladolid, où onze cas de cancers ont été détectés, à proximité du collège Garcia-Quintana, exposé à des antennes relais.

À Saint-Cyr-l'École, même si SFR et Orange ont annoncé en mars 2003 qu'ils suspendaient le fonctionnement des antennes incriminées (en face de l'école Ernest-Bizet), l'inquiétude reste grande. Car ce sont huit cas suspects de cancer chez l'enfant qui ont été identifiés par une enquête de la DDASS. Anne Balavoine-Dumez, habitante de Saint-Cyr qui coordonne le dossier pour une association de défense de l'environnement, est inquiète : « Nous savons qu'il y a au total onze émetteurs sur la commune, mais où ? » Doit-elle mettre sur le compte des antennes la grave maladie auto-immune qu'a eue son fils à l'âge de sept ans ? Elle a le sentiment que les habitants de Saint-Cyr sont des cobayes malgré eux : « En plus des antennes de téléphone, nous avons des lignes à haute tension enfouies, des radars militaires à 2,5 kilomètres, dirigés sur le quartier, et on commence aussi à évoquer des émetteurs des Renseignements généraux ! » Pas de doute, il flotte autour des antennes de téléphonie bien trop de mystère pour que les choses se déroulent dans le calme. Et si, à Saint-Cyr, « les gens se sentent mal, sans raisons apparentes, et tout va mieux dès qu'on quitte la ville », ce n'est pas forcément parce qu'une psychose anti-antennes s'est emparée des habitants – ou pas uniquement par peur d'être malade.

Un rapport décisif vient en effet d'apporter de l'eau au moulin de Priartem, Agir pour l'environnement et des autres associations qui se battent pour qu'on reconnaisse l'impact des antennes sur la santé. En Allemagne, une enquête officielle commanditée par le ministère du Développement et des Questions d'environnement du Land de Bavière vient d'être rendue publique. Vingt-sept exploitations agricoles exposées à des antennes ont été comparées à un groupe témoin de dix-sept exploitations. Au bout de deux ans d'enquête, les scientifiques constatent dans le bétail toute une série de symptômes : dépression du système immunitaire, troubles graves de la fertilité, interruptions de grossesse, malformations génétiques, ruptures d'ADN et troubles de la mitose (reproduction cellulaire). La corrélation avec la présence des antennes est patente. Conclusion officielle : la cause de ces problèmes est l'émission électromagnétique des antennes GSM. Inutile, cette fois, d'objecter que les perturbations sont psychologiques...

Redoubler de vigilance en attendant les preuves définitives

Conclusion de Jean-Pierre Lentin, qui s'apprêtait, quand nous l'avons interviewé, à publier une version actualisée de son ouvrage, pour étoffer notamment le chapitre « antennes » : « Entre le moment où j'ai écrit mon livre et aujourd'hui, je suis devenu plus inquiet. La question des antennes, sauf si nous réagissons très vite, pourrait un jour déboucher sur un scandale de santé publique. » Reste que le problème est sans fin : s'il s'avère qu'il faut baisser la puissance d'émission des antennes, alors cette baisse devra être compensée par une puissance accrue émise par le téléphone portable. Avantage : à chacun d'adopter une attitude prudente, en téléphonant peu. Inconvénient : votre téléphone est collé à votre crâne.

Dans l'état actuel des connaissances, on peut en appeler à une vigilance maximale de la part des parents et de tous ceux qui encadrent des enfants. Adopter quelques principes semble désormais impératif. D'abord, ne pas sous-estimer la question de l'implantation d'éventuelles antennes juste au-dessus d'un appartement dans lequel on s'apprête à emménager. Les locataires semblent commencer à prendre ce paramètre en considération, puisque la mère de famille que nous avons interrogée a emménagé dans un appartement qui ne trouvait pas preneur depuis six mois, malgré son charme et un marché de l'immobilier saturé. Mais aussi, ne jamais laisser son enfant téléphoner pour bavarder. Il faut veiller à ce que le portable reste utilisé pour ce à quoi il était destiné à l'origine : les conversations rapides, ou les cas d'urgence. D'autre part, il faut veiller, autant que possible, à ne pas téléphoner dans un lieu clos, comme la voiture, auquel cas les passagers, et notamment les enfants, seront soumis à un champ particulièrement puissant. En outre, téléphoner dans un lieu isolé (ascenseur, sous-sol) demande à l'appareil de redoubler de puissance. Ce genre de situation est à éviter au maximum. Dans tous les cas, la solution de l'oreillette, si elle est encore controversée, apparaît comme une sécurité évidente. À condition toutefois de ne pas poser le téléphone sur soi en téléphonant !

Cette situation ne pourra durer éternellement. Une prise de conscience est en train de s'effectuer. Dans la population, probablement. Mais aussi chez les experts. Mme Gro Harlem Brundtland, la directrice jusqu'en janvier 2003 de l'Organisation mondiale de la santé (OMS), est devenue sensible aux ondes du téléphone portable. L'OMS était connue pour avoir validé des normes « laxistes » (nombre d'anciens pays communistes ont fixé des seuils de puissance maximale autorisée nettement inférieurs à ceux de l'OMS). Après avoir minimisé le danger du mobile, Gro Harlem Brundtland a commencé à avoir des migraines liées, semble-t-il, à l'utilisation du sien. Elle a même mis ses collègues à contribution, leur demandant de venir dans son bureau avec leur téléphone éteint ou allumé, en guise de test, et elle a toujours détecté la présence des appareils allumés !

Il reste aux associations de lutte contre les ondes GSM à espérer que le successeur de Mme Brundtland manifeste les mêmes symptômes... mais pas en fin de mandat !

CONCLUSION

« *Back to the trees* » ?

En 1960 on disait que la génération des rockers garderait à jamais les séquelles de ses hurlements et de ses transes. En 1910, que les passagers des premières voitures verraient leur cerveau se ramollir au contact de l'air pris de plein fouet. En 1870, que les pionniers du train ne s'en remettraient pas, après avoir risqué l'asphyxie dans les tunnels. Aujourd'hui, on craint que les enfants qui ont eu un joystick en guise de hochet ne finissent par ressembler aux « zombies » qu'ils affectionnent tant. Les technologies nouvelles ont toujours été angoissantes, et les sociétés partagées entre prophètes de l'évolution et partisans du repli. La tentation du « *Back to the trees!* * » est un vieux démon de l'Humanité.

* En français, « *Remontons dans les arbres* ». Citation, devenue « culte », de l'oncle conservateur, effrayé par ce qu'inventent les enfants, dans le livre de Roy Lewis *Pourquoi j'ai mangé mon père* (Editions Actes Sud).

Qui prétendrait que les moins de vingt ans ne sont pas différents de ce qu'étaient, à leur âge, les « quadras » ou les « quinquas » d'aujourd'hui ? « Quand ma grand-mère a eu l'électricité, elle refusait de toucher aux interrupteurs, raconte le psychanalyste Serge Tisseron. Aujourd'hui, à trois ans, les enfants savent manier la télécommande d'un magnétoscope. » À nouvelles habitudes, nouvelles aptitudes. Et nouvelles attitudes ? « Une des plus brillantes étudiantes du MIT spécialisée en sciences de l'informatique n'arrivait pas à appuyer sur le bouton qui aurait mis fin à la vie de son tamagotchi, décrit Sherry Turkle, la spécialiste américaine du multimédia. Cette jeune femme vit déjà dans l'ère postmoderne. Il y a dix ans, ce genre de comportement n'était concevable que chez les enfants. Aujourd'hui, il touche les adultes qui ont grandi avec l'ordinateur. » Et de prophétiser : « Demain, ce sera tout le monde. » Mais le fossé générationnel se comblera tout seul, puisque les jeunes parents d'aujourd'hui ont eux-mêmes grandi avec la Super Nintendo.

En attendant, lorsqu'on a découvert le PC ou le Mac à l'âge adulte, comprendre les relations qu'entretiennent avec lui ceux pour qui il constitue un objet aussi familier que la télévision ou l'autoradio n'est pas toujours facile. Les remises en cause sont permanentes. Même lorsque les parents, compréhensifs ou désabusés, ont fini par admettre que leur enfant cajole son tamagotchi comme ils cajolaient autrefois leur hamster, ils ont encore du mal à accepter qu'un beau matin, il s'amuse à mettre l'animal à mort le plus vite possible. Tuerait-il un lapin de la même façon ? « Les parents s'inquiètent pour leurs rejetons. Mais c'est pour eux qu'il faudrait s'inquiéter, ironise Francis Duygues, spécialiste du multimédia et enseignant au CELSA, Paris IV-La Sorbonne [1] : ils attachent davantage d'importance à la vie du tamagotchi que leur gamin, qui a parfaitement conscience de tenir entre les mains l'équivalent d'une Game Boy. Il modifie simplement les règles d'un jeu qui commence à le lasser. Personne ne s'est jamais inquiété de voir un gosse écraser ses personnages en pâte à modeler ou défaire ses Lego. »

Les nouveaux outils façonnent-ils une nouvelle race d'hommes ? « Non, tranche Jean-Loup Bourrissoux, le “ prof des profs ” en multimédia de l'académie de Créteil. Seulement de nouveaux groupes culturels. Les adultes de demain se seront forgé de nouvelles représentations et de nouvelles manières de modéliser la vie. »

Pourtant, certains psychiatres inscrivent le phénomène multimédia dans un contexte plus vaste. Le rejet du réel au profit du virtuel, la banalisation de la violence ou la perte de légitimité des figures de l'autorité, questions évoquées ici au fil des chapitres, seraient emblématiques d'une évolution de la société : nous serions passés ainsi, selon le psychiatre Charles Melman, d'une « économie du désir » à une « économie de la jouissance [2] ». L'homme du début du XXIe siècle serait un homme « sans gravité », « sommé de jouir », affranchi du refoulement et en manque de repères.

On peut ne pas aller aussi loin, et penser que les jeux vidéo ne nous ont pas fait changer de société, mais seulement de type de risques. Hier, on pouvait se casser la colonne vertébrale en tombant d'un arbre, prendre un coup sur le crâne en jouant à Zorro avec une épée en bois ou s'abîmer les yeux en lisant *Jane Eyre* à la lueur d'une ampoule de 20 watts. Aujourd'hui, si l'on exclut les problèmes de santé liés au mobile – il faudra des années pour qu'on mesure toutes les conséquences des rayonnements des téléphones portables sur les bambins d'aujourd'hui –, les risques sont essentiellement psychiques. Et ils sont bien cernés pour la grande majorité des enfants.

D'abord, il faut tordre le cou à la plus tenace des idées reçues et des angoisses parentales : non, les enfants ne deviennent pas « accros » aux jeux. Les filles ne sont pratiquement jamais en overdose de monde virtuel, et la violence sur écran n'a pas prise sur elles. Quant aux garçons, après le pic de l'adolescence, on l'a vu, ils rangent généralement leur console et leur béguin pour les héroïnes virtuelles quand ils découvrent le sexe opposé en grandeur réelle. Les charmes, pour plantureux qu'ils soient, des Jeanne d'Arc bodybuildées ne font pas le poids face à l'expérimentation multisensorielle en trois dimensions !

Les « accros » au multimédia n'en existent pas moins, mais tous sont des adultes. Ils souffrent d'une vraie « perte de liberté », une déréalisation qui les coupe de leur travail et de leurs amis, et constitue un suicide à petit feu. Pour eux, la dépendance douce, semblable à celle de la nicotine, s'est transformée en dépendance dure, de type cocaïne. Cependant, cette « toxicomanie sans drogue » n'est généralement que l'un des symptômes d'une maladie psychique lourde.

« Les jeux électroniques abêtissent les enfants, les isolent et les excitent », dit encore la rumeur publique. Ces dangers-là ne sont pas forcément ceux qu'identifient les psychologues, comme notre enquête l'a montré. Au contraire, des scénarios comme les Sims permettraient aux enfants d'expérimenter la vie sociale. « C'est en jouant à être quelqu'un d'autre que l'enfant apprend à être lui-même », estime Francis Jauréguiberry, sociologue et professeur à l'université de Pau [3]. Néanmoins, si le risque statistique demeure faible, les problèmes de violence, de sociabilité ou de discipline menacent effectivement les enfants et les ados « à problèmes ». L'enfant laissé à lui-même, dont la vision du monde passe exclusivement par l'image que lui renvoie son micro ou sa console de jeux, risque d'avoir, à terme, des difficultés à s'affirmer dans le monde réel. S'il a traditionnellement du mal à nouer des liens ou pratiquer des activités socialisantes, une fréquentation assidue du monde virtuel aggravera son handicap. Même si, dans certains cas, elle lui permettra au contraire de se soigner : il rencontrera des copains en ligne ou dans son quartier pour échanger avec eux des jeux ou des « soluces » (combines).

Ensuite, Internet est rempli d'horreurs dont les chères têtes blondes – même joyeuses, sociables et équilibrées – doivent être préservées. « Il faut protéger l'enfant des effractions sur son psychisme que peuvent avoir les visions de scènes violentes ou sexuelles trop tôt, estime la psychanalyste Hélène Vecchiali. Lui autoriser tout, c'est lui voler son temps de maturation. »

Internet, c'est vrai, est loin d'être parfaitement organisé, ce qui complique la tâche des parents et des éducateurs. Mais il le sera progressivement. « Quand le réseau s'est mis en place, raconte le professeur Yves Coppens, les premiers à s'installer, en matière de paléontologie humaine, furent les créationnistes américains, antidarwiniens *. Heureusement, peu à peu, tout est rentré dans l'ordre. Cette évolution est typique de l'Humanité. La matière aussi a été chaotique il y a quinze milliards d'années... »

En attendant, les adultes, démunis face à des dangers qu'ils n'ont pas expérimentés en leur temps, assurent à grand-peine leur mission d'éducateurs. Ils ont du mal à trouver la bonne attitude. Certains confisquent la souris quand leur enfant de six ans la manipule des dimanches entiers mais laissent la grande sœur envoyer des messages intimes à une copine canadienne de treize ans – laquelle n'est peut-être ni canadienne ni du même âge qu'elle... ni même

* Les créationnistes établissent un lien entre la Bible et les sciences : ils croient à la *création* de l'homme *ex nihilo* et non à un processus d'*évolution* de l'espèce.

de sexe féminin. Beaucoup d'éducateurs, en mal d'autorité, naviguent entre excès de censure et irresponsabilité.

Les psychologues que nous avons consultés sont unanimes : il existe pourtant un comportement parental « souhaitable ». Il consiste à ne pas confondre compétence et autorité. Il est normal que le fils batte son père aux jeux vidéo, pas qu'il le batte tout court. On peut être nul en combat de rue virtuel mais rester le détenteur de l'autorité dans le salon. À condition d'avoir compris que cette autorité ne repose plus sur le même socle qu'autrefois : elle ne se fonde plus sur la transmission d'un savoir ou d'un savoir-faire, mais d'une culture et de valeurs. Un bagage immatériel, en somme.

Il y a quelques années, le parent achetait un ordinateur pour que son enfant « devienne intelligent ». Aujourd'hui, il espère seulement qu'il l'utilisera intelligemment. Il peut l'y aider en appliquant quelques règles de base, comme on le verra en annexe : bannir les jeux excessivement violents, fixer des limites en termes de durée d'utilisation des jeux, instaurer un dialogue autour du PC et de la console. Car pour qu'il produise ses effets bénéfiques, le multimédia doit rester un élément parmi d'autres de la vie familiale et sociale. Si l'on ne veut pas que les « enfants de l'ordinateur » le deviennent au sens propre du terme – l'ordinateur supplantant les vrais parents –, son apport et ses effets doivent être maîtrisés.

La machine, lorsqu'on y réfléchit, a quelque chose de rassurant : si, dans le monde réel, un enfant se rend dans des lieux où ses parents ne souhaiteraient pas qu'il aille, ils ne le sauront jamais. Sur le Net, en revanche, il est pisté : on peut le suivre à la trace – occasionnellement – pour peu qu'on s'en donne la peine. Mais c'est rarement le cas : selon une étude évoquée en annexe, 62 % des parents ne savent absolument pas où vont leurs enfants sur le Net, faute de connaître quelques manipulations basiques. Ils ne peuvent donc servir de garde-fou. Tous ceux qui rêvent d'avoir un petit Bill Gates à la maison mais ne veulent pas qu'il y introduise le catalogue de la drogue en ligne ou le mode d'emploi des cocktails Molotov feraient bien d'acquérir quelques rudiments de technologie. Et surtout de dialoguer avec lui, en lui posant des questions et en lui donnant l'occasion de faire du jeu une activité personnelle de valorisation : « Parce qu'il va pouvoir expliquer ce qu'il fait à ses parents, l'enfant va mettre des mots sur ce qu'il vit, explique Serge Tisseron. Ce qu'il faut éviter, c'est que les enfants développent une culture complètement en marge de leurs parents et que cela conduise à une séparation de plus en plus précoce. » « L'important, confirme Éric Caen, éditeur de jeux électroniques, c'est que les parents sachent expliquer le second degré du jeu. »

La plupart des éducateurs n'ont pas une conscience claire de la situation. L'étude citée plus haut, qui s'est penchée sur l'utilisation de l'Internet par les enfants, en interrogeant à la fois parents et rejetons, offre des comparaisons éclairantes. Ainsi, 51 % des enfants affirment passer plus de cinq heures sur Internet par semaine, quand seulement 29 % des parents estiment que c'est le cas. De même, 55 % des enfants assurent dialoguer sur les forums de discussion ou les *chats*, alors que leurs parents ne sont que 41 % à le supposer. *Idem* pour le fait de se faire « de nouveaux copains » : 39 % des enfants prétendent que cela leur arrive, mais seulement 21 % des parents se l'imaginent.

Tout adulte confronté à ce problème a intérêt à s'interroger sur la nature des rapports qu'entretient un enfant avec les jeux vidéo ou Internet. Son investissement personnel est-il accessoire ou central ? Passager ou durable ? Quelle place garde-t-il pour sa vie affective ? Est-il prêt à renoncer à ses sorties avec les copains pour quelques heures supplémentaires de tête-à-tête avec Lara Croft ou ses partenaires de *chat* ? Et s'il s'agit de jeux, ceux qu'il choisit lui inspirent-ils une « agressivité positive » ? En effet, le jeune joueur a toujours tendance à s'identifier à un personnage. Il est donc toujours préférable qu'il puisse « s'incarner » dans un héros positif, ce que certains jeux ne permettent pas. Le personnage central de l'histoire, s'il n'est pas forcément un clone de mère Teresa, ne devrait en aucun cas être un tueur en série. Pour que le jeu reste « sain », ce héros, même s'il détruit les ennemis par dizaines, devrait idéalement agir sous couvert d'une motivation généreuse : délivrer une princesse, aider une population envahie par un ennemi tyrannique, libérer des prisonniers injustement incarcérés... Tout ceci demeure néanmoins au conditionnel, car même si cet avis de bon sens émane de spécialistes, aucun n'est à ce jour en mesure de prouver que les enfants qui, autrefois, jouaient le rôle des voleurs contre les gendarmes en ont gardé des séquelles !

Quoi qu'il en soit, depuis les attentats du 11 septembre 2001, des personnages « Ben Laden » ont été insérés dans des jeux comme Quake 3 ou Counter Strike, alors que les héros négatifs avaient toujours été jusqu'alors des personnages génériques. Certains psychologues jugent cette évolution positive : on met un nom sur un mal, on espère un effet cathartique. Un jeune Américain opportuniste, Jesse Petrilla, a même créé sur Internet, fin 2002, un jeu assez basique, Quest for Hussein (la traque de Hussein). Un an plus tôt, il s'était rendu célèbre avec Quest for Al-Qaida (la traque d'Oussama Ben Laden). Dans le nouveau jeu, Saddam n'est plus une terreur : le dictateur ne dissimule plus d'armes de destruction massive, son armée équipée de vieux AK-47 sait à peine tirer, et l'Irak est en ruine, peuplé de dromadaires stoïques.

Dans le débat sur le multimédia que l'on retrouve, à l'identique, dans la plupart des pays occidentaux, certains intervenants veulent voir un clivage entre les enfants « traditionnels » bien contrôlés par leurs parents (ils utilisent peu la télé et les jeux vidéo, lisent beaucoup, et réussissent à l'école), et les enfants pour lesquels les écrans sont un monde naturel, et qui déclarent s'ennuyer à l'école. Cette théorie est battue en brèche par les enseignants et les psychologues. S'il est vrai que l'ordinateur met en œuvre des processus cognitifs différents de ceux que sollicite le système scolaire, les deux ne sont pas incompatibles. Les jeux vidéo sont inductifs : ils demandent un goût de l'exploration, et valorisent la découverte au hasard. L'école, à l'inverse, est un univers déductif, où tout est strict et maîtrisé.

L'idéal ? Être à l'aise dans les deux univers. « Beaucoup d'enfants aiment lire, regarder la télé, jouer aux jeux vidéo, et ils sont bons en classe », rappelle Dominique Pasquier, du CNRS, l'auteur de l'étude, déjà citée, sur « Les jeunes et l'écran », la référence française en la matière. Un psychologue de Notthingham Trust University, Mark Griffiths, pense même avoir montré, grâce à une recherche sur huit cents enfants, que ceux qui jouaient modérément (jusqu'à deux heures par jour) faisaient plus de sport, comptaient davantage d'amis, et lisaient davantage que les non-joueurs ! Reste à savoir si la corrélation est réelle ou si les deux éléments reflètent simplement l'appartenance à une catégorie sociale plus favorisée.

L'interdiction pure et simple du multimédia pour les enfants est, en tout cas, la pire des solutions car la technologie devient alors le fruit défendu, ce qui décuple l'envie de jouer ou de surfer. Les enfants s'y adonnent tout de même à l'insu de leurs parents, chez des copains ou dans des salles spécialisées, pour ne pas se sentir ridicules dans un monde où vivre « hors normes » exige une maturité qu'ils ne possèdent pas encore. Cette attitude parentale extrémiste est d'autant plus discutable qu'Internet est désormais un outil « reconnu d'utilité scolaire » et que les jeux, on l'a vu, contribuent au développement de l'enfant : ils augmentent sa motricité et sa capacité de concentration. Aux dires des pédopsychiatres, ils l'aident également à franchir le cap de l'adolescence, en prolongeant le monde de l'enfance (puisqu'il s'agit toujours d'un jeu) tout en faisant entrer le joueur dans le monde des adultes (les personnages sont des adultes). Évelyne Esther Gabriel, thérapeute en psychomotricité, estime même qu'ils permettent « un travail souterrain d'expérimentation de la vie » : les jeux vidéo participeraient au « travail d'équilibration entre nature et culture, une sorte d'entraînement à la vie active ». De plus, la démarche par essais-erreurs qu'ils permettent de développer deviendrait une qualité indispensable à tous les stades de la vie, dans une société qui pousse les nouveaux adultes à la mobilité et à l'adaptabilité. Sans parler, évidemment, de la dimension plaisir. Pour Alain et Frédéric Le Diberder, auteurs de *Qui a peur des jeux vidéo ?* [4], ces jeux provoquent cinq plaisirs qui justifient l'attirance qu'on a pour eux : la compétition, l'accomplissement (la quête du Graal), la maîtrise d'un système, le plaisir du récit et celui du spectacle.

Et si, finalement, le Net et les jeux vidéo étaient un palliatif pour les enfants du XXIe siècle ? La plupart d'entre eux vivent en ville. Ils ne peuvent grimper aux arbres ou ramasser des escargots à la sortie de l'école. Et personne n'a envie qu'ils aillent traîner dans les escaliers des immeubles. « La bande de joueurs est plus saine que celle des cours de HLM parce qu'elle est organisée autour d'un objectif pacifique : devenir le meilleur dans un jeu, souligne le pédopsychiatre Serge Tisseron. Les jeux ont pris la place des anciens rituels d'initiation : tant qu'on n'est pas allé jusqu'au bout d'un jeu difficile, on n'est pas réellement adulte. » « Le multimédia engendre de nouvelles formes de sociabilité, complète Sherry Turkle [5]. Les communautés en ligne fournissent de nouveaux espaces qui permettent aux adolescents d'explorer leur personnalité, de nouer des liens, de partager leur joie ou leur tristesse, à peu de risques. »

Internet et les jeux vidéo seraient donc, en somme, les cabanes dans les arbres des gamins du XXIe siècle. Vous avez dit « *Back to the trees* » ?

NOTES ET RÉFÉRENCES

I. LA MACHINE À FABRIQUER DES ZOMBIES

1. Voir, pour les otakus, Étienne Barral, *Les Otakus, les enfants du virtuel*, Denoël Impacts, 1999.
2. *Teenage life online : the rise of the instant-message generation and the Internet's impact on friendships and family relationship*, 20 juin 2001.
3. Nicholas Negroponte, *L'Homme numérique*, Robert Laffont, 1995. (Traduit de l'américain, titre original : *Being Digital.*)
4. Annette Dumesnil, *Internet, mes parents et moi*, Éditions Audibert, mai 2002.
5. *Online communities : Networks that nurture long-distance relationships and local ties*, 31 octobre 2001.
6. Philippe Breton, *Le Culte de l'Internet, une menace pour le lien social ?*, Éditions La Découverte, 2000.

II. DU TOUT-CUIT POUR LE QI

1. Évelyne Esther Gabriel est l'auteur d'un ouvrage didactique, *Que faire avec les jeux vidéo ?*, publié chez Hachette Éducation dans la collection Pédagogies pour demain. Un très bon article sur le sujet, utilisé ici, est également paru dans *PC Junior* n° 7 en février 1997.

2. Voir ESRC : http ://www.esrc.uk./home.html ; propos recueillis par Marie Lichner.

3. Nicolas Marçais et Christine Henniqueau-Mary ont débattu autour de ce thème en avril 1999 pour le magazine *Contact* (« Génération CD-Rom »).

4. Propos et étude publiés dans *Stratégies*, 7 avril 2000.

5. Étude publiée dans un numéro spécial de *Réseaux* (« Les jeunes et l'écran », volume 17, Éditions Hermès) et baptisée « Les jeunes et la culture de l'écran, enquête nationale auprès des 7-17 ans.

6. Cette étude porte sur 716 branchés de 12 à 18 ans ; la moitié d'entre eux surfent chaque jour une heure sur Internet ; un tiers y passent entre deux et trois heures et 5 % restent connectés plus de cinq heures. 81 % jouent sur leur ordinateur au moins une fois par jour. À quoi s'ajoute la télé (deux heures et demie par jour).

7. Sondages réalisés par Odyssey, Jupiter Communications et KidsCom Company.

8. Entretien avec Éric Meyer pour *Le Figaro Magazine*, publié le 8 mars 2003.

9. Entretien avec Christine Kerdellant le 13 mars 2003.

10. Étude publiée sous le titre : « Les jeux vidéo influencent-ils les résultats scolaires ? »

11. Entretien avec Christine Kerdellant le 5 novembre 2002.

12. Entretien avec les auteurs le 29 octobre 2002.

III. PERDUS DANS LA POUBELLE GÉANTE

1. Jean-Yves Hayez, « La confrontation des enfants et des adolescents à la pornographie », in *Archives françaises de pédiatrie.*

2. Homayra Sellier et Stéphane Darnat, *Innocence en danger.com, Internet le paradis des pédophiles*, Plon, février 2003.

IV. LES RAMBO DE LA NINTENDO

1. Sanitarium, Resident Evil et Carmaggedon ont été retirés de la vente en 1999, en France, par les grands distributeurs.

2. La catharsis, selon Aristote, est la résolution de la souffrance psychique par son extériorisation. Mais pour le philo-

sophe grec, l'effet cathartique vient de la mise en ordre des passions (*via* la justice...) et non de leur simple expression, ce qu'on oublie trop souvent.

3. Chiffre établi par l'Irisco (Institut de recherche et des études de comportement).

4. Entre 1990 et 1996, plusieurs analyses ont été menées indépendamment par l'Association médicale américaine, l'Association américaine de psychologie, l'Académie américaine de pédiatrie et de psychiatrie de l'enfant et de l'adolescent, et l'Institut national de santé mentale.

5. Ce psychiatre et psychanalyste, auteur d'une demi-douzaine de livres traitant des relations que nous entretenons avec les images, a été chargé en 1997 par le ministère de la Culture d'une recherche de trois ans sur les effets des images sur les 11-13 ans. Voici ses principaux ouvrages en relation avec les problèmes traités tout au long de ce livre : *Enfants sous influences*, Armand Colin, 2000 ; *Y a-t-il un pilote dans l'image ?*, Aubier, 1998. Voir aussi : *Petite Mythologie* et *L'Intimité surexposée*, Aubier. Nous avons également interrogé Serge Tisseron sur les différents thèmes de notre enquête (entretien avec Christine Kerdellant, le 31 octobre 2002).

6. Enquête « Les jeunes et l'écran », réalisée d'avril à juin 1997 auprès d'un échantillon de 1 417 jeunes de 6 à 17 ans. Enquête européenne suivie, en France, par le CNRS. Quatre catégories de foyers, de A à D (« favorisée A », « favorisée B », « moyenne » et « défavorisée »), ont été identifiées en fonction de la profession des parents. La catégorie la plus favorisée, ou « favorisée A », regroupe les professions libérales, les professions de l'information, de l'art et du spectacle, les ingénieurs, les chefs d'entreprises de plus de dix salariés. À l'autre extrémité, la famille D, ou « défavorisée », rassemble les ouvriers et les chômeurs n'ayant jamais travaillé.

7. Extraits d'un interview à *The Australian*, Sydney, 24 juin 1999.

8. Dont *Violence à la télé, l'enfant fasciné*, Éditions Syros, *Nés avec la télé*, Éditions Desclée de Brouwer.

9. Chronique publiée dans *La Recherche*, mai 2002, sous le titre : « Enseigner la violence ».

10. Livre à paraître à l'automne 2003 aux Éditions Denoël.

11. Propos tenus dans *Libération*, les 29-30 juin 2002, sous le titre : « La violence de la télé réside dans le flot continu des images. »

12. Publié en 1997 chez Economica.
13. Tribune parue dans *Libération.*

V. JE T'M, MOA NON PLU

1. Sondage réalisé en janvier 2002 sur un échantillon de 1 000 personnes de 18 ans et plus, représentatif de la population française
2. *Libération*, 20 juillet 2001.
3. *Le Monde*, 11 août 2000.
4. Pascal Leleu, *Sexualité et Internet*, L'Harmattan, 1999.
5. Entretien avec Christine Kerdellant, le 5 novembre 2002.
6. Pour en savoir plus sur ce sujet, se reporter à Étienne Barral, *Otaku, les enfants du virtuel*, *op. cit.*
7. *Le Figaro littéraire*, 6 avril 2000.
8. *Cybersexe, les connections dangereuses*, Arlea, 1995.

VI. LES RATÉS DE LA CYBERÉCOLE

1. Propos rapportés par *Newbiz*, en septembre 2001, dans son dossier « L'école du XXIe siècle », réalisé par Marie-Madeleine Pérétié et Adrien Guilleminot.
2. Entretien téléphonique avec Christine Kerdellant, le 18 novembre 2002.
3. Propos tenus lors d'un débat « Directs HEC-*Le Point* » et rapportés dans *Le Point*, 29 novembre 2002.
4. Entretien avec Christine Kerdellant, le 9 décembre 2002.
5. On peut citer quelques établissements pionniers : en 1991, un lycée de Marseille et un collège de Montmorillon équipent leurs élèves et les enseignants de micro-ordinateurs portables dotés de dictionnaires, correcteurs, CD-Rom de langues, etc., sous l'impulsion du ministère de l'Éducation. À la même époque, le « cyberlycée » Charles-de-Gaulle de Muret (31) devient le « premier lycée communicant de France ». Sur les postes en réseau de l'établissement, et de chez lui, l'élève doté d'une carte à puce particulière peut accéder à son environnement de travail personnel. En 1999, l'université de Savoie est à l'origine d'un projet de plate-forme de travail collective et dépose la marque de « cartable électronique ».

6. Ce rapport, baptisé : « Électroniques, virtuels, numérique : l'élève, le prof et leur cartable dans l'école de demain », a été publié en février 2002. (FING : fondation Internet nouvelle génération.)

7. Entretien avec Christine Kerdellant, le 13 mars 2003.

8. Édité chez Nathan.

9. Les propos de Philippe Meirieu proviennent de trois sources : un entretien accordé à Christine Kerdellant en avril 1999 pour un article publié en juillet 1999 dans *Capital* ; un entretien accordé à Jean-Loup Bourrissoux, professeur et spécialiste des nouvelles technologies, filmé et diffusé dans le cadre des Journées TICE de l'académie de Créteil, le 15 janvier 2003 ; des propos rapportés par *Le Monde*, dans son article du 14 janvier 2003 « L'ennui à l'école, une des causes de la violence scolaire ».

10. *Le Monde*, voir ci-dessus.

VII. LE COUP D'ÉTAT DES BAMBINS

1. GIE financé par plusieurs mutuelles et subventionné par le ministère de l'Éducation nationale.

2. Enquête INSEE 2001. « Conditions de vie et aspirations des Français », *La Diffusion, l'usage et l'acceptabilité des nouvelles technologies en France*, n° 214, janvier 2001. Cité par l'Observatoire de l'enfance dans son rapport « Les jeunes face aux médias », janvier 2002.

3. Auteur de l'ouvrage *Les écrans dévorent-ils vos enfants ?*, Éditions Fleurus, septembre 1999.

4. Joël de Rosnay, *L'Homme symbiotique*, Le Seuil, 1995.

5. Louis Roussel, *L'Enfance oubliée*, Éditions Odile Jacob, 2001. Voir aussi la synthèse critique de Julien Damon dans *Futuribles*, n° 276, juin 2002.

6. Jonas Ridderstrale et Kjell Nordström, *Funky Business, le talent fait danser le capital*, Les Échos Éditions, 2000.

7. Alain Finkielkraut et Paul Soriano, *Internet, l'inquiétante extase*, Éditions Mille et Une Nuits, 2001.

8. Roger Chartier, « Les pratiques de l'écrit », *in* Philippe Ariès (sous la direction de Georges Duby), *Histoire de la vie privée*, tome 3, Le Seuil, 1986. Cité par Nicole S. Morgan *in Futuribles*, n° 213, octobre 1996.

VIII. C'EST MOLIÈRE QU'ON ASSASSINE

1. D'après une étude de Logica, fournisseur de serveurs SMS. Cité par Nicolas Lucas dans le numéro 10 du magazine *Newbiz*.

2. Celui-ci a été relevé le 16 octobre 2001 sur le salon des « moins de dix-huit ans » de Multimania, l'un des premiers fournisseurs de prestations Internet de France désormais intégré au groupe Lycos.

3. Philippe Breton, sociologue et auteur de nombreux ouvrages sur la relation entre l'homme et les technologies, a publié en 2000 *Le Culte de l'Internet*, aux Éditions La Découverte.

4. Rachel Panckhurst, « Analyse linguistique assistée par ordinateur du courriel », *in Internet, communication et langue française*, Éditions Hermès, 1999, page 55.

5. Jean-Yves Colin et Florence Mourlhon-Dallies, « Des didascalies sur l'Internet ? » *in Internet, communication et langue française*, Éditions Hermès, 1999, page 13.

6. Fabienne Cusin-Berche, « Courriel et genres discursifs » *in Internet, communication et langue française*, Éditions Hermès, 1999, page 13.

7. Entretien avec Christine Kerdellant, le 13 mars 2003.

8. Hillary Bays, *Internet Relay Chat – Échanges conversationnels sur Internet : une approche sociolinguistique d'un nouveau mode de communication*, thèse soutenue en décembre 2001 à l'École des hautes études en sciences sociales.

IX. L'ORDINATEUR EST-IL SEXISTE ?

1. « Les jeunes et l'écran », *Réseaux*, volume 17, Éditions Hermès, 1999. Voir détails au chapitre 2.

2. « L'ordinateur a-t-il un sexe ? », *Libération*, 16 avril 1999.

3. *La Société digitale*, Le Seuil, 1994. Voir aussi « Nouveaux moyens de communication interpersonnelle et partage des rôles en matière de sociabilité au sein des couples », conférence de l'École nationale supérieure des télécommunications, 14 juin 2001.

4. *Libération*, 4 juillet 2001 : « Le mail, boudoir pour les unes, fumoir pour les uns ».

5. *Idem.*
6. Dont celle de Herring, publiée en 1993.

X. LES DROGUÉS DE L'ORDINATEUR

1. Étude de David Greenfield citée par Pierre Agède dans « Les drogués du Net », article paru dans *Newbiz* en septembre 2001.
2. L'origine du mot « addiction » remonte au Moyen Âge : il qualifiait, à l'origine, la sanction qu'un juge appliquait à une personne incapable de payer sa dette. Cet mise en esclavage tenait lieu de réparation.
3. Le romancier William Gibson est considéré comme le père des cyberpunks. Son ouvrage phare est *Neuromancer*, 1994.
4. Voir annexe 2.

XI. DU LÈCHE-VITRINES AU ONE-CLIC SHOPPING

1. *Growing Up Digital*, publié chez Mc Graw Hill ; Don Tapscott est également l'auteur du best-seller *Digital Economy*.
2. Michel Alberganti et Emmanuel de Roux, « Heurs et malheurs du livre électronique » et « Deux mille ans après sa création, le livre reste irremplaçable », *Le Monde*, mercredi 13 novembre 2002.

XII. KOA 29 DOCTEUR ?

1. francetelecom.com
2. Jean-Pierre Lentin, *Ces ondes qui tuent, ces ondes qui soignent*, Albin Michel, 2001.
3. Au sujet de l'implantation des antennes relais, voir l'article de Stéphane Barge dans *Newbiz*, n° 22, juin 2002.
4. André Aschieri est aussi coauteur avec Daniel Cattelain du livre *Alerte sur les portables,* Mango Document, 2001.

CONCLUSION

1. Propos recueillis par Nicolas Lucas pour *Newbiz*, 2001. Le CELSA, qui traite des sciences de l'information et de la communication, dépend de Paris IV-la Sorbonne.

2. Charles Melman, *L'Homme sans gravité, jouir à tout prix*, entretiens avec Jean-Pierre Lebrun, Denoël, octobre 2002.

3. Bruno Icher, « Vivre au XXIe siècle », *Libération*, 15 décembre 2002.

4. Éditions La Découverte, Essais, 1993.

5. Psychanalyste américaine, élève de Lacan, enseignante qui a écrit plusieurs livres liés au multimédia, et notamment : *The Second Self*, Simon & Schuster, 1984 ; *Life On The Screen*, Simon & Schuster, 1996 ; *Les Enfants de l'ordinateur*, Denoël.

ANNEXES

ANNEXE 1

Petit manuel à l'usage des parents inquiets

Lorsque nous avons mené notre enquête, nous avons rencontré des parents inquiets de voir leurs enfants trop passionnés par l'ordinateur, d'autres qui pensaient avoir réussi à contenir le « problème » dans les limites du raisonnable, et de nombreux thérapeutes qui se sont interrogés et qui aident enfants et parents au quotidien. Parallèlement à notre étude des conséquences du multimédia sur les comportements des futurs adultes, nous avons donc recueilli de multiples avis sur les attitudes parentales à adopter ou, *a contrario*, les erreurs à éviter si l'on veut limiter l'« impact », supposé ou avéré, de son utilisation sur la violence, la sociabilité, ou la santé des enfants. Nous ne présentons ici que les conseils qui font l'unanimité, ou presque, chez les spécialistes sérieux.

D'abord, de la mesure ! Dans la journée d'un enfant, il y a un temps pour chaque chose : un temps pour manger, dormir, un temps pour lire, un autre pour jouer dans le jardin, un autre encore pour aller sur l'ordinateur. L'utilisation du micro ou de la console devra donc être interdite à certains moments phares : le matin avant l'école, le soir avant les devoirs. Les parents plus stricts n'autoriseront les jeux que le mercredi et le week-end. Et toujours pour un temps limité. C'est le cas d'Éric Caen, cofondateur de Titus Interactive, un des premiers fabricants français de jeux vidéo : il en vend chaque année 7 millions d'exemplaires, pour deux cents modèles différents. Le leader mondial des jeux d'échec virtuels a trois enfants (quatre, sept et huit ans) et ne les autorise à jouer que le week-end, pendant deux fois deux heures, et généralement ensemble. Pour lui, le débat sur l'autorité des parents confrontés à des enfants meilleurs qu'eux sur la console, que nous évoquions plus haut (« Le coup d'État des bambins »), est vite tranché : « L'adulte a le pouvoir de dire : je te confisque le jeu. C'est plus efficace que d'être meilleur au score ! Chez nous, les fessées sont dépassées, mais la privation de jeu est la première des punitions. »

Pendant les séances, l'œil restera fixé sur la montre ou le minuteur, placé non loin de l'ordinateur : les spécialistes de l'enfance recommandent que la séance ne dépasse pas une demi-heure par jour en cours préparatoire, et une heure maximum en cours moyen. À l'adolescence, on ira jusqu'à deux heures quotidiennes, surtout si elles sont prises sur le temps accordé à la télévision. Cette discipline est en général bien acceptée par les filles, moins par les garçons. On imaginera alors des systèmes de motivation adaptés à l'âge : « Si tu es capable de t'arrêter, c'est que tu es plus fort que Super Mario... » ; « Ceux qui ont fabriqué le jeu ont tout prévu pour que tu ne puisses pas t'arrêter ; essaie de déjouer leur stratagème ! ». C'est sans garantie d'efficacité, mais on peut toujours tenter sa chance !

La règle doit cependant rester souple : le temps quotidien ou hebdomadaire alloué aux jeux ne sera pas le même en semaine et pendant les vacances, si l'enfant est seul ou s'il reçoit des copains. On transigera d'autant moins sur la règle que l'enfant s'adonnera à des jeux d'action : comme leur rythme est soutenu, ils génèrent du stress et de la tension. En revanche, les jeux de stratégie et de réflexion pourront durer plus longtemps : ils ne sont finalement qu'une version modernisée des bonnes vieilles parties de Monopoly ou de Cluedo.

Pourquoi limiter le temps imparti aux jeux électroniques, y compris ceux qui sont « sans danger » ? Tout simplement pour donner aux enfants la possibilité de faire autre chose. « L'agenda des enfants est surbooké, alerte la psychanalyste Hélène Vecchiali. Entre le karaté, le violon, les jeux et l'ordinateur, ils n'ont plus de temps pour faire travailler " à vide " leur créativité et leur imagination. » Et de citer le célèbre psychanalyste britannique Donald Winnicott, qui a montré l'importance de « la capacité à être seul pour rêver ». « Plus que la violence ou les crises d'épilepsie, le vrai danger des jeux vidéo, c'est qu'ils empêchent les enfants de développer leur imaginaire », insiste-t-elle.

Deuxième règle de base : interdire les jeux les plus violents. Ils sont désormais identifiables grâce à des pictogrammes généralement présents sur les boîtes (« pour tous », « plus de 12 ans » ou « plus de 16 ans »). Les fabricants eux-mêmes conseillent fortement de respecter ces consignes.

Dernière règle indispensable, le dialogue. Autour des jeux vidéo, d'abord : « Il est vital que les parents ne laissent pas se développer à côté d'eux cette culture porteuse de rêverie, de fantasmes et de sociabilité. Elle doit être l'occasion d'un échange avec les enfants, explique Serge Tisseron. Si les adultes s'y intéressent, s'ils posent des questions, l'enfant va développer une relation différente au jeu vidéo, qui ne sera plus seulement une activité de compétition mais aussi une activité personnelle de valorisation. » Autre argument qui rend le dialogue nécessaire, les jeux provoquent des émotions intenses qui mettent l'enfant en tension psychique. Il est donc essentiel qu'il puisse gérer ces charges émotionnelles accumulées en les partageant avec un interlocuteur. Ces discussions font partie de la nécessaire « éducation aux images », et notamment aux images de télévision, dont il est question au chapitre 4. Enfin, bien que les jeux vidéo apprennent généralement à dédramatiser l'échec (puisqu'on ne progresse qu'en se trompant et en rectifiant), il faut empêcher l'enfant de se bloquer sur un jeu qu'il ne parvient pas à finir : « S'il n'a pas trouvé la solution après une dizaine d'heures, conseille Éric Caen, il faut lui dire de passer à autre chose ou de trouver des copains qui lui donneront la solution, car sinon, il risque de perdre confiance en lui-même. »

Il faut aussi accompagner un enfant lorsqu'il va sur le Net, comme pour n'importe quelle autre sortie. Autrement dit : ne pas aller danser à sa place, mais savoir où il va, avec qui, et à quelle heure il rentre. Dialoguer est indispensable, même lorsque l'éducateur n'est pas un féru de technologie, car, à défaut, l'enfant risque de développer une culture qui le coupe de ses parents. Le pédopsychiatre Jean-Yves Hayez est catégorique : « Nous devrions aller jusqu'à dire, notamment aux plus jeunes, qu'ils vont très probablement faire (ou ont déjà fait) sur le Net des expériences étranges, inquiétantes, voire choquantes : ils sont invités à en parler avec nous et nous promettons qu'ils ne seront jamais grondés s'ils le font. »

Une solution qui favorise le dialogue consiste à placer l'ordinateur familial en libre-service dans un coin du salon, ou une zone commune où les adultes circulent régulièrement. Il faut éviter à tout prix la chambre à coucher. Mais le combat n'est pas gagné d'avance : d'après un sondage Ipsos-Médiangle de juillet 2000, les ordinateurs sont installés dans la chambre des enfants dans plus d'un tiers des cas.

Inutile de se faire des illusions : l'installation du micro « bien en vue » n'est pas une assurance tous risques. Les ados qui dialoguent dans un forum ou avec des copains ont des codes secrets pour indiquer à leurs correspondants qu'ils sont surveillés. Pour certains, « 1234 » signifie par exemple « parent dans le secteur » (le 5 signifiant, en plus : « alerte rouge, il est en train de lire derrière mon dos »). Mais l'ado installé au milieu du salon sera tout de même moins tenté de rechercher systématiquement la transgression. Il faut aussi apprendre aux enfants, dès leur plus jeune âge, les règles basiques du Net : ne jamais donner son vrai nom, ni son adresse ou son numéro de téléphone.

Si le dialogue est inopérant, l'adulte qui maîtrise quelques rudiments de technologie pourra reconstituer, de temps en temps, grâce à l'« historique » du logiciel, la dernière séance de surf de son enfant. Il ne s'agit pas d'un réflexe d'espionnage malsain, car il est tout aussi naturel de savoir sur quels sites se rend un gamin que d'essayer de « contrôler » ses sorties réelles tant qu'il n'est pas majeur. Même si le parent n'a pas envie de lire ses e-mails – de même qu'il n'irait pas lire son journal intime –, il peut au moins, en lançant le nom ou le pseudo de l'adolescent (pour peu qu'il le connaisse) sur un moteur de recherche, avoir un aperçu des contributions qu'il a déposées sur des forums. Néanmoins, il ne faut pas abuser de ces vérifications *a posteriori*, car, comme le dit le pédopsychiatre Jean-Yves Hayez, « on sait combien des vérifications menées de façon obsessionnelle, quasi paranoïaque, peuvent pousser le jeune à défier l'interdiction ».

Les parents les plus inquiets installeront des filtres sur les ordinateurs, pour limiter l'accès aux sites dits dangereux – cette notion étant éminemment subjective. Rassurante, cette solution est loin d'être 100 % satisfaisante.

Inutile, d'abord, de compter sur le système proposé par le navigateur le plus courant, Internet Explorer : il est inefficace. Mais il existe de nombreux produits indépendants, qui se répartissent en trois catégories. Première catégorie, les plus restrictifs fonctionnent avec une « liste blanche » (ou « white list »). Leur principe : ils ne laissent l'enfant accéder qu'à certains sites préalablement répertoriés. Les parents peuvent à tout moment ajouter un nouveau site à cette liste de pages Internet autorisées. L'avantage est évident : aucun débordement possible. Mais, en contrepartie, on tire un trait sur la richesse de l'Internet en limitant son enfant à un périmètre minuscule. À moins d'être constamment derrière lui, pour lui donner à chaque instant l'autorisation de s'aventurer sur le nouveau site qu'il veut découvrir. Il s'agit donc d'une solution envisageable pour les plus jeunes, qui ne « zappent » pas constamment d'un site à l'autre, mais fastidieuse et très frustrante pour les autres.

Deuxième type de logiciels de filtrage, les « listes noires » (ou « black lists »). Ici, pas d'inventaire de ce qui est autorisé, mais au contraire un recensement des sites interdits. Toute tentative d'y accéder se traduit par un refus de la machine. À moins de connaître le mot de passe des parents... À ces exceptions près, la navigation sur Internet est libre : tout en étant théoriquement préservé des contenus choquants, l'enfant n'avance plus dans un espace visité par d'autres pour lui. Pourtant, les imperfections du système sont réelles. D'abord parce qu'il est impossible de répertorier *tous* les sites dangereux, tant le cybermonde est vaste et changeant (certains sites modifient régulièrement leur adresse pour ne pas se faire identifier). Mais aussi parce que les « pages perso », ces mini-sites mis en ligne par des particuliers, sont rarement prises en considération par les listes noires. Or ces pages sont souvent les pires. Ainsi, la recette du cocktail Molotov que nous citions dans le chapitre 3 se trouvait-elle sur une page perso.

Reste, troisième et dernière solution, le blocage par le biais de mots interdits. Tout site contenant certains mots tabous sera inaccessible. S'ils sont présents sur une page, des mots tels que « nazi », « sexe », ou « porno », ainsi que tous leurs dérivés, suffiront à déclencher le blocage du système. Assez efficace, sauf qu'une photo pornographique, pour peu qu'elle n'ait ni texte ni légende, ne sera pas interceptée ! De plus, on empêche par la même occasion les enfants de lire un article critique sur la pornographie ou un site très bien fait sur la Seconde Guerre mondiale. Car le système est bête et méchant : il est incapable de faire le distinguo entre un site révisionniste et celui qui appelle à se souvenir de l'Holocauste : il suffit que « SS » ou « Hitler » soit écrit pour que tout soit stoppé ! *Idem* pour les sites médicaux, pour peu qu'ils utilisent le mot « sein » pour parler du cancer. Les sites financiers ont parfois été interdits à cause des mots « bourse » ou taux de « pénétration ». Sans parler des sites sportifs mis au ban... parce que le championnat de foot minimes concernait les « moins de douze ans », la même cible que les pédophiles !

Un paradoxe contribue à limiter l'efficacité des filtrages : les sites anodins, pour attirer du monde, laissent souvent entendre qu'il y aura du sexe – alors que ce n'est pas le cas – tandis que ceux qui contiennent du sexe « hard » avancent parfois masqués en adoptant des noms innocents... Un filtre contre la zoophilie, par exemple, bloquera l'accès aux plus jolis sites animaliers, tandis que l'enfant tombera sur des images d'actes sexuels pratiqués avec des animaux en surfant sur des sites dotés de noms aussi angéliques que Glace au chocolat, Pokemon ou BMW !

Homayra Sellier, auteur d'une étude alarmante concernant la pédophilie sur Internet, espère lancer prochainement en France, avec l'appui des pouvoirs publics ou de fondations privées, un logiciel qui permettrait aux parents et aux éducateurs de surveiller efficacement les enfants sans bloquer leur accès aux sites. Ce logiciel, baptisé Reveal dans sa version anglaise, permet en effet de remonter toutes les adresses des sites visités par un enfant, tout ce qu'il a envoyé ou reçu, et tout ce qu'il a téléchargé. « Notre objectif, explique Homayra Sellier, est de responsabiliser les jeunes internautes de manière positive sans avoir à formuler des interdictions, et dialoguer avec eux. »

En attendant, l'arsenal permettant de sécuriser le surf des enfants est donc loin d'être parfait. Certains systèmes s'avèrent cependant plus efficaces que d'autres. On se reportera utilement au comparatif publié en mars 2002 par le magazine *60 millions de consommateurs*, utilisé ici (et accessible sur le site www.60millions-mag.com) *. Dans tous les cas, explique l'auteur de l'article, le filtre doit être défini sur mesure, et adapté aux valeurs familiales : personne ne peut décider pour un père ou une mère ce qu'il ou elle veut interdire.

Les filtres ne constituent néanmoins qu'une première barrière. Car le vrai filtre, ce sont les parents, comme toujours, s'ils savent – et veulent bien – jouer leur rôle irremplaçable.

* Pour en savoir plus sur les sujets abordés dans cette annexe, se référer à *60 millions de consommateurs*, n° 359, dossier « Vos enfants et Internet, comment éviter le pire ? ».

ANNEXE 2

Mini-glossaire SMS à l'usage des néophytes

Slt tlm, R29, G1PB : ma bal E tjs KC. QQ1 peut m'aider pls ? RSTP *.

Vous n'y comprenez rien ? Voici un mini-dictionnaire des expressions SMS (souvent utilisées également dans les e-mails) qui vous aidera à déchiffrer ce message... et bien d'autres.

LE B.A.-BA

(pour ne pas trahir votre identité d'adulte dès la première réponse)

a + : à plus tard
bal : boîte aux lettres

* Salut tout le monde. Rien de neuf. J'ai un problème : ma boîte aux lettres est toujours cassée. Quelqu'un peut-il m'aider, s'il vous plaît ? Répondez-moi s'il vous plaît...

bjr : bonjour
c : c'est
g : j'ai
ke : que
ki : qui
koa : quoi
lol : je suis mort de rire (vient de l'anglais *loughing out loud*). On trouve aussi « mdr ».
nsp : ne sait pas
pls : s'il te (vous) plaît (vient de l'anglais *please*)
slt : salut
tlm : tout le monde

LE NIVEAU CONFIRMÉ

(pour être comme un poisson dans l'eau dans un salon de *chat*)

a2m1 : à demain
ama : à mon avis
asap : au plus vite (*as soon as possible*)
bcoz : parce que (vient de *because*)
b4 : avant (*before*)
ez : facile (*easy*)
gr8 : super (*great*)
G1PB : j'ai un problème
GHT : j'ai acheté
NRV : énervé(e)
pq? : Pourquoi ? (on trouve aussi *pkoi*)
qq1 : quelqu'un

RDV : rendez-vous
RSTP : réponds-moi s'il te plaît.
R29 : rien de neuf
$: l'argent (la bataille symbolique euro/dollar n'est pas encore gagnée...)

LES FANTAISIES
(pour briller en société virtuelle)

A12C4 : à un de ces quatre
CU : à bientôt (*see you*)
CUBL8R : je te rappelle (vient de *call you back later*)
GF1 : j'ai faim
KESTUDI : qu'est-ce que tu dis ?
KOA29 BB : quoi de neuf, bébé ?
MER6 : merci
OQP : occupé
TAD : t'es amoureux dingue
T1GNI : tu es un génie
TUCKOI : tu sais quoi ?
UP2U : comme tu veux (vient de *up to you*)
XLNT : excellent (vient de la prononciation anglaise)

ANNEXE 3

Test de dépistage de la dépendance au multimédia

Vous craignez d'être un accro à l'Internet, ou qu'un de vos proches le soit ? Faites ou faites-lui faire ce petit test, établi par les auteurs avec le journaliste spécialiste du multimédia Pierre Agède, et librement inspiré de celui que propose sur son site Kimberly Young, un médecin américain, auteur de *Caught in the Net* (« Pris dans la Toile »). Répondez honnêtement à chaque question, comptez vos points et reportez-vous au diagnostic ci-après.

Attention, ce test est destiné aux plus de 18 ans. Les enfants, on l'a vu, ne sont jamais réellement dépendants : à de très rares exceptions près, ils diminuent naturellement leur consommation de jeux après le pic de 14-16 ans.

1. Vous arrive-t-il de rester en ligne plus longtemps que vous ne l'aviez prévu ?

0 Jamais, 1 Rarement, 2 Parfois, 3 Assez souvent, 4 Souvent, 5 Tout le temps

2. Vous arrive-t-il de négliger vos tâches domestiques pour rester plus longtemps en ligne ?

0 Jamais, 1 Rarement, 2 Parfois, 3 Assez souvent, 4 Souvent, 5 Tout le temps

3. Vous arrive-t-il de préférer l'excitation que vous procure le Net à celle que vous donne un moment d'intimité avec votre partenaire ?

0 Jamais, 1 Rarement, 2 Parfois, 3 Assez souvent, 4 Souvent, 5 Tout le temps

4. Avez-vous fait des rencontres amicales par le biais de l'Internet ?

0 Jamais, 1 Rarement, 2 Parfois, 3 Assez souvent, 4 Souvent, 5 Tout le temps

5. Votre entourage s'est-il déjà plaint du temps que vous passez sur Internet ?

0 Jamais, 1 Rarement, 2 Parfois, 3 Assez souvent, 4 Souvent, 5 Tout le temps

6. Si vous êtes étudiant, vos notes ou votre travail scolaire ont-ils pâti du temps que vous passez sur le Net ?

0 Jamais, 1 Rarement, 2 Parfois, 3 Assez souvent, 4 Souvent, 5 Tout le temps

7. Si vous travaillez, vous arrive-t-il d'être moins performant au travail à cause du temps que vous passez sur le Net ?

0 Jamais, 1 Rarement, 2 Parfois, 3 Assez souvent, 4 Souvent, 5 Tout le temps

8. Consulter vos mails est-il votre premier geste de la journée ?

0 Jamais, 1 Rarement, 2 Parfois, 3 Assez souvent, 4 Souvent, 5 Tout le temps

9. Vous arrive-t-il de ne pas répondre ou d'être sur la défensive quand quelqu'un vous demande ce que vous faites sur le Net ?

0 Jamais, 1 Rarement, 2 Parfois, 3 Assez souvent, 4 Souvent, 5 Tout le temps

10. Avez-vous tendance à voir l'Internet comme un moyen de vous évader de vos soucis de la vie quotidienne ?

0 Jamais, 1 Rarement, 2 Parfois, 3 Assez souvent, 4 Souvent, 5 Tout le temps

11. Quand vous n'êtes pas sur le Net, vous arrive-t-il de penser au moment où vous y serez ?

0 Jamais, 1 Rarement, 2 Parfois, 3 Assez souvent, 4 Souvent, 5 Tout le temps

12. Vous arrive-t-il de vous dire que sans Internet, la vie serait ennuyeuse et triste ?

0 Jamais, 1 Rarement, 2 Parfois, 3 Assez souvent, 4 Souvent, 5 Tout le temps

13. Vous arrive-t-il d'avoir un comportement agressif si quelqu'un vous interrompt alors que vous êtes en ligne ?

0 Jamais, 1 Rarement, 2 Parfois, 3 Assez souvent, 4 Souvent, 5 Tout le temps

14. Vous arrive-t-il de manquer de sommeil parce que vous êtes resté connecté tard dans la nuit ?

0 Jamais, 1 Rarement, 2 Parfois, 3 Assez souvent, 4 Souvent, 5 Tout le temps

15. Vous arrive-t-il d'avoir hâte de vous reconnecter quand vous faites autre chose ?

0 Jamais, 1 Rarement, 2 Parfois, 3 Assez souvent, 4 Souvent, 5 Tout le temps

16. Vous arrive-t-il de dire « allez, encore cinq minutes » lorsque vous êtes en ligne ?

0 Jamais, 1 Rarement, 2 Parfois, 3 Assez souvent, 4 Souvent, 5 Tout le temps

17. Vous arrive-t-il d'essayer de limiter, sans succès, le temps que vous passez en ligne ?

0 Jamais, 1 Rarement, 2 Parfois, 3 Assez souvent, 4 Souvent, 5 Tout le temps

18. Vous arrive-t-il de mentir quand on vous demande combien de temps vous passez en ligne ?

0 Jamais, 1 Rarement, 2 Parfois, 3 Assez souvent, 4 Souvent, 5 Tout le temps

19. Vous arrive-t-il de préférer rester en ligne plutôt que de sortir avec des amis ?

0 Jamais, 1 Rarement, 2 Parfois, 3 Assez souvent, 4 Souvent, 5 Tout le temps

20. Quand vous n'êtes pas en ligne, vous arrive-t-il de ressentir un sentiment de déprime ou de nervosité qui s'efface dès que vous vous reconnectez ?

0 Jamais, 1 Rarement, 2 Parfois, 3 Assez souvent, 4 Souvent, 5 Tout le temps

Résultats du test

En dessous de 50 points, pas de souci. Bien sûr, vous surfez parfois un peu trop longtemps, et vous agacez sûrement vos proches, mais votre vie sociale n'est pas désorganisée par Internet.

De 50 à 79 points : attention, vous êtes limite. Vous avez oublié l'anniversaire de votre copine parce que ce jour-là, vous ne pensiez qu'à votre partie d'Age of Empire avec Xman ? Faites le point, demandez-vous si le Net n'a pas pris trop de place dans votre vie, et efforcez-vous de réduire tout seul votre consommation.

80 points et plus : vous êtes en overdose caractérisée. Vous ne connaissez vos amis que par leurs pseudos. Au travail, on s'aperçoit sûrement que vous n'êtes plus aussi efficace. Vous paraissez toujours seul et vous ne mangez plus. Consultez rapidement un médecin.

ANNEXE 4

Glossaire

Addictif : anglicisme qui signifie « qui crée une dépendance ».

ADSL : Asymetric Digital Subscriber Line (ou ligne asymétrique numérique). Nom du plus répandu des systèmes d'Internet à haut débit. Celui-ci utilise le réseau téléphonique, et permet d'en accroître le débit par un traitement numérique du signal.

Binettes : terme québécois pour désigner les smileys. Voir aussi « émoticons ». Personne ne l'emploie en France.

Câble : système d'Internet à haut débit concurrent de l'ADSL. À la différence de l'ADSL, le câble ne passe pas par le réseau téléphonique. Le câblo-opérateur français s'appelle Noos. Il appartient au groupe Suez.

CD-Rom (ou *Cédérom*) : physiquement, le CD-Rom est un simple compact-disc. Au lieu de contenir de la musique, il contient des fichiers informatiques, lisibles uniquement par un ordinateur.

Chat (prononcer *Tchat'*) : système de conversation écrite qui permet de dialoguer avec des inconnus dans un « salon » virtuel. Deux types de salons existent : les uns, sortes d'agoras, permettent de s'exprimer devant tout le monde, tandis que les « salons privés » (voir ci-après PV) permettent d'entretenir une conversation avec une seule personne.

Chat room : nom donné à l'« endroit », c'est-à-dire au site Internet, sur lequel on peut pratiquer le *chat.*

Connexion : on mesure l'audience des sites Internet au nombre de « connexions » qu'ils ont eues au cours d'une période donnée.

Console de jeux : la toute première console, lancée par Amstrad, date de 1973. Cet appareil était toutefois rudimentaire, comparé aux derniers modèles type X-Box ou PlayStation 2... À l'inverse de l'ordinateur, la console sert uniquement à jouer. Toute sa puissance de calcul est orientée vers le jeu, sa fluidité, sa rapidité. Désormais, les consoles intègrent de plus en plus un accès à Internet, en particulier pour jouer en réseau. En 2002, la console la plus vendue en Europe était la PlayStation 2 (68,9 % des parts de marché).

CSA : Conseil supérieur de l'audiovisuel. Autorité de régulation de la télévision et de la radio en France. Un CSA « remanié » pourrait être amené à statuer sur la dangerosité des jeux vidéo.

Day-trader : personne qui spécule en Bourse *via* son ordinateur, en effectuant des opérations d'achat ou de vente extrêmement rapides. Apparus pendant le boom de la nouvelle économie, les *day-traders* amateurs ont été, pour beaucoup, laminés pendant la débâcle boursière.

Déréalisation : processus psychique par lequel un individu tendrait à ne plus croire à la réalité des choses ou des êtres qui l'entourent, et s'enfermerait dans sa bulle de virtualité.

Digital : numérique.

Doom : voir Quake (jeu concurrent de ce dernier).

Dreamcast : la dernière console fabriquée par Sega. Lancée en Europe en septembre 1999 pour concurrencer la PlayStation de Sony, elle fut retirée du marché fin 2000 en raison des difficultés financières de l'entreprise.

DVD : sigle signifiant Digital Video Disc. Système numérique qui supplante peu à peu la cassette VHS (pour Video Home System) lancée en 1977 par JVC.

e-book : nom donné au livre électronique. Il s'agit d'un boîtier un peu plus volumineux qu'un livre, doté d'un écran à grand confort de lecture, sur lequel on peut lire tous les textes, à condition de les avoir téléchargés auparavant sur Internet. Ce système permet en outre d'adapter la taille des caractères à la qualité de sa vue, de chercher des définitions de mots, etc. Présenté comme l'outil qui allait tuer le livre, il n'a pas pour l'instant rencontré son public.

e-learning : apprentissage en ligne (dialogue avec un professeur ou un logiciel).

e-mail : contraction de « *electronic mail* », c'est-à-dire « courrier électronique ». Système de communication inventé en 1972 qui permet de communiquer par écrit, mais de façon instantanée. On dit aussi « mail », « courrier électronique ». L'appellation québécoise « courriel », recommandée en France, est encore peu employée.

Émoticons : terme officiel pour désigner les smileys. Personne ne l'emploie.

En ligne (ou *on line*) : au contraire du face-à-face, désigne ce qui se fait en direct sur le Net.

Forum de discussion : à la différence du *chat*, le forum de discussion n'est pas instantané. Il permet donc des développements plus longs. Thématique, il permet à des internautes de prendre position, par écrit, sur une question, et de revenir (le lendemain par exemple) pour regarder les commentaires ou les réponses.

Fracture numérique, fracture Internet : désigne la séparation entre ceux qui ont accès aux nouvelles technologies et ceux qui en sont exclus. La fracture numérique a d'abord des causes sociales (revenu du foyer, catégorie socio-professionnelle des parents) mais concerne aussi l'aménagement du territoire. Ainsi, les populations citadines ont des possibilités de connexion à haut débit, tandis que les campagnes restent en marge, faute de câblage.

Game Boy : la Game Boy fut la première console de jeu portable. Elle connut un succès fabuleux

(100 millions d'exemplaires vendus depuis son apparition, en 1989). Contrairement aux « jeux électroniques » qui la précédaient, elle permettait de changer de jeu, en insérant une nouvelle « cartouche ». À l'origine limitée au noir et blanc, elle a depuis pris des couleurs, et est plus que jamais à la mode.

Gamecube : apparu sur le marché européen en mai 2002, c'est le dernier modèle de console lancé par Nintendo.

Gamer : nom donné à ceux qui pratiquent les jeux vidéo. Quand la pratique dépasse des doses raisonnables, on parle de « *hardcore gamer* ».

Génération X : nom donné aux États-Unis aux jeunes nés entre 1960 et 1980 (post-soixante-huitards en France). La génération Y désigne les jeunes nés après 1980. Ceux qui étaient nés après 1945 étaient les « baby-boomers ».

Haut débit : le haut débit est un système de connexion à l'Internet qui permet de transmettre beaucoup plus d'informations à la seconde qu'avec un simple modem. Il est presque indispensable pour certains types d'activités. Si télécharger de la musique est fastidieux sans haut débit, obtenir des films ou jouer en réseau sont tout bonnement impensables avec un simple modem.

Hertz (Hz) : unité de mesure de la fréquence, c'est-à-dire du nombre d'oscillations d'une onde en une seconde. On trouve aussi MHz pour mégahertz (million de hertz) et GHz pour gigahertz (milliard de hertz).

Icône : symbole graphique affiché sur un écran d'ordinateur, qui représente un programme et permet de le lancer.

Identifiant : nom qui permet à un internaute de se faire identifier sur un service Internet et d'accéder à ses services personnalisés (par exemple pour consulter son relevé bancaire).

Interactif : « qui permet une interaction », selon le Petit Robert. Se dit de tout système qui permet à son utilisateur d'agir sur lui. Un film n'est pas interactif (on ne peut pas influer sur son déroulement), un jeu vidéo l'est. De même, la navigation sur Internet est interactive, puisque l'internaute clique sur un mot, ouvre alors une page nouvelle... bref, il *construit* son parcours.

Internaute : personne qui se connecte à l'Internet. Pour les instituts de mesure d'audience, est considérée comme internaute toute personne qui s'est connectée à l'Internet au moins une fois dans le mois.

Internet : comme son nom l'indique, l'Internet sert à relier (« inter ») des réseaux (« net »). C'est le sens de l'expression « réseau des réseaux » souvent employée à son sujet. En reliant différents réseaux, Internet est lui-même le plus grand réseau informatique de la planète. Les ordinateurs qui le composent utilisent, pour pouvoir échanger entre eux, le même protocole de communication, appelé « TCP/IP ». Difficile de déterminer qui a inventé l'Internet. Mais ses ancêtres, les premiers réseaux, remontent à la fin des années 1960. Ainsi, en 1969, le département américain de la Défense crée Arpanet, reliant quatre ordinateurs entre eux..

Jeu de plate-forme : catégorie de jeux dans lesquels le héros est un petit personnage qui se promène dans des lieux remplis de pièges et d'embûches qu'il devra éviter. Super Mario ou Sonic en sont des exemples célèbres.

Jeu en réseau : se pratique à plusieurs, sur plusieurs ordinateurs (ou consoles). Les différents participants, en se reliant *via* le Net ou un réseau quelconque, peuvent jouer les uns contre (ou avec) les autres, dans la même partie.

Joystick : nom anglais, utilisé en France, pour désigner la manette de jeu.

Lien (hypertexte) : c'est la pièce centrale de l'architecture du web. Ce sont des ponts d'un site à un autre. La personne qui crée un site peut décider, à n'importe quel endroit, d'inclure un tel lien. Si, sur un site, un mot est souligné, cela signifie qu'on peut cliquer dessus, et aboutir à une autre page du web. Dans la géographie du cyberespace, la notion de proximité entre deux sites se résume donc à la présence ou l'absence de tels liens entre les deux sites.

Mac (pour Macintosh) : ordinateur concurrent du PC (*personal computer*), qui est pourtant bien lui aussi un « ordinateur personnel »... La plupart du temps, le Mac est plébiscité dans les métiers créatifs (traitement de l'image ou du son). Les discussions entre les « pro-PC » et les « pro-Mac » sont incontournables dans les milieux informatiques.

Mini-message : voir SMS.

MIT : Massachusetts Institute of Technology. Université américaine située à Cambridge, réputée pour son avant-gardisme technologique.

Modem : contraction de « modulateur/démodulateur ». Petit boîtier, de plus en plus souvent intégré aux ordinateurs, qui sert à se connecter à l'Internet. Au contraire du câble ou de l'ADSL, la connexion se fait à bas débit, par la ligne téléphonique, ce qui peut rendre le surf très lent.

Moteur de recherche : c'est un automate qui recense les sites qui contiennent un mot ou une expression précise. Chaque moteur classe ces sites en fonction de critères qui lui sont propres. Le plus célèbre des moteurs de recherche, Google (www.google.fr pour les Français), classe les sites en fonction de leur popularité. Plus un site est plébiscité par les internautes, plus il sera placé en haut de la liste.

MP3 : tous les fichiers informatiques possèdent une « extension », c'est-à-dire trois lettres (ou chiffres) qui définissent leur format, la plus célèbre étant le «.doc » pour la plupart des documents écrits. Le format «.mp3 » correspond à un type de codage de la musique. Son principal atout est de permettre de condenser les données sans perdre trop en qualité. Il nécessite en moyenne dix fois moins de mémoire que le format non condensé, baptisé «.wav ».

Multimédia : technologie intégrant sur un support électronique des données multiples (sons, photos, textes, films). Le succès du multimédia a précédé celui de l'Internet en France.

Nouvelle économie : le terme a désigné à la fois une réalité et un mythe. La « nouvelle » économie consistait en l'ensemble des activités générées par les nouvelles technologies, notamment par l'Internet et le téléphone mobile. Le potentiel de croissance des sociétés high tech paraissant quasi infini, elles ont été portées aux nues par la Bourse pendant quelques années, tandis qu'étaient injustement massacrées les entreprises de l'« ancienne » économie – c'est-à-dire l'industrie, les services et le commerce traditionnels, sans parler des intermédiaires, supposés voués à disparaître puisque les marchés devenaient tous, et vite, transparents grâce à Internet. Mais la Bourse allait un peu vite en besogne, même si aujourd'hui, plusieurs grandes sociétés Internet sont rentables. La nouvelle économie évoquait aussi la possibilité d'une croissance éternelle sans inflation et sans chômage, donc la fin des cycles économiques. Ce qui était clairement une utopie.

Numérique : par opposition à l'analogique, un système numérique code l'information au moyen d'un système binaire (une succession de 0 et de 1). Ce qui facilite son traitement par l'informatique, et garantit qu'elle vieillira mieux qu'un système analogique, comme c'est le cas du CD par rapport à la cassette audio.

Otakus : terme japonais qui, au sens strict, désigne des « fans », des « tribus » d'adolescents qui se consacrent à une passion au point de se mettre en marge du monde et de vivre dans une sphère virtuelle. Ce phénomène très spectaculaire est apparu au Japon au milieu des années 1980. Toutefois, on retient surtout, depuis l'arrivée au Japon de l'Internet (en 1995), l'enfermement dans l'univers informatique.

Panoptique : qui permet de voir sans être vu. C'est le cas, par exemple, d'un système communal de vidéosurveillance.

PAO : Publication assistée par ordinateur.

PC : pour *Personal Computer*. Système d'ordinateurs inventé par IBM. Le terme « PC » s'utilise par opposition aux « Mac ».

Piratage : désigne les pratiques frauduleuses dans le domaine informatique. Le piratage va de la duplication d'un fichier, lorsqu'elle est interdite, jusqu'au vol d'informations bancaires sur les clients d'une entreprise, en passant par l'intrusion dans les systèmes informatiques de grandes entreprises. Le Pentagone américain aurait plusieurs fois fait les frais des *hackers*, ceux qui pratiquent ces « jeux ».

PlayStation : cette console, lancée en 1996, a créé une petite révolution dans le domaine du jeu, grâce à sa puissance de calcul : le réalisme des jeux s'en trouvait nettement amélioré. Sur le plan économique, elle marque aussi un tournant sur le marché du jeu : Sega et Nintendo, les deux leaders, se sont fait soudainement déloger par Sony. Sega n'y survivra pas et abandonnera la console.

Portail Internet : ce sont des sites Internet géants qui cherchent à être la « porte d'entrée » des internautes sur le Net (exemples : wanadoo, vizzavi). En classant par grandes rubriques les activités les plus fréquentes des internautes (emploi, météo, hobbies...) ils permettent de trouver rapidement le site que l'on cherche. Dès lors, ces sites sont parmi les plus visités de l'Internet. Cette popularité leur permet de vendre leurs emplacements publicitaires à bon prix.

Protocole SSL (pour *Secure Socket Layer*) : nom du procédé de cryptage le plus utilisé sur Internet, notamment pour les transactions en ligne. Trouver la « clé » pour intercepter un numéro de carte bancaire nécessite une puissance de calcul telle que le risque est nul.

Pseudo : c'est un nom que s'invente un internaute pour prendre la parole, dans un salon de *chat* par exemple. À la différence de l'identifiant, le pseudo n'est pas forcément une identité fixe.

PV (pour *private room*) : dans un salon de *chat*, deux internautes peuvent décider de s'isoler de leurs congénères pour aller discuter entre eux. On dit alors qu'ils vont en PV.

Quake : jeu vidéo culte dans lequel le joueur voit ce que verrait le soldat qu'il dirige au sein d'opérations commando ultra violentes.

Rayman : héros d'un jeu à grand succès portant le même nom. Cet être étrange, proche d'un personnage de cartoon (sans bras ni jambes, mais pourtant doté de mains et de pieds) est l'un des grands succès de la société française Ubi Soft.

SAO : Sexualité assistée par ordinateur. Encore extrêmement hypothétique.

Serveur : ordinateur dont la capacité de stockage d'informations est nettement supérieure à celle d'un ordinateur de bureau. Toutes les informations partagées par les utilisateurs d'un même réseau (généralement, une entreprise) sont stockées sur des serveurs.

Shoot them up : nom donné à toute une série de jeux basés sur un principe simple : tirer sur tout ce qui bouge... Les deux jeux « fondateurs » sont Doom et Quake.

Sims : jeu lancé en février 2000 mais déjà culte. Commercialisé par le numéro un mondial des jeux vidéo, Electronic Arts, il est le plus vendu dans le monde avec 6,5 millions d'unités. Les Sims sont l'œuvre de Will Wright, fondateur du studio californien Maxis, qui avait déjà inventé Sim City, un jeu de stratégie permettant de gérer une ville. Ici, on simule la vie d'une famille en créant des personnages *ex nihilo*, qui sont souvent les propres clones des joueurs.

Smileys : succession de caractères représentant un visage. Leur sens émerge lorsqu'on penche la tête de 90 degrés à gauche. Le plus usité, « :-) », signifie que la personne qui écrit s'exprime sur le ton de la plaisanterie.

SMS : pour « *Short Message Service* ». Ces petits messages écrits s'envoient et se reçoivent par téléphone portable. Instantanés, ils sont très appréciés pour au moins deux raisons : leur coût est fixe (à la différence d'une communication, dont on ne sait pas à l'avance combien de temps elle va durer), et ils permettent de communiquer tout en restant silencieux. Il existe des versions de plus en plus sophistiquées du SMS, notamment le MMS, qui permet d'envoyer des images par téléphone portable.

Soluce (contraction de « solution ») : mot employé par les adolescents pour parler des « trucs » à connaître pour progresser dans un jeu.

Super Mario : petit personnage moustachu en salopette inventé par Nintendo dans un jeu portant le même nom, devenu emblématique de la marque.

Surfer : verbe utilisé pour caractériser l'activité d'un internaute qui « voyage » de site en site. Le terme a déjà vieilli puisque se promener sans but sur le Net devient vite ennuyeux.

Tamagotchi : nom donné à un petit appareil électronique qui fit fureur au Japon, et connut un certain succès en Europe. Le tamagotchi était le premier « animal de compagnie virtuel »; il n'avait qu'une vie. Petit comme une montre, il « naissait » au moment où on l'allumait. Il fallait ensuite s'en occuper (le nourrir, lui donner un bon rythme de « sommeil », le gronder quand il se plaignait sans raisons, vérifier son niveau de santé). Plus on veillait sur lui, plus il « vivait » longtemps.

Télécharger : action qui consiste à transférer des données du réseau vers son propre ordinateur. Le téléchargement le plus pratiqué concerne la musique et les films. En anglais, « *to download* ».

Télématique : qui concerne le Minitel.

Tomb Raider : jeu d'aventures qui connut un très grand succès, sans doute parce que son héros, Lara Croft, était pour la première fois une jeune femme à la plastique impressionnante. Il a été adapté au cinéma en 2002.

Violence : le mot est très utilisé dès qu'on parle de télévision et de jeux vidéo. Mais il existe autant de définitions que d'utilisateurs, ou presque. Quelques personnes, en France, se sont penchées sur ce problème récemment, en essayant d'en donner une vue aussi objective que possible. Voici celle que l'on trouve dans le fameux rapport Kriegel, du nom de la présidente de la commission chargée de définir des critères d'évaluation de la violence à la télévision : « La force déréglée qui porte atteinte à l'intégrité physique ou psychique pour mettre en cause dans un but de domination ou de destruction humaine de l'individu. »

Virtuel : au sens strict, on dit virtuel ce qui peut devenir réel. Le mot « virtuel » signifie donc « possible, potentiel ». Mais dans le domaine informatique, la notion de virtualité désigne aujourd'hui ce qui n'est pas réel mais essaie d'y ressembler... La « réalité virtuelle » (!) est, d'après le Petit Robert, un « système de simulation interactif par images de synthèse tridimensionnelles ».

Visio-conférence : système de communication qui permet de voir son (ses) interlocuteur(s) en parlant.

Webcam : petite caméra numérique utilisée pour se filmer et diffuser son image sur Internet. La webcam permet donc de « voir » ses amis en échangeant avec eux. Ce système, pour être fluide, nécessite toutefois une connexion à haut débit.

X-box : console lancée par Microsoft pour concurrencer la PlayStation 2 de Sony et la Gamecube de Nintendo. En Europe, elle est apparue en mars 2002.

REMERCIEMENTS

Nous voudrions remercier ici, pour leur contribution à ce livre, toutes les personnes que nous avons rencontrées pour évoquer les problèmes liés au multimédia : parents, enseignants, éditeurs de jeux, intellectuels, médecins, psychologues et psychiatres.

Nous remercions tout particulièrement Xavier Darcos, Jack Lang, Serge Tisseron, Alain Finkielkraut, Yves Coppens, Philippe Sollers, Joël de Rosnay, Sherry Turkle, Judith Cassel, Hélène Vecchiali, Dan Véléa, Christian Bommelaer, Philippe Meirieu, Clara Danon, Danièle Valentin, Anne Lejarre, Isabelle Dijols, Jean-Loup Bourrissoux, Jacques Gautrand, Fulvio Caccia, William Coop, Andreas Agathocleous, Jacques Anis, Michel Aptel, Anne Balavoine-Dumez, Hillary Bays, Monique Brachet-Lehur, Philippe Breton, François Cail, Marc Cendrier, Éric Caen, Catherine Delafon, Annette Dumesnil, Jean-Yves Hayez, Alain d'Iribarne,

Sophie Jehel, Pascal Leleu, Jean-Pierre Lentin, Thierry Leterre, Monique Linard, Agnès Olivo, Stéphane Barsacq, Georges Perdriel, Michel Piéront, François Tivolle, Jos Tontlinger, Bernard Traimond, Grégory Véret, Nicole Viallat, Pascale Weil, pour le temps qu'ils nous ont consacré, les contacts qu'ils nous ont donnés et la qualité de leur réflexion.

Merci également aux Péraldi-Kerdellant-Laronche-Daireaux-Leclère pour leurs contributions (idées, encouragements, aides concrètes...).

Nous voulons remercier, enfin, notre éditeur Renaud de Rochebrune qui nous a, comme toujours, poussés dans nos retranchements afin d'affiner nos raisonnements, notre écriture, ou d'accroître la rigueur de nos recherches.

Au moment de terminer ce livre, nous avons également une pensée toute particulière pour l'équipe de *Newbiz* *, au sein de laquelle nous nous sommes passionnés pendant un an et demi pour les phénomènes liés aux nouvelles technologies et aux « nouveaux mondes », et avec qui nous avons vécu une aventure journalistique inoubliable.

* Éric Meyer, Pierre Agède, Stéphane Barge, Sylvie Bommel, Anne Cantin, Isabelle Chouffet, Muriel Cohendet, William Coop, Marie Courtemanche, Adeline Dejaeghere, Françoise Drougat, Fabiola Flex, Vincent Giolito, Adrien Guilleminot, Frédéric Holterman, Laetitia Kalafat, Nicolas Lucas, Pascal Maupas, Pierre-Antoine Merlin, Joël Pardini, Marie-Madeleine Peretié, Emmanuelle Prot, Anne Rein, Éric Schreiki, Muriel Seissier, Éric Soulier, Ana Tenorio.

Cet ouvrage a été réalisé par

FIRMIN DIDOT

GROUPE CPI

Mesnil-sur-l'Estrée

pour le compte des Éditions Denoël
en avril 2003

Imprimé en France
Dépôt légal : mai 2003
N° d'édition : 111230 – N° d'impression : 63551